# DE MEMORY MAN

MEG GARDINER

# *De Memory Man*

UITGEVERIJ LUITINGH

Uitgeverij Luitingh en Drukkerij HooibergHaasbeek vinden het belangrijk om op
milieuvriendelijke en verantwoorde wijze met natuurlijke bronnen om te gaan

© 2009 Meg Gardiner
All rights reserved
© 2009 Luitingh ~ Sijthoff B.V., Amsterdam
Alle rechten voorbehouden
Oorspronkelijke titel: *The Memory Collector*
Vertaling: Mieke Trouw-Luyckx
Omslagontwerp: Pete Teboskins/twizter.nl
Omslagfotografie: Pete Teboskins/twizter.nl

ISBN 978 90 245 3227 8
NUR 332

www.boekenwereld.com
www.uitgeverijluitingh.nl
www.watleesjij.nu

Voor mijn broer en zussen: Bill, Sue en Sara

# 1

Achteraf herinnerde Seth zich koude lucht, rode strepen aan de westelijke hemel, muziek in zijn oren en zijn eigen zware ademhaling. Achteraf kwam het begrip, dat als een doorn in zijn geheugen bleef steken. Hij had hen niet horen aankomen.

Er zaten diepe voren in het pad door Golden Gate Park en hij reed met zijn oortjes in, de volumeknop open. Zijn gitaar zat in een hoes die als een rugzak om zijn schouders hing. De karmozijnrode zonsondergang flitste als een stroboscooplamp tussen de eucalyptusbomen door. Op Kennedy Drive hopte hij met zijn fiets van de stoeprand af, en hij stak de weg over en reed naar het bos om een stukje van de route af te snijden. Nog een paar honderd meter, dan was hij thuis.

Hij was laat, maar als hij hard reed, was zijn moeder nog niet thuis van haar werk. Zijn adem vormde een witte pluim in de lucht. De muziek dreunde in zijn oren en hij hoorde Whiskey nauwelijks blaffen.

Hij keek over zijn schouder. Vijftig meter achter hem stond de hond op het pad stil. Slippend kwam Seth tot stilstand. Hij duwde zijn bril hoger op zijn neus, maar het pad lag in de schaduw en hij kon niet zien waarom Whiskey blafte.

Hij floot en zwaaide. 'Kom op, sufferd.'

Whiskey was een grote hond, deels Ierse setter, deels golden retriever. Deels zitkussen. Een grote lieverd, elke domme centimeter van zijn logge lijf. Hij had zijn haren opgezet.

Als Whiskey de benen nam, kon het eeuwen duren voordat hij hem te pakken had. Dan was hij zeker te laat thuis. Maar Seth was vijftien – nou ja, over een maand – en Whiskey was zijn verantwoordelijkheid.

Hij floot nog een keer. Whiskey keek even naar hem om. Seth had durven zweren dat de hond bezorgd keek.

Hij trok de oortjes uit zijn oren. 'Whiskey, kom hier.'

De hond kwam niet van zijn plaats, en zijn nekharen bleven overeind staan. Buiten het park hoorde Seth verkeer over Fulton rijden. Hij hoorde zingende vogels in de bomen en een vliegtuig boven zijn hoofd. Hij hoorde Whiskey grommen.

Seth reed naar hem toe. Misschien was het wel een wasbeer, en zelfs in San Francisco konden wasberen rabiës hebben.

Hij stopte naast de hond. 'Whiskey, blijf.'

Op Kennedy hoorde hij een autoportier dichtslaan. Bladeren en dennennaalden kraakten onder stevige schoenen. Whiskey legde zijn oren in zijn nek, en Seth greep hem bij zijn halsband. De hond trilde van de spanning.

De vogels waren gestopt met zingen.

'Kom. Voet,' zei Seth, en hij draaide zich om.

In de avondschemering stond een man op het pad, zo'n drie meter van hem af. Er ging een verraste tinteling door Seth heen, die hij tot in zijn haarwortels voelde.

De man had geen nek, zijn kaalgeschoren hoofd liep door tot op zijn schouders. Zijn armen hingen langs zijn lichaam. Hij zag eruit als een te lang gekookte knakworst van een kraampje in een honkbalstadion.

Hij knikte naar Whiskey. 'Daar heb je je handen vol aan. Hoe heet hij?'

De zon was al bijna onder. Waarom droeg die man een zonnebril?

Hij knipte met zijn vingers. 'Hier, beest.'

Seth hield Whiskeys halsband vast. Hij voelde de tinteling op zijn huid, en hij had een fel, bonzend gevoel achter zijn ogen. Wat wilde die man?

De hotdog met de zonnebril hield zijn hoofd schuin. 'Ik vroeg hoe hij heet, Seth.'

De felheid bonkte achter Seths ogen. De man wist wie hij was. Natuurlijk wist hij dat. De slungelige Seth had koperrood haar dat als stro omhoogstak, en indringende lichtblauwe ogen waarmee hij volgens zijn moeder een blik als een laserstraal kon afvuren. *Dat heb ik weer*, zei ze wel eens. *Je bent het evenbeeld van je vader.*

Seth greep Whiskeys halsband steviger beet. Dit had híj weer. Echt iets voor hem om pech te hebben, om... O *shit* – dit had iets met zijn vader te maken.

Wat wilde die man? Die man had het op hém voorzien.

Hij vluchtte. Hij sprong op zijn fiets, maakte een haakse bocht en ging er als een hazewind vandoor, weg van de wandelende hotdog. Als een gek scheurde hij de bossen in.

'Whiskey, kóm,' schreeuwde hij.

Hier was geen pad, alleen hobbelig terrein met bruin gras en dode bladeren. Hij greep het stuur steviger beet en trapte zo hard dat zijn benen het bijna niet konden bijhouden. Zijn bril stuiterde op zijn neus. Zijn oortjes zwaaiden naar beneden en tikten tegen de fiets. Er sijpelden liedjes uit.

Achter zich hoorde hij Whiskey blaffen. Seth was te bang om over zijn schouder te kijken.

De hotdog was niet in zijn eentje gekomen. Whiskey had naar iets op Kennedy Drive staan grommen, en Seth had een dichtslaand autoportier en voetstappen op het pad gehoord. Hij had het gevoel dat er een appel in zijn keel was geramd. Er waren twee kerels in het park die hem te grazen wilden nemen.

Hij moest zijn moeder waarschuwen.

Zijn mobieltje zat in de zak van zijn spijkerbroek, maar hij kon er niet bij nu hij als een dolle wegfietste. In zijn keel welde een jammerkreet op, maar hij onderdrukte hem. Hij mocht niet huilen. In het donker leken de groene bomen wel zwart. Honderd meter voor zich uit zag hij tussen de takken door voorbijrijdende koplampen op Fulton Street.

Hij moest zijn huis zien te bereiken. Zijn moeder – o god, stel dat die kerels ook achter haar aan kwamen...

Nog negentig meter naar Fulton. Witte koplampen schenen fel tussen de bomen door. Seths handen verkrampten om zijn stuur, zijn benen brandden. De gitaar stuiterde in de hoes op zijn rug. De fiets belandde met een dreun in een geul, maar hij wist overeind te blijven, het stuur recht te houden en door te fietsen. Op Fulton waren andere mensen. De koplampen kwamen dichterbij.

Achter zich hoorde hij Whiskey janken.

Hij keek over zijn schouder. Door het kreupelhout rende zijn hond achter hem aan, gevolgd door de hotdog.

'Whiskey, rénnen,' schreeuwde Seth.

Zijn benen trilden, maar hij zette weer kracht en stoof langs een oude eik in de richting van de weg.

De tweede man stond achter de boom te wachten.

Hij strekte zijn arm uit op het moment dat Seth voorbijreed en greep de steel van de gitaar, waardoor Seth van de fiets werd gerukt. Seths voeten vlogen omhoog, hij spreidde zijn armen en belandde boven op de gitaar op de grond. Hij hoorde de snaren ploinken en het instrument breken. Door de klap werd alle lucht uit zijn longen geperst.

De man greep hem beet. Deze kerel was vierkant en had grijs, gemillimeterd haar, waardoor hij op een betonblok leek. Hij was oud, maar hij zat vol puistjes. Hij trok Seth overeind.

Seth probeerde hem te trappen. 'Laat me lós.'

Het kwam eruit als een schreeuw. Seth maaide met zijn vuist en schopte naar de knieën van de man.

'Jezus.' De man draaide Seths arm op zijn rug.

Een scherpe pijn schoot door Seths elleboog. De man duwde hem in de richting van de bosjes.

Op dat moment viel Whiskey als een grote bonk spieren, kracht en woedend geblaf aan. De hond maakte een sprong en zette zijn tanden in de pols van de man. Het betonblok deinsde achteruit en liet Seth los.

Met zijn bril scheef op zijn neus rende Seth struikelend tussen de bomen naar Fulton Street. Achter hem hoorde hij furieus geblaf. Het betonblok schreeuwde. Een afschuwelijk gejank van Whiskey.

Nog veertig meter naar Fulton. Whiskeys gejank zwakte af tot een kreun van pijn. Seth bleef rennen. Nog twintig meter. Hij kon zijn vader horen: *Wijk nooit uit voor een dier. Als je op de weg moet kiezen tussen een hond en jezelf, moet je zorgen dat jij het overleeft.*

Maar dit gebeurde juist door zijn vader, en als hij niet wist te ontsnappen, belandden zijn moeder en hij in een enorme zee van angst en pijn.

Vijftien meter. Hij zag de weg, auto's, het trottoir, de zijstraat die op Fulton uitkwam. Zíjn straat – zijn huis was nu vlakbij. Hij kneep met zijn ogen en probeerde te zien of zijn moeders auto er al stond.

Er stond iemand op de oprit. Een vrouw – hij zag bleke benen onder een rok. Lang, lichtbruin haar.

Zijn kracht kwam in een enorme energiestoot terug. '*Mam!*'

Whiskey jammerde.

Seth aarzelde. Whiskey had hem gered – hij kon de hond niet in de steek laten. Hij zag een steen, raapte hem op en draaide zich om.

De hotdog stormde recht op hem af. Voordat Seth kon wegspringen, zag hij de man als een linebacker in elkaar duiken en naar voren springen om hem te tackelen.

Seth klapte zo hard tegen de grond dat zijn bril afvloog, maar hij wist de steen vast te houden en beukte de man ermee op het hoofd.

'Laat me goddomme lós.'

De man greep Seths hand beet en drukte hem op de grond. Het betonblok kwam aanrennen en trok Whiskey aan zijn halsband mee.

'Echt een aardje naar zijn vaartje, vind je niet?' Het betonblok draaide zijn arm en keek naar de bloederige beet. 'Klotehond.'

Seth gooide zijn hoofd in zijn nek. 'Mam!'

De hotdog greep Seths gezicht beet en probeerde zijn mond open te wrikken om er een zakdoek in te proppen. Zijn voorhoofd bloedde op de plaatsen waar de steen hem had geraakt. Seth klemde zijn kaken op elkaar. Whiskey trok aan zijn halsband en probeerde bij hem te komen. De man kneep Seths neus dicht. Seth schopte en probeerde de knieën van de man te raken, maar naast de menselijke knakworst leek hij wel een wandelende tak. Op het moment dat hij zijn mond opendeed om naar adem te happen, werd de zakdoek naar binnen geramd.

De man greep Seths haar beet, boog zich naar voren en bracht zijn lippen naar Seths oor. 'Ik ga je pijn doen.' Zijn stem was heel dichtbij en maakte vochtige geluiden boven Seths huid. 'Maar eerst doe ik je hond pijn. Met een schroevendraaier.'

Alle kracht stroomde uit Seth weg. Er drukte een zwaar gewicht op zijn borst, en hij kon niet meer vechten tegen de opwellende tranen.

De hotdog glimlachte achter zijn zonnebril. Zijn roze tandvlees glinsterde vochtig toen hij zich tot het betonblok wendde. 'Bellen.'

Zonder bril zag de avondschemering er wazig en troebel uit. Seth hoorde het betonblok in een mobieltje praten.

'Hierheen.'

De hotdog veegde met de rug van zijn onderarm over zijn voorhoofd. 'Enig idee waar dit over gaat?'

Op straat kwam een zwart busje met piepende remmen tot stilstand. Er sprong een man uit die met een stoer loopje naar het bos kwam. Hij was een magere, blanke man, maar hij zag eruit als een gangsta rapper, of een soortgelijk type dat Seth op MTV had gezien. Een vastgeknoopte blauwe bandana om zijn voorhoofd, een ketting die uit de zak van zijn afgezakte spijkerbroek hing, soepel rollende schouders. Hij leek wel een Mickey Mouse Club-versie van een lowrider.

De hotdog bekeek hem alsof de man zich voor een verkleedpartijtje had uitgedost. In zijn ogen was de rapper niet meer dan een zakkenwasser, maar dan wel een gevaarlijke.

Daarna draaide hij zijn dikke worsthoofd weer naar Seth. 'Weet je waar je vader is? Wat hij momenteel doet?'

Seth klemde zijn kaken op elkaar.

'Je mag kiezen. Wil je misschien pijn lijden of verdwijnen?' Hij bestudeerde Seths gezicht en glimlachte weer met zijn vochtige mond. 'Dat dacht ik wel.' Hij keek naar de andere mannen. 'Help hem overeind.'

# 2

De wind schuurde over het water. Chuck Lesniak haalde een zakdoek over zijn nek. Het groene, schouderhoge gras op de oever wiegde in de bries heen en weer en fluisterde naar hem. *De jackpot.*

De eerste stuurman passeerde hem op de steiger en droeg een koelbox met bier naar de jetboot. Het was een vochtige avond in maart, en het verschoten Manchester United-shirt van de stuurman plakte aan zijn rug. De schipper van de jetboot droeg epauletten en een zeekapiteinspet met een gevlochten goudkleurig koord, ook al waren ze hier meer dan vijftienhonderd kilometer landinwaarts. Hij was een gedrongen Zambiaan met een glimlach ter grootte van een struisvogelei.

Hij zwaaide naar Lesniak. 'Kom maar aan boord, hoor.'

Hij had een zwaar Tongaans accent en leek oprecht vriendelijk. Op zijn naamplaatje stond WALLY, en hij leek te merken dat Lesniak nerveus was. Chuck was vanavond de enige passagier tijdens de borrelrondvaart over de rivier de Zambezi. Hij had betaald voor een privétochtje.

'Kom maar. De boot is volkomen veilig. Ik zal het u laten zien. De motor heeft een vermogen van driehonderdvijftig pk en is gebouwd door Chevrolet.'

Kapitein Wally vergiste zich in de reden voor de nervositeit, maar dat kwam Lesniak wel goed uit. Hij knikte. 'Gemaakt in de Verenigde Staten. Dan is het wat mij betreft tiptop in orde.'

Lesniak ging aan boord. De boot schommelde en zijn verrekijker danste aan de band om zijn nek. Het was een knots van een speedboot, die 'jetboot' werd genoemd om toeristen wijs te maken dat ze een gevaarlijke sport bedreven terwijl ze van een drankje genoten. Hij legde zijn hand op zijn broekzak om te controleren of de flacon er nog in zat. Die flacon was de enige fles die hij vanavond nodig had. De wind siste weer door het gras. *Bijna tijd.*

De eerste stuurman maakte de boot los en kapitein Wally startte de motor, die grommend op gang kwam en uitlaatgassen braakte. Hij zette het gas open en voer soepeltjes weg van de steiger. Wit water kolkte achter de boot.

Boven het tjoeken van de motor uit riep de kapitein naar hem. 'Ga maar op de boeg zitten, daar is het koeler. En neem een drankje.'

Lesniak liep voorzichtig naar de voorkant van de boot en haalde een biertje uit de koelbox. Een biertje kon geen kwaad. Misschien werd hij er wel rustiger van. *De jackpot. Laatste kans om hem te bemachtigen.*

Hij moest rustig blijven. Als dit lukte, zat hij voor de rest van zijn leven gebakken. Dan kon hij de benen nemen naar Californië. Zuid-Afrika kon de pot op – hij ging nooit meer terug. Hij was alleen maar naar Johannesburg verhuisd om voor het bedrijf te gaan werken, en die baan bestond niet meer. Hij snoof. *Het is geen baan, het is een van malaria vergeven avontuur.* Chira-Sayf en al zijn klinkende beloftes konden hem de rug op. Hij had nooit aan Zuid-Afrika kunnen wennen, al leek Johannesburg op Dallas, sprak iedereen een soort Engels en had hij een Porsche en een huis met een dienstmeisje en een kok en waakhonden en bewakingscamera's achter de met prikkeldraad en scheermesjes beveiligde muren rond zijn weelderige tuin. En hij had geld gehad – vergeleken met materiaalkundigen in de Verenigde Staten was hij rijk geweest. Tot de baas de stekker eruit had getrokken.

In de zwoele atmosfeer ging de boot sneller varen. De zon hing rond en rood boven het water. Lesniak haalde de kroonkurk van zijn Castle-biertje, gooide zijn hoofd in zijn nek en dronk.

Het bier was ijskoud. Ja, dit had hij verdiend. Dit drankje, deze kans. De flacon voelde warm aan in zijn zak. *De jackpot.*

Waarom had de baas het project stopgezet? Er was slechts één aannemelijke verklaring: hij kon er grof geld mee verdienen. Hij gaf geen zak om de werknemers en ontsloeg iedereen, terwijl de topmannen hun zakken vulden.

Ja, Alec Shepard hield de technologie en het product voor zichzelf en was van plan ze aan god-weet-wie te verkopen. Zo gingen de rijken te werk.

De rivier was reusachtig – bochtig, bijna een kilometer breed, hoog water. In het licht van de zakkende zon leek het water donkerder dan blauw, bijna paars. Hij keek op zijn horloge. Nog tien minuten tot zijn rendez-vous.

Hij was hier nog geen dag. Hij was van Johannesburg naar Lusaka gevlogen en had daar een korte binnenlandse vlucht naar Livingstone genomen, de populairste toeristenplaats van Zambia. Hij had de nacht in een vijfsterrenverblijf aan de rivier doorgebracht, zonder enige aandacht voor de activiteiten die er werden aangeboden – safaritochten, Afrikaanse dansvoorstellingen, wildwatervaren onder de Victoria-watervallen. In plaats daarvan had hij in zijn airconditioned hotelkamer via de kabel naar het basketbalkampioenschap van de National Collegiate Athletic Association gekeken, Kentucky tegen UCLA. Hij had de jaloezieën dicht gelaten en had last van paranoia, ook al was Californië zeventienduizend kilometer ver weg en bevond hij zich in het midden van zuidelijk Afrika.

Als je op een eerder gemaakte afspraak terugkomt en bij een nieuwe deal de tussenpersoon probeert te schrappen, doe je er goed aan om over je schouder te kijken.

Zijn contactpersonen hadden twee redenen gehad om deze plek uit te kiezen. Ten eerste zaten Livingstone en het Mosi-O-Tunya National Park vol Europese toeristen en zouden een paar extra blanke gezichten niet opvallen. Ten tweede was dit een zeer geschikte plaats om iets over een grens te smokkelen.

Hij was al zo ver gekomen. Hij had de flacon uit het laboratorium en uit Zuid-Afrika weten te krijgen. Nu zou de overdracht bijna plaatsvinden. Hij mocht dit niet verknallen.

Er verschenen zweetdruppeltjes op zijn voorhoofd. Hij was een forse man, en hij begon last te krijgen van de hitte. Hij veegde met zijn zakdoek over zijn voorhoofd en dronk de rest van het bier in één teug op. *Ontspan je*. Tijdens het rendez-vous mocht hij niet stijf van de spanning staan. Als hij een nerveuze indruk maakte, zouden ze hem niet alleen een amateur, maar ook een makkelijk doelwit vinden.

De bries liet het wateroppervlak rimpelen en veranderde het in zilver. Hij tilde de verrekijker op en tuurde de zuidelijke waterlijn af. Bij het hoge gras op de oever dobberde een kano in het water. Inlandse vissers. Een brugschip tufte stroomopwaarts, een cocktailcruise bij zonsondergang met zonverbrande Nederlandse en Japanse toeristen aan boord, rijke mensen die waarschijnlijk daarginds in Zimbabwe in het Victoria Falls Hotel logeerden. Het beeldschone, vreselijke, verpeste Zimbabwe – te gronde gericht door hebzucht en extreem egoïstische wreedheid. Genaaid door – hoe noemde je dat? De politiek.

De politiek, die had zijn toekomst bijna geruïneerd. Hij was een slimme kerel, dat zei iedereen. Hij zei het elke ochtend tegen zijn eigen spiegelbeeld: *Je bent slim. Je bent belangrijk*. Het project was belangrijk. Het was misdadig om het stop te zetten.

Maar dat ging hij nu rechtzetten. Het werk van het bedrijf zou niet zomaar in een of ander zwart gat verdwijnen. Hij zou zorgen dat het in handen kwam van mensen die het goed konden gebruiken. Zijn vergoeding zou een beloning voor verleende diensten zijn.

En als hij het in een corrupt land overhandigde, wist hij zeker dat de rest van de wereld het niet zou opmerken.

Het zonlicht glinsterde op het water. De rivier leek wel een spoor kwik dat over de onmetelijke groene vlakte stroomde. Wat stond er ook weer in de brochure van het hotel? Als het rivierwater zo hoog stond, viel er per minuut meer dan zeshonderd miljoen liter water over de rand van de watervallen. Ongelooflijk.

Hij haalde nog een biertje uit de koelbox. Hij moest het hoofd koel houden en laten zien dat hij hier genoeg lef voor had. Hij probeerde de kroonkurk van het flesje te halen, maar de flesopener klapperde tegen het glas. Misschien kwam het geratel wel van de grote Chevy-motor, maar hij dacht van niet.

Kapitein Wally stuurde de boot met een wijde bocht naar het midden van de rivier. In de verte vloog een zilverreiger op van een eiland, oogverblindend wit tegen het paarse water en de groene oevers. Boven hem had de hemel de blauwe tint van geglazuurd keramiek.

Op dit moment begon voor de meeste mensen de reisdocumentaire. *Kijk, daar zwemt een nijlpaard. Ziet u die boomstam? Dat is geen boomstam, maar een krokodil.* Maar Lesniaks instructies waren heel duidelijk geweest: niet praten. Hij had voor de boottocht betaald.

Hij had extra betaald voor de stopplaats die ze zouden aandoen. Hij keek weer op zijn horloge. Over twee minuten zouden ze oversteken naar Zimbabwaans grondgebied. Hij dronk de helft van het bier op en bereidde zich voor.

Dit was de juiste beslissing. Dit was belangrijk. *De jackpot.*

Terwijl ze over het water stuiterden, tuurde hij naar de oever, waar hij een dichte strook gras, acaciabomen en een smal zandstrand zag. Stroomafwaarts zag hij een andere jetboot in hun richting racen.

De boot kwam zelfs recht op hen af. Kapitein Wally nam wat gas terug.

Lesniak keek fronsend over zijn schouder. 'Wat is er aan de hand?'

Kapitein Wally glimlachte. 'Mijn neef. Vorige week heeft hij zestig liter brandstof geleend. Nu betaalt hij me terug.'

De andere boot maakte een wijde bocht en trok een wit spoor over de rivier. Daarna ging hij langzamer varen en zakte hij diep weg in het water. De schipper zwaaide loom. Een passagier met een honkbalpetje zat met zijn armen over elkaar onderuitgezakt naast een vishengel op de boeg. Hij staarde naar de zuidelijke oever en had er zo te zien geen moeite mee dat zijn tocht werd onderbroken voor familiezaken. Het was alsof hij dacht: *we zijn in Afrika. Laat maar gaan.* De boot kwam langszij en de schipper riep iets in het Tonga. Kapitein Wally lachte. Lesniak tilde de verrekijker op en speurde de oever weer af. Waar was zijn contactpersoon?

De boot schommelde, en vanuit zijn ooghoek zag hij de eerste stuurman van kapitein Wally op de andere boot springen om de jerrycans met brandstof te pakken. Hij stelde de verrekijker scherp. Daar! In de verte reed een Nissan Pathfinder stapvoets door het hoge gras naar het strand. Zijn hart begon te roffelen als een trommel.

De Pathfinder was bemodderd en had Zimbabwaanse kentekenplaten. Even was hij teleurgesteld, maar wat had hij dan verwacht? Diplomatieke kentekenplaten? Of een paar zachte dobbelstenen met het logo van de geheime dienst aan de achteruitkijkspiegel?

Iets. Hij had gehoopt dat hij zou zien voor wie zijn contactpersoon werkelijk werkte. Een Amerikaanse of Europese inlichtingendienst, de Israëli's, of misschien een groep nog verder naar het oosten.

De boot schommelde weer, en de romp weergalmde toen er voeten op het dek sprongen. Achter hem werd er weer iets in het Tonga gezegd. *Laat die familieroddels maar zitten, schipper. We moeten verder.*

De motor brulde, en de boeg van de boot kwam omhoog en boog scherp af van kapitein Wally's neef. Ze voeren recht naar het midden van de brede rivier.

Lesniak draaide zich om. 'Vaar naar de oever, dat is de man...'

De wind klapperde tegen Lesniaks overhemd. De motor gromde, diep en dreigend. De boot stuiterde over het water.

Kapitein Wally stond niet meer aan het roer. Kapitein Wally was niet meer aan boord. Hij en zijn stuurman stonden op de jetboot van de neef, die in de verte snel kleiner werd.

Aan het roer stond de passagier van de neef.

Lesniak omklemde het bierflesje, dat klammig aanvoelde. Zelf was hij ook klammig.

'Jij?' vroeg hij.

De man aan het roer droeg een spijkerbroek, een zwart T-shirt en een nog zwartere zonnebril. Door het felle licht van de zonsondergang achter hem kon Lesniak niet zien waar hij naar keek. Het was niet eens te zien of hij überhaupt ogen had. Hij was mager en pezig, met een grimmige mond in een zongebruind gezicht. Hij had zijn honkbalpetje afgezet en zijn koperrode haar glinsterde in het zonlicht.

18

De boot sneed soepeltjes door de gezwollen rivier. Door de wind en het opspattende water voelde het zweet op Lesniaks rug koud aan. Hij zag de zuidelijke oever steeds kleiner worden. Hij zag de Nissan Pathfinder voorbij flitsen. *De jackpot...*

'Waar ga je heen?' vroeg Lesniak.

De man bleef gelijkmatig gas geven. Langzaam draaide hij zijn hoofd, tot zijn zonnebril zich op een punt tussen Lesniaks ogen leek te focussen. Het bierflesje glipte uit Lesniaks vingers, viel op het dek en rolde met veel kabaal heen en weer.

'Ik kan het uitleggen,' zei hij.

De man draaide aan het roer en stuurde de boot naar een groep eilandjes. Ze verlieten de brede stroom van violetkleurig water en voeren in volle vaart naar een smal kanaal tussen dichtbegroeide eilandjes vol bomen. Zilverreigers zaten als enorme bloesems op de takken. De man zette de gashendel in de neutrale stand en de boot zakte dieper in het water.

Hij staarde naar Lesniak. 'Geef hier.'

Lesniaks borstkas rees en daalde. Overal om hem heen doemden witte vleugels op. Het stonk er zo vreselijk naar vogelpoep dat hij kokhalsde.

'Ik weet niet waar je het over hebt.'

'We weten allebei dat je liegt. Geef hier.'

Lesniak drukte de rug van zijn hand tegen zijn neus. Hij voelde zijn moed en zelfverzekerdheid verschrompelen.

Hij had nooit de moeite genomen om de naam van deze man te achterhalen.

Hij kende hem alleen maar als Rusty. Zo noemden ze hem allemaal – Rusty de herdershond. De herder. De babysitter. De ingehuurde kracht, een veredelde loopjongen, een man die kwam opdagen als de kopstukken langskwamen. Een kerel die niet wilde deugen, had hij gehoord, iemand die door een familielid was gematst met een luizenbaantje als kinderjuf voor leidinggevenden en techneuten die voor het bedrijf op pad gingen.

*Daar klopte niets van.* Deze man was geen kinderjuf. Waarom was het Lesniak nooit eerder opgevallen dat Rusty een kwaadaardige, kille klootzak was?

'Ik heb het niet,' zei hij.

'De bewaker van het lab heeft gepraat. Ik weet dat je het hebt meegenomen.'

De boot draaide met de stroming mee. Rusty de herdershond draaide aan het roer om de boeg stroomafwaarts te laten wijzen. 'Wie heeft je benaderd?'

In de bomen zetten vogels hun veren op. Overal witte vleugels, wezenloze ogen die allemaal keken, maar hem niet zagen. Lesniaks mondhoeken gingen omhoog en tot zijn ontzetting besefte hij dat hij glimlachte. *Hou op*, zei hij tegen zichzelf. *Je ziet eruit als een idioot.* In een reflex ging zijn linkerhand naar de zak van zijn katoenen broek om aan de flacon te voelen. Hij bleef grijnzen. Als hij daarmee ophield, zou hij in tranen uitbarsten.

Dit was *zijn* kans. Door *zijn* zweet, vernuft en bereidheid een risico te nemen was het hem gelukt hier met het product te zijn. Dit was *zijn* jackpot.

De boot gleed onder graaiende takken door. De lucht was vochtig en bedompt. Onder de dreun van de Chevy-motor hoorde Lesniak een ruisend geluid. Misschien was het zijn eigen bloed, dat zijn aderen probeerde te ontvluchten.

'Wie heeft je ingehuurd?' wilde de herdershond weten.

Hij moest dit voorzichtig aanpakken. Hij schraapte zijn keel. 'Zeg maar wat jij te bieden hebt.'

Rusty's zonnebril reflecteerde de zonsondergang niet. De glazen waren aardedonker, gitzwart, ondoorzichtig. Rusty sprak langzaam.

'Je hebt me alleen maar last bezorgd. Vertel me dus maar wie je heeft ingehuurd en geef het dan aan mij.'

'Wat?' Lesniak knipperde met zijn ogen. Last? Zo hoorde je toch niet te onderhandelen? 'Ik meen het, zeg maar wat je te bieden hebt. Met mij kun je alle kanten op.'

Rusty duwde tegen de gashendel en draaide het roer achteloos naar rechts. Ze voeren weg van de vogeleilanden en zetten koers naar het brede gedeelte van de rivier. *Mijn hemel.* De toeristenbrochures hadden gezegd dat de Zambezi op dit punt ruim anderhalve kilometer breed was, maar daar had hij zich geen voorstelling van kunnen maken. Het ruisende geluid klonk hier harder. Niet zijn bloed, maar miljoenen tonnen water die over de rotsen door de zoveelste bocht stroomafwaarts raasden.

De wind schuurde als een kaasrasp over Lesniaks gezicht. Hij veegde met zijn hand over zijn bovenlip. 'Doe maar een voorstel. Ik sta ervoor open. Wat ik heb, is onversneden. Puur. Loepzuiver...'

Rusty boog zich naar voren. Misschien pakte hij een biertje. Misschien was het allemaal een grap.

Toen hij zijn rug rechtte, had hij een jachtgeweer in zijn handen.

Natuurlijk. In het hotel luierden meisjes in bikini bij het zwembad en droegen de kelners ijskoude drankjes met roze parasolletjes aan. Maar hier hadden alle reisgidsen een jachtgeweer bij zich, omdat ze goddomme door de Afrikaanse wildernis langs de oevers van een wildpark voeren.

Hoe kon hem dit nu overkomen? Hij was een eersteklas materiaalkundige. Hij had aan DeVry een associate degree behaald en speelde softbal in het bedrijfsteam. Hij was een normale Californiër, een man die gewoon behoefte had aan een BMW, een leuk huis in Los Gatos, een beetje erkenning en die verrekte *jackpot*.

Rusty richtte de loop van het geweer op Lesniaks borst. 'Je geeft het nu aan mij, en daarna vertel je me wie hierachter zit.'

De herdershond had zich tegen zijn kudde gekeerd.

Lesniak kreeg de kriebels. Voelde zich naakt. Zag dat de mond van het geweer op zijn dikke, zwetende buik was gericht. *Zeg iets. Wees een kerel.* 'Want anders?'

'Want anders geef je het toch wel aan mij.' Rusty's gezicht was uitdrukkingsloos. 'En dan heb ik "geven" heel ruim opgevat. Misschien komt er van jouw kant vrije wil bij kijken, misschien ook niet. Zeg jij het maar.'

'Je kunt me niet doden. Kapitein Wally, zijn eerste stuurman en zijn neef hebben je gezien. Zij zijn getuigen.'

De loop bleef strak op zijn borst gericht.

Het begin van een jammerkreet welde op in Lesniaks keel. Rusty had hen omgekocht. Natuurlijk. Wat zouden die Zambianen per dag verdienen? Hooguit een dollar of twee. Waarschijnlijk had hij hen omgekocht voor de prijs van een Big Mac.

En niemand wist dat Lesniak hier was. Op zijn werk had hij gezegd dat hij in Londen een paar dagen vakantie ging vieren voordat hij terugkeerde naar de Bay Area, waar hij woonde. In het hotel had hij vandaag aan niemand verteld dat hij een boottochtje ging maken. En hij had bij kapitein Wally een valse naam opgegeven.

Het zou weken duren voordat iemand hem miste.

In de verte zwol het geluid van snelstromend water aan tot een donderend geraas. Lesniak keek stroomafwaarts. Achter een met bomen begroeide bocht vermengde de lucht zich met een dikke mist, waar hij niet doorheen kon kijken. Zijn gedachten waren echter glashelder.

Rusty de herdershond was hierheen gekomen om de flacon op te halen. Misschien voor hemzelf, misschien voor de baas, misschien voor een van de groepen die hun ziel en zaligheid voor de inhoud zouden verkopen.

Of Rusty de flacon zou afpakken voordat hij Lesniak doodschoot, deed er niet toe. De man was van plan hem te doden.

Lesniak dook naar de zijkant van de boot en sprong.

Hij kwam hard op zijn buik terecht, en het water verzwolg hem alsof hij door een draak was ingeslikt. De stroming stuwde voorwaarts en sleepte hem sneller mee dan hij ooit voor mogelijk had gehouden. Hij deed in een reflex zijn ogen open en zag alleen maar een blauw halfduister. Hij maaide met zijn armen en kwam snakkend naar adem boven water.

De rivier, die was opgezwollen door de zomerregens, liet hem op en neer golven alsof hij een doorn in de kille huid van de draak was. De kust was een verre strook groen gras. Hij sloeg wild met zijn armen en worstelde om zijn hoofd boven water te houden terwijl de rivier hem meesleepte.

Tien meter naar links voer de boot met hem mee.

*O god.* Hij trapte en voelde de flacon tegen zijn been stoten. Zijn kleren en schoenen trokken hem omlaag. De boot kwam naast hem varen.

'Geef me je hand,' zei Rusty.

'Schiet me niet dood.' Een golf tilde hem op, en in de verte zag hij een groep piepkleine eilandjes. Aan de waterkant waren ze dicht-begroeid met bomen waarvan de takken in het water hingen.

'Je hand,' schreeuwde Rusty.

Als hij onder de laaghangende takken kon komen, kon Rusty hem niet meer bereiken. Lesniak zwom erheen. Hoestend en proestend bracht hij uit: 'Als je schiet, verdwijnt de flacon met mij onder water.'

'Als je sterft, blijf je drijven. Lang genoeg om je uit het water te halen,' zei Rusty. 'Dood of levend, je zult me het spul geven. Kies zelf maar.'

Er ontsnapte een snik aan Lesniaks mond.

'Luister. Ik wil wel ruilen. Als je mij het spul geeft, geef ik jou de jetboot.'

Lesniak zwaaide woest met zijn armen. In het snelstromende, golvende water zag hij de eilandjes het ene moment wel, het ande-re niet. Als hij onder de takken kon komen, kon hij zich verbergen.

Zijn armen waren loodzwaar, zijn longen brandden, het water klotste in zijn mond. Hij hoestte, keek vooruit, zag golven, takken, een boomstam. De eilandjes kwamen dichterbij.

De boomstam bewoog zijn staart.

Hij schreeuwde. Er joeg zoveel adrenaline door zijn lijf dat de zonsondergang wit werd. De staart zwiepte de andere kant op. De krokodil dreef vlak voor hem. *O god o god...*

Jammerend draaide hij zich om. De rivier stuwde hem in de rich-ting van de krokodil.

De boot kwam naast hem varen. Rusty schreeuwde: 'Kom aan boord. Vlug.'

Lesniak sloeg op het glasfiber van de romp en zijn handen gle-den weg. Hij dreigde hysterisch te worden. Het geluid in zijn oren bestond uit Chevy-motor, snelstromend water en zijn eigen panie-kerige snikken. Hij klauwde naar het gladde glasfiber en probeer-de met zijn vingernagels grip op de natte zijkant van de boot te krij-gen.

Een hand pakte zijn pols. Rusty begon hem omhoog te trekken.

Lesniaks benen sleepten door het water. Hij greep Rusty's on-derarm beet. 'Haal me eruit. Haal me eruit.'

Rusty kreunde van de inspanning. 'Grijp de rand van de boot beet, niet mij.'

Lesniak schopte wild met zijn benen en spitte met zijn nagels in Rusty's onderarm. 'Laat me niet vallen. De krokodil...'

Rusty zette zich schrap en trok Lesniak half uit het water. Lesniak trappelde als een propeller. Toen hij gek van angst opkeek, zag hij dat hij zo hard met zijn nagels over Rusty's onderarm krabde dat er bloed over diens huid liep.

*O god.* Rusty was niet groot genoeg om hem aan boord te hijsen. Lesniak was zeker twintig kilo zwaarder dan hij. Hij begon harder te hijgen. Zijn voeten hingen nog steeds in het water en *o god de krokodil, de krokodil...*

De boot wiebelde en begon te draaien. Over het glibberige dek gleed Rusty naar hem toe. Lesniak schreeuwde en probeerde in Rusty's arm te klimmen.

'Laat mijn arm los, grijp de boot en laat me je aan boord...' bracht Rusty hijgend uit.

'Help me!' schreeuwde Lesniak.

Rusty greep Lesniaks riem beet. Lesniak voelde dat hij omhoog werd gehesen – zijn schouders kwamen boven de zijkant uit, zijn buik stootte tegen de rand van de romp. Hij schopte hulpeloos en probeerde zijn beide voeten uit het water te wurmen. De boot draaide loom rond en deinde op de stroming van de rivier. Hij graaide naar Rusty, klauwde naar zijn overhemd, haalde uit met zijn hand en sloeg Rusty's zonnebril van zijn gezicht. Hij moest uit het water zien te komen. Hij huilde, hij hoorde zichzelf, hij kon niet meer ophouden.

Rusty kreunde van de inspanning. 'Verzet je niet tegen me, anders trek je mij overboord en verdrinken we allebei.'

Lesniak wriemelde een knie over de rand. Zijn schouders zakten terug in de richting van het water. Ze draaiden rondjes. Zijn rechtervoet tintelde. *De krokodil, o jezus, de kaken de tanden de afschuwelijke pijn...* Hij gleed weer van de romp af. Rusty greep hem vast en wist grip te krijgen op zijn broekzak.

De broekzak scheurde open. De flacon viel eruit en belandde op het dek.

Lesniak staarde ernaar. De boot bleef sloom ronddraaien. De flacon glinsterde in de zon. Rond de schroefdop zag hij belletjes.

*O shit.*

Er schuimden belletjes onder de dop van de flacon vandaan. Het zegel was verbroken.

De boot deinde. De flacon gleed over het dek. Nee, nee – als er een golf over de boot heen spoelde, kon de flacon overboord vallen. Lesniak liet Rusty's arm los en probeerde de flacon te pakken. Dit was zijn toekomst, alles wat belangrijk en goed was en die verdomde jackpot en...

'Ik kan je niet houden,' schreeuwde Rusty tegen hem. 'Hou je aan de romp vast.'

*Ik peins er niet over, nog in geen miljoen jaar.* Als hij dat deed, zou Rusty de flacon pakken en zou hij hem nooit terugkrijgen en zou iedereen erachter komen en...

De flacon glinsterde. Hij strekte zijn vingers ernaar uit om hem te pakken.

De boot rolde abrupt opzij. Lesniak kon zich niet meer vasthouden en viel als een bokszak terug in het water.

De stroming nam hem mee. Hij kwam boven water en draaide zich koortsachtig om. Hij werd weer snel meegevoerd, weg van het rijtje eilanden. In zijn oren weerklonk een oorverdovend kabaal. Het was niet meer het geluid van de motor, maar het water, het geluid van water dat met enorme hoeveelheden over de rotsen raasde.

Op de boot had Rusty de flacon. Terwijl hij op de draaiende boot zijn evenwicht probeerde te bewaren, schroefde hij de schuimende dop strakker dicht en stopte hij de flacon in de achterzak van zijn spijkerbroek.

Lesniak staarde verbijsterd naar hem. Rusty worstelde zich terug naar het roer van de speedboot. Hij veegde zijn bebloede arm af aan zijn overhemd, draaide aan het roer en voer stroomafwaarts. Met hoge snelheid. Recht op hem af.

Shit, o nee... Met die zware Chevy-motor en een glasfiber romp die zijn hoofd als een theekopje zou verbrijzelen. Lesniak draaide zich om en begon aan een laatste, onbeheerste poging hem voor te blijven. Het water stuwde hem voort.

Hij hoorde Rusty naar hem schreeuwen. Hij hoorde 'stop' en 'niet…'

Doodsbang keek hij over zijn schouder. Zonder de zonnebril zagen Rusty's ogen er bizar licht uit in de zonsondergang. Achter hem vloog een zwerm zilverreigers laag over de rivier, wit en gracieus.

De jetboot kwam op hem af, maar opeens draaide Rusty aan het roer. De boot maakte een scherpe bocht. Met een spoor van wit water achter zich aan passeerde hij Lesniak op tien meter, en daarna begon hij tegen de stroom in te varen.

Lesniak was uitgeput, en dobberend in de sterke stroming voelde hij een brok in zijn keel. De man ging weg. Goddank.

Goddank? Helemaal niet.

Rusty had de flacon. Hij had het spul. Alles wat er van het project over was…

De boot verdween ondanks de brullende motor maar langzaam uit het zicht. Daarom had hij die zware Chevy-motor – alle pk's waren nodig om hier tegen die stroming te vechten. Het gegrom van dc motor was moeilijk te horen boven het steeds harder wordende geraas van het water over de rotsen.

Zijn hart ging als een dolle tekeer. Hij draaide zich om. Hij bevond zich midden in de rivier en dreef met hoge snelheid door een brede bocht de schemering in, ver weg van de eilanden. De oevers waren slechts streepjes aan weerszijden van zijn gezichtsveld.

Door een golf werd hij als een bodysurfer opgetild. Hij keek vooruit en zijn mond viel open.

Terwijl hij als een vlieg op zeshonderd miljoen liter water in hoog tempo naar een diep dal werd gedreven, draaide hij zich om en begon hij tegen de stroom in te zwemmen. Mond open, ogen open, longen die bijna uit elkaar klapten. Zijn voeten voelden zwaar aan in zijn schoenen en zijn armen waren zwak, maar hij zwom wanhopig door, omdat hij het gebrul achter zich hoorde. Hij zag de oever, laag en groen en verschrikkelijk ver. Hij zag de rode zonsondergang op het loodgrijze oppervlak van het water glinsteren. Hij zag de mist boven zijn hoofd opstijgen. Mosi-O-Tunya, noemden ze het, de rook die dondert, de Victoria-watervallen. Hij voelde dat hij naar achteren werd getrokken toen de machtige Zambezi overging in een duiktoren, een kermisattractie van anderhalve kilometer breed, een blauwe draak die zich verhief en van de rotsen het ravijn in sprong. Hij probeerde zich aan het water vast te klampen, zijn hoofd boven water te houden, hier te blijven en niet naar de honderdtwintig meter lager gelegen rotsen te storten. Maar al riep hij schreeuwend de riviergoden aan, niemand kon hem tegenhouden toen hij naar de rand werd gestuwd.

# 3

Jo Beckett stak haar armen uit en spreidde haar voeten. Mensen liepen om haar heen en keken even opzij voordat ze zich voorthaastten. Drie meter verderop stond een politieman met zijn armen over elkaar. Zijn portofoon kraakte, en achter zich hoorde ze iemand latex handschoenen aantrekken.

'Maak u maar geen zorgen, het zijn schone,' zei de vrouw. 'Benen verder uit elkaar.'

Jo gehoorzaamde. De vrouw drukte haar spinachtige vingers op de binnenkant van Jo's dijen.

De politieman verschoof zijn gewicht van het ene been op het andere. 'Schiet op, het was dringend.'

Er gleden handen over Jo's ribben, rug en romp.

Ze dwong zichzelf om strak vooruit te blijven kijken. 'Als u maar geen briefje van een dollar in mijn broekband stopt.'

De vrouw hield haar handen even stil en keek Jo onvriendelijk aan.

Jo zette een schuldbewuste blik op. 'Laat maar zitten – ik kan helemaal niet dansen. Ik zou van de paal vallen. Mag ik...'

'Als iemand zegt dat hij haast heeft, is dat voor mij nog geen reden om een terrorist door te laten.'

'Ze is geen terrorist,' zei de politieman. 'Ze is een arts van het mobiele crisisteam.'

Precies, wilde Jo tegen de beveiligingsbeambte zeggen. Ze had ook zin om er een van de krachttermen aan toe te voegen die haar grootvader tijdens zijn jeugd in de achterstraatjes van Caïro had opgepikt, maar dat leek haar niet verstandig.

Luchthavens... Niets dan ellende, vond ze.

San Francisco International was druk en lawaaierig. De menigte verdrong zich in de rij voor de beveiliging als vee dat op een veiling naar een kraal werd gedreven. De plastic bakken van de controlepost stootten tegen elkaar en klonken als een dissonante rij drums. Een groep beveiligingsbeambten wenkte mensen naar voren en zei *Schiet op, loop door.* Laat uw instapkaart zien. Laat hem nog een keer zien. Laat hem nu aan díe beveiligingsbeambte zien. Jo wist dat overvloedige controles fouten voorkwamen, maar als deze controlepost een persoon was geweest, had hij een dwangneurose. Het was een verdediging tegen een oude dreiging, geen voorkoming van een nieuwe.

Zoals het mogelijke probleem bij gate 94.

Buiten bestookte een maartse storm de Bay Area. Er dreven regenwolken voorbij, een onaangename mengeling van grijs en zwart. Een koude wind schuurde over de start- en landingsbanen.

De beveiligingsbeambte liet haar handen zakken. 'U mag doorlopen.' Ze zei het alsof ze er in gedachten aan toevoegde: *voorlopig tenminste, dame.*

Jo raapte haastig haar oorbellen, riem, Doc Martens, ketting met het koptische kruis, tas en waardigheid bij elkaar. Ze vermoedde dat luchthavens ofwel een psychologisch experiment in massavernedering waren, of een samenzwering om reizigers knettergek te maken. Misschien wel allebei. *Schoenen uit, proefkonijnen. Vervelend, hè? Hier, neem maar wat pillen tegen angststoornissen.*

De man van de luchthavenpolitie, Darren Paterson, keek verontschuldigend. Hij was een Afro-Amerikaan met een kinderlijk gezicht en hij droeg een uniform dat zijn lichaam als huishoudfolie omsloot.

'Excuses daarvoor,' zei hij.

Ze strikte haar Doc Martens. 'Maakt niet uit. Ik kreeg een boodschap dat jullie een psychiatrische beoordeling willen van een pas-

sagier die net uit Londen is gearriveerd. Denkt u dat ik een verklaring voor IBS moet opmaken?'

'Dat moet u beoordelen.'

De afkorting stond voor inbewaringstelling. Als psychiater had
Jo de bevoegdheid om iemand voor tweeënzeventig uur naar een
psychiatrische instelling te sturen.

Ze kreeg dergelijke telefoontjes alleen als de politie dacht dat iemand een gevaar voor zichzelf of zijn omgeving vormde. Maar
meestal hield de politie zulke mensen zelf aan om ze voor een psychiatrische beoordeling naar de spoedeisende hulp te brengen. Misschien had de luchtvaartmaatschappij om medisch personeel gevraagd. Misschien wilde Paterson een ervaren ruggensteun – hij zag
er nog zo jong uit dat ze vermoedde dat hij een groentje was. Misschien was er wel echt iets bizars aan de hand. Hoe dan ook, toen
ze was opgepiept was ze twee minuten van de terminal vandaan geweest, en de autoriteiten hadden besloten dat ze niet zouden wachten tot de rest van het crisisteam was gearriveerd.

'Fijn dat u in de buurt was,' zei Paterson.

'Jullie hadden geluk. Ik had mijn broer weggebracht voor een
vlucht naar Los Angeles.' Ze liep met Paterson door de hal. 'Wat
is er precies gebeurd?'

'Ian Kanan arriveerde met een vlucht van Virgin Atlantic vanuit
Heathrow. Bij de landing raakte hij in de war en ging hij op de
vuist. Hij heeft zichzelf in het vliegtuig opgesloten.'

Het gebrul van straalmotoren weergalmde in de terminal. Regen
striemde tegen de glazen ruiten.

'Hij raakte dus in de war en ging op de vuist, maar jullie hebben
hem niet gearresteerd. Wat heeft Kanan precies gedaan?' vroeg Jo.

'Op het moment dat het vliegtuig de grond raakte, sprong hij uit
zijn stoel en probeerde hij de nooduitgang open te maken.'

'Terwijl het vliegtuig nog taxiede?'

'Twee mannelijke passagiers hebben hem getackeld. Stewardessen zeggen dat Kanan hen van zich af gooide alsof ze van papier-
maché waren. Blijkbaar vocht hij als een gek.'

'Wat bedoelt u?'

Hij keek even opzij. 'Alsof hij door het dolle heen was.'

Haar mondhoeken gingen even omhoog. 'De meeste mensen zien bizar gedrag en denken: *getikt of niet getikt?* Psychiaters denken: *hoe ernstig getikt, en op welke manier?*'

Ze kwamen bij de gate. In de slurf zat wat luchtvaartpersoneel bij elkaar in de deuropening van het lijntoestel. Ze keken Jo met een mengeling van opluchting en verbijstering aan, alsof ze dachten: *een psych die hem uit het vliegtuig komt kletsen? Ja hoor, tuurlijk, dat moet lukken.*

De piloot stond in de deuropening van de cockpit. 'Haal hem uit mijn toestel.'

Agent Paterson wees door het gangpad. 'Hij zit in de economyclass.'

'Geen wonder dat hij door het lint ging,' zei Jo.

De stewardessen draaiden zich naar haar toe. Jo hief haar hand op. 'Geintje.'

Ze keek door het lege vliegtuig. In de buurt van het keukentje hingen nog een paar personeelsleden en een politieman rond.

Je wist nooit wat je in dit soort situaties aantrof. Catatonie. Godsdienstwaanzin. Een bad trip. Dronkenschap of een gewelddadige psychotische aanval. Iemand die zijn schoenen probeerde te laten ontploffen.

Ze had geen tijd voor een complete anamnese van Ian Kanan, maar de twee passagiers die hem hadden vastgehouden, waren aan boord gebleven. Ron Gingrich was een stoer uitziende man van vijfenvijftig met een grijze paardenstaart en een t-shirt van de Grateful Dead. Jared Ely was een uiterst nerveuze twintiger in een zwart t-shirt en op groene Crocs.

'Wat is er precies gebeurd?' vroeg Jo.

Gingrich streek zijn sikje glad. 'We kwamen hard op de grond neer. Zijwind; het leek wel of we zijwaarts landden. We kwamen met een bonk op het tarmac terecht en de mensen schrokken ervan. Het vliegtuig rammelde heel hard. Een paar bagagekastjes boven de zitplaatsen vielen open.' Hij wees naar de achterkant van het vliegtuig. 'Vervolgens stormt die kerel door het gangpad. Hij springt over de vrouw in het rijtje bij de uitgang en begint de nooddeur open te trekken.'

Ely knikte. 'Hij zag eruit alsof hij precies wist wat hij deed.'

'Hoe bedoelt u?' vroeg Jo.

Ely's blik was scherp en oplettend. 'Hij aarzelde geen moment. Wachtte niet tot hij de instructies op de deur had gelezen. Hij begon meteen de deur open te maken, alsof hij het vaker had gedaan.'

Jo knikte. 'En daarna?'

'We grepen hem beet.'

'Zonder erbij na te denken,' zei Gingrich. 'We schoten gewoon op hem af. Echt, die kerel vocht als een duivel. Maar omdat we met z'n tweeën waren, konden we hem de baas.'

'Heeft hij iets gezegd?' vroeg Jo.

Gingrich knikte. 'O ja. Heel duidelijk.'

Ely zei: 'Hij bleef maar herhalen dat wij gek waren.'

Jo wendde zich tot de stewardessen. 'Hoe gedroeg Kanan zich tijdens de vlucht?'

'Als een zombie,' antwoordde een jonge blonde vrouw. 'Hij las niet, keek geen film, keek niet eens naar de luchtkaart. At niets. Hij zat daar maar gewoon.'

'Heeft hij gedronken?' vroeg Jo.

'Nee.'

'Weet u dat zeker?'

Op het naamplaatje van de jonge vrouw stond STEF NIVESEN. Haar blik werd spottend. 'We kwamen uit het Verenigd Koninkrijk. Iedereen dronk. Behalve hij.'

'Hebt u hem medicijnen zien nemen?'

'Nee.'

'Waar is zijn handbagage?'

De stewardessen hadden Kanans rugzak meegenomen naar de keuken van de eersteklas. Jo doorzocht hem en zag wel een laptop, maar geen drugs of alcohol. Ze vond Kanans paspoort en reispapieren, die ze bekeek en aan Paterson gaf.

'Hij kwam niet uit Londen. Hij kwam uit Zuid-Afrika en is op Heathrow overgestapt.'

'Doet dat ertoe?' vroeg Paterson.

'Misschien.' Jo keek naar de andere kant van het toestel. 'Kom mee.'

Paterson ging haar voor door het gangpad. De mensen bij de keuken stapten opzij. De tweede politieman, Chad Weigel, stond bij de deur van de wc.

Hij hief zijn hand op om op de deur te kloppen, maar Jo zei: 'Wacht even.'

Ze keek naar de stewardessen. 'Hebben jullie de deur van het slot gehaald en zelf geprobeerd hem naar buiten te krijgen?'

'Twee keer,' antwoordde een Britse stewardess met CHARLOTTE THORNE op haar naamplaatje. 'De eerste keer duwde hij tegen de deur, waardoor we die niet naar binnen konden openen. Hij zei ook dat we moesten maken dat we wegkwamen. De tweede keer zei hij helemaal niets. We hadden de indruk dat hij onderuitgezakt tegen de deur zat.'

'Buiten bewustzijn?' vroeg Jo. Ze dacht: *drugs, drank, ziekte?*

De stewardess haalde haar schouders op. 'Hij reageerde niet.'

Agent Paterson vroeg: 'Wat denkt u?'

'Laten we maar eens kijken.' Jo klopte op de deur. 'Meneer Kanan?'

In de wasbak hoorde ze water lopen, en zij en Paterson keken elkaar aan.

De deur ging open. De man in de wc draaide zich om en wilde naar buiten lopen, maar bleef staan toen hij haar zag.

Ian Kanan was halverwege de dertig, een meter vijfenzeventig en blank. Met zijn jas aan zag hij er van achteren niet opvallend uit, maar toen Jo hem van voren bekeek, zag ze dat zijn spijkerhemd strak over zijn schouders stond. Hij was van top tot teen alert, en ze zag diepe krassen op zijn linkerpols. Hij was mager en veerkrachtig. Zijn haar was kort en roodbruin, de kleur van ijzererts. Zijn ogen hadden de lichtste blauwe tint die ze ooit had gezien. Bijna kleurloos, en helder als een laag oerijs. Jo had het idee dat ze naar een gletsjer staarde.

'Neem me niet kwalijk,' zei hij, terwijl hij naar buiten stapte.

Hij zag dat er in het gangpad allemaal mensen naar hem staarden. Zijn blik gleed naar agent Paterson en het vuurwapen in de holster aan Patersons riem.

'Wat is er aan de hand?' informeerde hij.

'Meneer Kanan, is alles goed met u?' vroeg Jo.

Hij staarde uit de raampjes. De grijze hemel kolkte en het uitzicht werd verstoord door regen. Zijn ogen draaiden zich naar het gangpad. Naar het lege vliegtuig. De term 'ontsnappingsplan' flitste door Jo's hoofd.

Hij keek weer naar haar. 'Ik voelde me niet goed.'

Een volledige, helder uitgesproken zin, een antwoord op haar vraag. Dat was veelbelovend. Zijn blik was schrander, maar Jo voelde dat er iets achter zat – zorgvuldig beheerste verwarring. Patersons hand hing in de buurt van zijn wapen.

'Ik ben dokter Beckett. Kunt u me vertellen waarom u niet uit het vliegtuig wilde stappen?'

'Ik stap heus wel uit. Waarom zou ik dat niet doen?' vroeg hij.

Iedereen staarde naar hem.

'Is er een probleem?' informeerde hij. Zijn ogen vertelden iets heel anders. Zijn ogen zeiden: *er is een groot probleem.*

'Ik wil graag even met u praten. Zullen we dat in de terminal doen?' vroeg Jo.

'Praten? Waarom?' wilde Kanan weten.

Vanuit haar ooghoek zag Jo agent Weigel met zijn hoofd schudden. 'Omdat u uzelf een uur in de wc hebt opgesloten,' zei hij. 'En...'

Jo hief haar hand op. Kanans gezicht bleef roerloos. Zijn pupillen hadden een normaal formaat, waren even groot en vertoonden reactie. Jo kon geen alcoholgeur bespeuren, en hij stond niet te wankelen op zijn benen of te trillen. Hij sprak zijn woorden helder en duidelijk uit, maar toch voelde Jo dat er iets grondig mis was. Voor de tweede keer keek hij het toestel rond. Hij leek het verwarrend te vinden dat het leeg was.

'U bent de laatste die uitstapt,' zei ze. 'Het personeel moet het vliegtuig afsluiten. Laten we verder praten in de terminal.'

Langzaam bekeek hij haar van top tot teen. 'Ja hoor, dat is goed.'

De agenten begeleidden hem door het gangpad, Weigel voorop, Paterson als laatste. Jo, die een paar meter achter hem liep, zag dat Kanans handen losjes langs zijn lichaam hingen. Hij leek ontspannen, maar zijn houding deed haar denken aan een waakzame revolverheld. Toen ze langs de rij met de nooddeur liepen, zag hij de deur een stukje openstaan. Hij keek er fronsend naar en draaide zijn hoofd toen hij erlangs liep.

'Waarom staat de nooddeur open?' vroeg hij.

Jo had durven zweren dat de temperatuur tien graden zakte. Kanan liep door. Even verderop stonden de twee mannen die hem hadden getackeld. Kanan ging sneller lopen en stak opeens zijn hand in zijn achterzak.

'Hé,' zei agent Paterson.

Kanan deed of hij hem niet hoorde, en toen was het te laat. Tegen de tijd dat hij een mobieltje tevoorschijn had gehaald, was Paterson al op hem gedoken.

Paterson was snel, maar Kanan was sneller. Hij draaide zich om, greep Patersons hand, gaf hem een harde klap op zijn elleboog en dwong hem op zijn knieën.

Paterson schreeuwde het uit. 'Jezus,' zei de Britse stewardess. In het gangpad draaide agent Weigel zich om.

Een fractie van een seconde zag Kanans gezicht er woest uit. Hij staarde naar Paterson, maar toen leek hij weer in de war te raken.

'Wat...'

Vol afgrijzen staarde Kanan naar Paterson. Achter hem trok agent Weigel een holster open, en hij stormde op Kanan af.

Jo stak haar handen uit. 'Wacht...'

Weigel haalde een *taser* tevoorschijn. 'Dokter, achteruit.'

Hij vuurde en de pijltjes raakten doel. Kanan verstijfde met een schok.

Paterson wist los te komen. Kanan stond doodstil. Voordat Jo besefte wat er gebeurde, gingen Kanans handen omhoog en draaide hij zijn handpalmen naar zich toe, alsof hij ineendook. Hij balde ze tot vuisten tegen zijn borst en kreeg een wezenloze blik in zijn ogen. Zijn ogen draaiden weg en zijn hoofd volgde langzaam mee naar links, alsof het door een rare magneet gedwongen werd rondjes te draaien. Paterson krabbelde overeind en viel aan.

'Niet doen!' schreeuwde Jo.

Ze was te laat. Paterson tackelde Kanan, die als een boomstam omviel.

Jo rende naar hen toe. 'Agent, hou op. Nee.'

Paterson worstelde met Kanan. 'Gezicht naar beneden.'

Kanan reageerde niet. Met zijn handen tegen zijn borst gedrukt en zijn gezicht tegen de grond bleef hij linksom rollen.

'Handen op je rug,' zei Paterson hijgend.

Jo greep Paterson bij de schouders. 'Hou op. Hij heeft een toeval.'

'Hij verzet zich.' Paterson kreunde en probeerde Kanans handen met kracht naar beneden te duwen.

'Agent, hij heeft een toeval,' zei Jo. 'Ga van hem af. Wegwezen.'

Kanan lag niet te schokken, met zijn armen te maaien of met zijn hoofd op de vloer te bonken. Hij was gewoon verdwenen, naar een rijk waarin de hoeken van zijn gezichtsveld fel oplichtten en een hele reeks kleuren door zijn hoofd tolde. Hij bleef rollen.

'Een partiële toeval,' zei Jo. 'Ga van hem af. Nú.'

# 4

Kanan lag in het gangpad van het vliegtuig te draaien alsof hij aan een braadspit hing. Jo probeerde Paterson van hem af te trekken.

'Bel een ambulance,' zei ze.

Agent Weigel boog zich met de taser in zijn hand over hem heen. 'Hij heeft een stoot van honderdduizend volt gehad. Die toeval gaat wel over.'

'De taser was misschien de aanleiding voor de toeval, maar er is iets anders met hem aan de hand. Agent Paterson, laat hem los.'

Paterson liet zich vermurwen. Toen Jo bij Kanan neerknielde, gutste de angst als koud water over haar rug. Ze was geen trauma-arts, ze was forensisch psychiater. Bij crises in haar werk ging het nooit om medische spoedgevallen. Haar crisisgevallen waren al dood.

Ze schudde de gedachte van zich af en sprak zichzelf toe: *Doe alles stap voor stap. Eerst het abc-protocol. Airway, breathing, circulation. Luchtweg, ademhaling, bloedsomloop.* Ze controleerde of Kanan ademhaalde en een polsslag had. Daarna trok ze haar trui uit, die ze oprolde en onder zijn hoofd legde. Zijn huid gloeide.

'Bel een ambulance,' herhaalde ze.

'Wordt het geen inbewaringstelling?' vroeg Paterson.

'Nee, hij moet naar de spoedeisende hulp.'

Paterson pakte de portofoon. Jo onderzocht Kanans gezicht en hoofd op fracturen en verwondingen. De enige sneeën die ze zag, waren de halen over zijn onderarm. Ze zorgde dat ze ze niet aanraakte en wenste dat ze latex handschoenen had meegenomen. In het gangpad zag ze zijn mobieltje liggen. Ze raapte het op en keek naar de nummers die hij had gebeld – een nummer met kengetal 415 was zo'n zevenenveertig keer gebeld.

Als een wegebbende golf nam de toeval af. Kanan hield op met draaien en lag slap op de vloer. Zijn ogen gingen dicht en weer open. De portofoon van Paterson kraakte boven Jo's hoofd.

Ze legde een hand op Kanans schouder. 'Meneer Kanan? Ian?'

Ze hoorde het getinkel van handboeien die van een koppel werden gehaald.

'Niet doen,' zei ze. 'Hij heeft hoofdletsel. Waar blijft die ambulance?'

'Onderweg,' zei Paterson. 'Hij heeft een agent aangevallen. Hij moet in bedwang worden gehouden.'

'U mag hem niet arresteren.'

'Dat bepaalt u niet. U mag alleen oordelen over een inbewaringstelling. Maakt u een verklaring op?'

Kanan verschoof. 'Wat is... ben – rivier is te...'

'Ian,' zei Jo.

'Helemaal fout, het is...' Hij keek naar haar alsof hij haar door een vervormde lens zag. 'Slim, maar... watervallen – mistig...' Hij knipperde met zijn ogen en greep Jo's arm beet. 'Pakken.'

Hij begon snel te ademen. Jo voelde de pols bij hem. Honderdachtenveertig.

'Komt iemand je ophalen?' vroeg ze. Hij droeg een trouwring. 'Komt je vrouw je halen?'

Zijn ogen fonkelden, alsof haar stem een lont in zijn brein had aangestoken. Zijn ogen draaiden weg tot er alleen maar wit te zien was, en zijn mond ging open. Onder Jo's hand verstijfde zijn lichaam.

Hij begon te schokken, en deze keer was het een grand mal.

De ambulance reed in de regen noordwaarts over de 101 en joeg met zijn sirene het andere verkeer aan de kant. Kanan was op een brancard vastgemaakt en reageerde nergens op. Jo zat bij zijn schouder. De verpleegkundige hield haar in evenwicht toen de auto een bocht om reed. Ze riep Kanans naam en scheen met een zaklampje in zijn ogen.

Met een achterdochtige frons op zijn kinderlijke gezicht hield agent Paterson alles vanaf de achterdeur in de gaten. Zijn linkerhand streek heen en weer over de handboeien aan zijn koppel.

Jo keek naar hem en schudde haar hoofd. 'U mag een patiënt met een toeval geen handboeien omdoen.'

'Eén hand aan de brancard.'

'Nee. We moeten hem kunnen bewegen. Als hij moet overgeven, moeten we zorgen dat hij het braaksel niet kan inslikken, want anders kan hij doodgaan.'

'Hij is een ongeleid projectiel en hij wordt straks gearresteerd,' zei Paterson.

'Als u denkt dat u hem in deze toestand zijn rechten kunt uitleggen, bent u degene die in bewaring moet worden gesteld.'

Kanan kreunde. De verpleegkundige zei: 'Ian, kun je me horen?'

Een vlaag wind vloog fluitend over de ambulance en smeet regen tegen de ramen. Kanans ogen gingen met een wazige blik open.

Jo pakte zijn hand. 'Hoe heet je?'

Hij knipperde, alsof hij haar scherp in beeld probeerde te krijgen. 'Ian Kanan.'

Zijn blik werd helderder. Zijn pupillen waren even groot, reageerden op licht en hadden een wolfachtige glans. Jo voelde haar nekhaartjes prikken.

In het vliegtuig had Kanan Paterson met de snelheid van een ontsporende trein op zijn knieën gedwongen. Hoewel Jo hem vurig had verdedigd, wilde ze niet dat Kanan een inzittende van de ambulance iets ergers kon aandoen.

'Je hebt een toeval gehad. Blijf stilliggen,' zei ze.

'Wat?'

'Heb je epilepsie?'

Hij fronste zijn wenkbrauwen. 'Wat een idiote vraag.'

Jo was afgestudeerd als psychiater en neuroloog, maar als forensisch psychiater had ze bijna alleen maar met het verleden te maken. Als de politie of de lijkschouwer niet kon vaststellen waarom iemand was gestorven, belden ze haar om een psychologische autopsie op het slachtoffer uit te voeren. Ze bracht haar dagen door met het ontcijferen van de talloze manieren waarop de druk van het bestaan een einde aan iemands leven kon maken.

Nu had ze een levende patiënt, een man met een enorm, onbekend probleem, die zich volgens haar elk moment tegen haar kon keren.

'Weet je of je je hoofd hebt gestoten?' vroeg ze.

'Nee.' Zijn handen gingen naar de zakken van zijn spijkerbroek. 'Waar is mijn telefoon?'

'Die heb ik.'

'Ik moet iemand bellen.' Hij keek Jo indringend aan. 'Ben jij Amerikaanse? Heeft de ambassade je gestuurd?' Hij keek de ambulance rond en kreeg een verontruste blik op zijn gezicht. 'Waar ben ik?'

'Op weg naar het San Francisco General Hospital. Gebruik je medicijnen?'

'Nee. San Francisco?' Hij probeerde rechtop te gaan zitten. 'Wie ben jij?'

'Dokter Beckett.' Ze duwde met haar hand op zijn borst. 'Je bent in Zuid-Afrika geweest. Gebruik je medicijnen tegen malaria?'

'Kinine? Ja hoor. Gin-tonic.'

'Lariam?'

Lariam had soms ernstige bijverschijnselen, waaronder toevallen en psychoses.

'Nee,' zei hij.

'Wat deed je in Zuid-Afrika?'

Zijn lichte ogen zagen er griezelig uit. Ze wist niet waarom hij aarzelde. Maar of hij nu in de war was of zijn woorden woog, het duurde tien volle seconden voordat hij antwoord gaf. 'Zakenreis.'

De wind rukte aan de ambulance en joeg weer een regenvlaag tegen de ramen. Jo vertelde Kanan niet dat er twee redenen waren waarom ze naar het San Francisco General reden: het was in deze regio het meest gespecialiseerde traumacentrum én de plaats waar in bewaring gestelde patiënten naartoe gingen. Kanan keek om zich heen. Hij zag agent Paterson en bleef naar hem kijken.

Zijn kaak verstrakte en hij duwde tegen de riempjes op de brancard. 'Mijn gezin. Zijn ze…'

'Hé.' Paterson kwam onmiddellijk naast Kanan staan. De verpleegkundige duwde Kanan weer achterover op het kussen.

Jo legde een hand op zijn arm. 'Wat is er met je gezin, Ian?'

Heel even leek hij vreselijk in de war. Daarna knipperde hij met zijn ogen en dwong zichzelf rustiger adem te halen. 'Wat is er met me gebeurd?' Hij keek naar Paterson. 'Ben ik gearresteerd?'

'Nog niet,' antwoordde Paterson. 'Maar u had zo'n haast uit uw vliegtuig te komen dat u uit het toestel probeerde te springen terwijl het nog taxiede.'

'Zijn we gecrasht?' Hij keek de ambulance rond. 'Is het vliegtuig neergestort?'

Verwonderd keek Jo hem aan. Binnen twee minuten was Kanan bewusteloos, bijzonder alert, welsprekend, sterk en verward geweest.

'Ian, ik ben psychiater. De politie heeft me naar de luchthaven geroepen om je te beoordelen, omdat…'

'Denk je dat ik gek ben?'

'Ik denk dat je hoofdletsel hebt.'

Hij staarde haar secondenlang aan, maar opeens verscheen er een gekwelde blik in zijn ogen en leek hij het te begrijpen. Zijn ademhaling werd onrustig. 'Ze zeggen vast dat ik het zelf heb gedaan.'

Het koude stroompje gutste weer over Jo's rug. 'Je verwonding?'

'Het is voorbij, hè? Ik heb gefaald.'

'Wat bedoel je?'

Hij kneep zijn ogen stijf dicht. Even dacht Jo dat hij tegen zijn tranen vocht. Er druppelde geluid uit Patersons portofoon. Kanan hoorde het, deed zijn ogen open en keek naar de jonge agent. Terwijl Jo zijn gezicht bestudeerde, zag ze dat hij zich ontspande. Hij knipperde met zijn ogen, haalde diep adem en draaide zich met glanzende, onbezorgde ogen naar haar.

'Hallo. Wat is er aan de hand?'

'We brengen je naar het ziekenhuis.'

Een verbaasde blik. 'Waarom?'

Langzaam vroeg Jo: 'Weet je nog wat ik je een minuut geleden heb verteld?'

'Nee. Wie ben jij?'

De verpleegkundige hing haar stethoscoop om haar nek. 'Mijn hemel.'

Paterson steunde met zijn hand tegen de zijkant van de ambulance. 'Wat is er aan de hand?'

Jo voelde zich akelig. 'Geheugenverlies.'

Ze keek naar Kanan en dacht: *en geen onschuldige vorm.*

Seth zat met zijn rug tegen zijn bed op de grond. Hij was stil. Hij was al dagen stil. De mannen hadden gezegd dat hij zijn mond moest houden.

In zijn hoofd was het daarentegen een enorm kabaal, als de harde ruis van een versterker. Omdat hij zijn mond niet had gehouden toen de mannen hem het park in hadden gesleept. Hij had gepraat. Over zijn vader.

Zijn maag deed pijn. Het was alsof er een vuist in kneep, een vuist van prikkeldraad. Hij sloeg zijn armen om zijn schenen en legde zijn hoofd op zijn knieën.

*Mijn vader is weg en jullie halen hem nooit in. Hij zit in het Midden-Oosten en als jullie klootzakken denken dat je...*

Hij had het gezegd om hen bang te maken, om hun te laten weten dat zijn vader niet bepaald een reisleider was die toeristen op sleeptouw nam. Hij was een keiharde kerel die het desnoods in zijn eentje tegen het hele Midden-Oosten opnam. Maar waarom had hij het gezegd? Waarom waarom waarom...

De kamer was schemerig en de vloer was hard. Dat gaf niet – zo wilde hij het juist, hij zat liever op de harde vloer dan op het krakende bed. De harde vloer dwong hem alert te blijven en te blijven nadenken.

Wat moest hij nu doen? De mannen – de hotdog, het puistige blok beton en de Mickey Mouse-rapper – hadden verteld wat er zou gebeuren als hij zijn mond niet hield. Als hij überhaupt iets tegen iemand zei. Ze waren heel duidelijk en gedetailleerd geweest.

*Eerst mag je toekijken als we je hond te grazen nemen. Daarna doen we het met je moeder.*

Hij kneep zijn ogen dicht en probeerde met zijn handen op zijn oren de herinnering te verdrijven.

Op dit moment was Whiskey ongedeerd. Seth hoorde de hond in de keuken uit zijn bak water drinken. Maar Whiskey was niet veilig, en Seths moeder ook niet. De mannen hadden Seth in de tang. Ze konden hem elk moment kwaad doen, zonder waarschuwing.

De vuist van prikkeldraad verstrakte de greep op zijn maag en pakte hem daarna bij de keel. Hij moest iets doen. Hij moest een manier bedenken, maar hoe? Hij zat in de val.

Neuroloog Rick Simioni trof Jo in de gang van het ziekenhuis aan. Hij keek erg bezorgd.

'Had ik gelijk?' vroeg Jo.

'Anterograde amnesie. Geen twijfel mogelijk.'

Simioni's overhemd en doktersjas waren hagelwit. Hij streek zijn das glad. 'Kanan weet wie hij is. Hij weet alles over zichzelf, zijn leven en de wereld – tot de aanvang van zijn vlucht uit Londen.'

'En daarna?'

'Niets meer.'

Een lichte vorm van geheugenverlies was normaal na hoofdletsel, maar het verschijnsel was vaak niet ernstig en van voorbijgaande aard – als de patiënten opknapten, werd hun geheugen doorgaans ook beter. Bij Ian Kanan was dat niet het geval.

'Blijft er geen nieuwe informatie hangen?' vroeg Jo.

'Alles dringt tot hem door, blijft even hangen en glijdt dan weer weg. Zijn hersenen ontvangen nieuwe informatie, maar nemen die niet op.'

'Hoe lang kan hij iets vasthouden voordat hij het vergeet?'

'Vijf, zes minuten.'

'Wat gebeurt er dan?'

'Hij blijft bij bewustzijn. Hij krijgt geen toeval – het eeg vertoont geen ictale patronen. Maar als zijn aandacht lang wordt afgeleid, verdampt alle informatie die hij had opgenomen.'

'Verlies van kortetermijngeheugen,' zei Jo.

'Er is niets aan de hand met zijn ogen, oren en spraak. Jij hebt hem onderzocht en geen spierzwakheid opgemerkt.'

'Postictaal scoorde hij elf op de Glasgow-comaschaal. Hij heeft een complexe partiële toeval gehad en een grand mal.'

Het zag er niet goed uit. Het verlies van het kortetermijngeheugen – anterograde amnesie – betekende niet dat je korte tijd informatie vergat, maar dat je geen nieuwe herinneringen kon maken. Het was zowel een symptoom als een resultaat van catastrofaal hersenletsel.

'Wat is de oorzaak?'

'Kom maar eens naar de MRI kijken.'

In de radiologiekamer hingen zoemende lichtbakken aan de muren. Op een breedbeeldcomputerscherm gloeide een PET-scan, iemands longen en lever in karmozijnrood, kobaltblauw en knalgeel alsof ze een hallucinatie van Timothy Leary waren.

Vergeleken daarmee was de zwart-witte MRI-scan van Kanan saai. En verschrikkelijk.

De radioloog was een nauwgezette man uit Hyderabad met weinig haar en nog minder emotie in zijn blik. Hij heette Chakrabarti en begroette Jo met een kort knikje.

Jo liep naar het scherm en bestudeerde een dwarsdoorsnede van Ian Kanans hoofd. Langzaam en rustig zei ze: 'Wat is dit?'

Chakrabarti raakte het scherm met zijn wijsvinger aan. 'Een laesie.'

'In de mediale temporaalkwabben. Ik zie het. Wat is dát?'

Diep in Kanans brein, waar de grijze cellen van de mediale temporaalkwabben zouden moeten zitten, zat een donkere, wazige plek.

'Op het volgende plakje zie je nog meer,' zei Chakrabarti.

'Dat klinkt niet goed,' zei Jo.

'Dat is het ook niet.' Hij typte op het toetsenbord. 'Meneer Kanan had moeite om in de scanner stil te blijven liggen. Hij was heel onrustig. Hij bleef een minuutje rustig liggen en vergat dan waar hij was. Dan probeerde hij eruit te klimmen en schreeuwde hij: "Wat moet dit verdomme allemaal voorstellen?"'

'Alsof zijn brein steeds wordt gereset op "start"?'

'*Groundhog Day*,' zei Simioni.

Chakrabarti liet het volgende beeld zien. Simioni hield zijn adem in. Jo werd even misselijk.

Kanans mediale temporaalkwabben leken te zijn ingetekend met zwarte strengen. Het was alsof iemand met een roestige naald lijnen in het beeld had gekrast.

'Veroorzaken die... slierten het geheugenverlies?' vroeg Jo.

Simioni wees met een pen. 'De mediale temporaalkwabben, en dan met name de hippocampus, is het deel van het brein dat feiten en gebeurtenissen tot herinneringen codeert, dus ik denk het wel.'

'Wat is het?'

Chakrabarti zei: 'Ik weet het niet. Het is geen bloeding. Herinnert hij zich of hij hoofdletsel heeft opgelopen?'

'Hij zegt van niet,' antwoordde Jo. 'Is het viraal? Bacterieel?'

De twee mannen staarden naar het scherm, maar konden geen antwoord geven. 'Heb je zijn vrouw al gesproken?' vroeg Simioni.

'Geen gehoor. Ik heb berichten achtergelaten,' zei Jo.

Ze bleven nog even staan staren. Simioni draaide zich om. 'Laten we het hem maar vertellen.'

# 5

Het zwarte bestelbusje stond stil op de oprit, wachtend tot de garagedeur openging. Regen zwiepte tegen de voorruit. De deur ging zoemend omhoog en het busje reed naar binnen.

Alan Murdock zette de motor af. 'Laad de boodschappen uit.'

Vance Whittleburg sprong uit de auto, hees de lubberende spijkerbroek die halverwege zijn achterwerk hing omhoog en begon zakken met boodschappen en dozen met munitie naar binnen te dragen. Zelfs nu hij frisdrank en ketchup droeg, mat hij zich het stoere loopje aan van de gangsta die hij wilde zijn.

Murdock liet de garagedeur weer zakken. Dit was een verwaarloosd huurhuis in Mountain View, vlak bij de San Antonio Road. Het lag praktisch aan het spoor en was bepaald niet het enige huis in de straat met onkruid in de voortuin en vuilnisbakken waaruit zwerfhonden aten. Er was geen buurttoezicht. Het was een wijk vol onverschillige mensen waarin niemand aandacht schonk aan het komen en gaan van tijdelijke huurders.

De deur naar het huis ging open en Ken Meiring kwam de garage binnen. Er zat verband om zijn veel te gespierde onderarm, die de bloederige beet van Seth Kanans hond bedekte. Kens gezicht was rood, helemaal tot in zijn gemillimeterde haar. De puisten op zijn nek leken wel pestbulten. Het werd tijd dat hij wat afviel en wat minder steroïden nam, want anders zou hij zichzelf nog eens een beroerte bezorgen.

Murdock liep naar een kast tegen de muur. 'Ik heb nieuws waarvan je bloeddruk een beetje zakt.'

'Ga je gang, Dirty Harry – *make my goddamned day.*'

Murdock reageerde niet op de spottende term. Goed, hij zat misschien niet meer bij de politie van San Francisco, maar hij had het recht om het T-shirt van de SFPD te dragen tot het uit elkaar viel.

'Ik hoor je anders niet klagen over de afscheidscadeautjes die ik destijds van mijn werk heb meegenomen,' zei hij.

Hij deed de kast open, waarin een voorraad spullen lag die hij de politie afhandig had gemaakt. Hij had onder andere plastic handboeien, traangas en een handige gummiknuppel meegenomen. Hij zette een doos met negenmillimeterkogels naast zijn pistool.

Ken bromde. 'Fijn. Zulke opmerkingen doen wonderen voor mijn humeur.'

'Hij is gearriveerd.'

Ken trok zijn wenkbrauwen op.

'Vanochtend aangekomen met een vlucht van Virgin Atlantic.' Murdock lachte en ontblootte zijn kleine tanden. 'We kunnen weer zakendoen.'

'Weet je het zeker?'

Buiten denderde de Caltrain over het spoor. Het kale peertje aan het plafond van de garage knipperde. Ken staarde naar Murdock alsof hij de reflectie van het licht op Murdocks kaalgeschoren hoofd bestudeerde.

De glimlach verdween van Murdocks gezicht. 'Je moet echt meer vertrouwen in me hebben, Ken. De deal kan gewoon doorgaan.'

'Wanneer?'

Murdock deed de kast op slot. 'Geduld.'

'Geduld is gevaarlijk. Kanan is onberekenbaar.'

Murdock draaide zich om, kwam dichterbij en ging zachter praten. 'Maar wij hebben alle troefkaarten in handen.'

Ken liet die woorden op zich inwerken en knikte langzaam. Murdock zette een stap naar achteren.

'Je moet je horizon verbreden,' zei hij. 'Dit is iets heel anders dan een vrachtwagen met gespecialiseerde elektronica kapen. Dit is het echte werk. Fusies en overnames, Ken.'

Ken was nog niet overtuigd.

'In elk geval overnames,' zei Murdock, die zijn mobieltje uit zijn zak haalde. 'En we hebben een slimmerik in de geldwereld die de volgende fase voorbereidt.'

'Is dat degene die je belt?'

Murdock glimlachte weer. Zijn tandvlees maakte een vochtig geluid. 'De afdeling verkoop.'

Terwijl hij de telefoon hoorde overgaan, gaf hij Ken een klap op de rug. 'Bereid je maar vast voor. Kanan heeft vloeibare bliksem bij zich. Genoeg om de hele wereld een opdonder te geven.'

Ken keek naar hem. 'Kan best zijn, maar we moeten het nog wel zien te krijgen.'

Terwijl Jo met Simioni naar de spoedeisende hulp liep, keek ze in Ian Kanans paspoort en portefeuille. In het paspoort stonden bezoeken aan Jordanië, Israël, Zuid-Afrika, Zimbabwe en Zambia, allemaal afgestempeld in de afgelopen twee weken. Op zijn rijbewijs stond een huisadres in de buurt van Golden Gate Park. Op een bedrijfspasje met foto stond IAN KANAN, CHIRA-SAYF INCORPORATED, SANTA CLARA. Ze vermoedde dat dat Silicon Valley was.

Simioni had een afdruk van Kanans MRI bij zich. Jo wist dat die bij Kanan als een mokerslag zou aankomen.

Als forensisch psychiater hoefde ze gelukkig geen slechtnieuwsgesprekken te voeren. Op verzoek van de politie analyseerde ze de doden – ze hoefde niemands wereld te laten instorten. Niet meer. Niet meer sinds ze haar schoonouders had moeten vertellen dat hun zoon dood was.

Ze klopte en liep de kamer op de spoedeisende hulp binnen. Kanan ijsbeerde met zijn telefoon aan zijn oor voor het raam. Hij had zijn kleren weer aan en zag eruit als een gekooid beest.

'Misty, ik ben weer terug, liefje. Ik ben onderweg.'

De deur ging met een klik dicht. Kanan draaide zich om, zag Jo en Simioni staan en verbrak de verbinding. Hij stak zijn hand uit.

'Ian Kanan. Dokter, vertel me alstublieft wat er aan de hand is, want ik moet weg.'

Simioni aarzelde, begreep dat Kanan hem niet herkende en gaf hem een hand. 'Rick Simioni. Ik ben de neuroloog die u heeft doorgestuurd voor de MRI.'

Kanan fronste zijn wenkbrauwen. 'MRI?'

Jo stak haar hand naar hem uit. 'Ik ben dokter Beckett. U hebt twee toevallen gehad en u hebt ernstig hoofdletsel dat uw geheugen aantast.'

'Waar hebt u het over? Er is niets mis met mijn geheugen.'

'Weet u nog wie ik ben?'

Zijn blik gleed soepeltjes over haar lichaam en bestudeerde haar atletische gestalte, donkere ogen en lange bruine krullen. Hij hield zijn ogen stil ter hoogte van het gelamineerde ziekenhuispasje dat met een klemmetje aan haar trui was vastgemaakt.

'Nee. Is dat raar?'

'Ik ben psychiater. Ik heb u van de luchthaven hierheen gebracht. Ik ben al bijna twee uur bij u.'

'Daar weet ik niks v...' Zijn gezicht betrok. In de plotselinge stilte striemde een vlaag regen tegen het raam. 'Lijd ik aan geheugenverlies?'

'Ja.'

'Aan een vorm die anterograde amnesie heet,' zei Simioni. 'U bent uw oude herinneringen niet kwijt, maar u hebt een beschadiging aan het deel van uw hersenen waarin nieuwe herinneringen worden gevormd.'

'Waardoor?'

'Daar doen we nog onderzoek naar.'

'Weet u het niet?'

'Nog niet. We moeten meer over u weten. Vertel ons eens wat u in Afrika en het Midden-Oosten deed.'

Kanan reageerde terughoudend en keek ongelovig bij de woorden 'nog niet'. Uiteindelijk zei hij: 'Zakenreis.'

'Wat doet u, meneer Kanan?'

'Zeg maar Ian. Ik ben beveiligingsadviseur van een technisch bedrijf in Santa Clara.'

Jo had dus goed gegokt. 'Wat houdt je werk precies in?'

'Ik zorg dat het bedrijf zijn apparatuur en mensen behoudt.'

'Hoe?'

Hij hief zijn hand op. 'Wacht. Volgens jullie heb ik dus hoofdletsel en vergeet ik alles.'

'Ja. Help ons. Je was net teruggekeerd uit een aantal ontwikkelingslanden. Wat houdt je werk precies in?'

Hij aarzelde en leek zichzelf vervolgens te kalmeren. 'Als personeel van het bedrijf in het buitenland gaat werken, ga ik mee om gevaarlijke situaties te voorkomen. Ik drijf ingenieurs en leidinggevenden terug naar de kudde. Zorg dat verstrooide programmeurs hun laptops niet in een trein laten liggen en dat niemand buiten speelt op een manier die hem kan schaden.'

'Pardon?' vroeg Simioni.

'Ik voorkom dat leidinggevenden zo dronken worden dat ze door prostituees worden gerold of bedrijfsgeheimen aan buitenlandse concurrenten prijsgeven.'

Simioni vouwde zijn armen over elkaar. 'Hou je je ook bezig met arbeidsomstandigheden?'

Kanans glimlach was kort en wrang. 'Ik ben babysitter.'

Jo en Simioni keken elkaar verward aan. Er kon van alles met hem zijn gebeurd, maar ze konden niets akeligs bedenken wat bij deze symptomen paste. Een klap op het hoofd. Virale encefalitis. Hersenchirurgie met een elektrische boor. Lintwormlarven die in Kanans brein rondwroetten.

Jo dwong zichzelf dat beeld diep weg te stoppen. Kanans ogen waren helder. Hij was knap, goed bij zijn verstand en hij zat diep in de problemen.

'Dus volgens jullie is er iets met me aan de hand,' zei hij.

'Iets ernstigs, ja,' antwoordde Jo.

Simioni stak de MRI-foto's naar hem uit. Kanan werd bleek toen hij ze bestudeerde.

Het had weinig zin om de pil voor hem te vergulden. Er zou nooit meer een goed moment komen om hem alles uit te leggen. Nooit. Wat hij ook te horen kreeg, hij zou de informatie nooit kunnen verwerken. Hij kon er alleen maar eindeloos aan herinnerd worden. Jo kreeg een liedje in haar hoofd. Red Hot Chili Peppers, 'Strip My Mind'.

Simioni liep met Kanan een vragenlijst door. Koorts? Ongefilterd water gedronken of verdacht voedsel gegeten bij een kraampje in Zimbabwe? Nee, nee en nee.

Kanan bleef maar naar de beelden staren. 'Ik heb hier nog nooit van gehoord.'

'Het is heel zeldzaam,' zei Jo. 'Is er tijdens je zakenreis iets vreemds gebeurd? Iets opvallends?'

'Nee.' Hij keek op. 'Hoe gaan jullie me behandelen?'

'Daar denken we nog over na,' antwoordde Simioni.

Kanans stem werd scherper. 'Weten jullie het niet?'

'We kunnen sowieso nu niets doen tot we weten wat de oorzaak is.'

Kanan zag er gespannen uit, als een ingedrukte veer die op het punt stond los te schieten. 'Prognose?'

'Je hebt een beschadiging aan het deel van je hersenen dat inkomende informatie verwerkt en aan je langetermijngeheugen doorgeeft,' zei Jo. 'Dat betekent dat informatie niet in je geheugen belandt, maar wegglijdt.'

Hij priemde met zijn vinger naar de uitdraai van de MRI. 'Dus volgens jullie is dit deel van mijn hersenen weggevaagd.' Hij haalde adem. 'Uitgegumd.'

'Op een bepaalde manier wel, ja.'

'Alsof ik door de lens van een camera kijk, maar niet kan afdrukken,' zei Kanan. 'Word ik nu een plant?'

Ze keek hem recht in de ogen. 'Nee.'

'Eindig ik als iemand die kwijlend uit het raam staart?'

'Geen sprake van,' zei Simioni.

Kanan kreeg een afwezige blik in zijn ogen. Simioni bleef uitleg geven, maar Jo wist dat Kanan niets meer hoorde. Zijn hoofd en hart kwamen niet verder dan de schreeuwende rode letters die zojuist over zijn leven waren geschilderd. *Geheugen gewist.*

Jo raakte Kanans hand aan. 'Je hebt een vorm van hersenletsel. Meer weten we niet.'

Ze voelde hem de pols, die snel en krachtig was. Hij droeg een spijkerhemd over een bruin T-shirt waarop FADE TO CLEAR stond. Kanan zag dat ze de tekst las.

'Het bandje van mijn zoon. Ze hebben een stuk of tien shirts laten maken in de Haight.' Hij knipperde met zijn ogen. Hoewel hij er kalm uitzag, ademde hij snel. 'Zoek uit wat er met me aan de hand is. Maak me beter.'

'We doen ons best,' zei Jo. 'Maar op dit moment wordt er schade aangericht, en die schade kunnen wij niet repareren.'

Simioni's pieper ging af. 'Ik moet weg.' Hij sloeg zijn armen over elkaar. 'Meneer Kanan, we doen echt alles wat in ons vermogen ligt. Hou vol.'

Hij ging weg. Kanan zag de deur dichtgaan.

'Ik begrijp er niets van. Ik herinner me alles. Ian David Kanan. 35 jaar. Bloedgroep A positief.'

Hij dreunde zijn adres, geboortedatum, het nummer van zijn rijbewijs en zijn burgerservicenummer op. 'Ik heb op mijn achtste op zomerkamp mijn arm gebroken. Ik ben met Misty naar het eindexamenfeest geweest. Ik werk bij Chira-Sayf. Ik kan je de toegangscode naar het laboratorium geven.'

'Hoe laat is het?' vroeg Jo.

Hij keek verbaasd. 'Geen idee. Rond het avondeten?'

'Halfeen in de middag.'

Kanan keek naar buiten. De middagzon voerde strijd met de regenwolken. Hij schrok toen hij het zag.

'Hoe ben je hier gekomen?' vroeg Jo.

'Met de auto, denk ik.'

'Ambulance.'

Verward en verrast fronste hij zijn wenkbrauwen.

Jo ging zachter praten. 'In de ambulance heb ik je verteld over het hoofdletsel. Je zei: "Ze zeggen vast dat ik het zelf heb gedaan."'

Hij reageerde niet, maar haalde zijn mobieltje tevoorschijn. 'Neem me niet kwalijk, ik moet mijn vrouw bellen.'

'Kijk eens naar de nummers die je hebt gebeld.'

Hij drukte een paar knopjes in. Bij het zien van de tientallen telefoontjes die hij had gepleegd, keek hij of hij een klap tussen zijn ogen had gekregen. Jo liet een stilte over de kamer neerdalen.

'Wie zal zeggen dat je het zelf hebt gedaan, Ian? En waarom?'

Hij stopte zijn telefoon in zijn zak en draaide zich naar de deur. 'Ik moet weg.'

Resoluut versperde Jo hem de weg. 'Wat is er met je gebeurd?'

Hij stond stil, maar maakte alweer aanstalten om door te lopen. 'Het spijt me, maar ik ga nu weg.'

'Wat is er in het buitenland gebeurd? Hoe kom je aan die sneeën in je arm? Vertel op, want ik kan nog steeds een inbewaringstelling regelen. En de politie zal niet aarzelen om je te arresteren.'

Hij trok een wenkbrauw op. 'Wat ben jij een pittige tante. Ooit drilsergeant geweest?'

'Was niet nodig. Ik ben zo'n kreng dat ik soldaten in de hand kan houden zonder op mijn strepen te gaan staan.' Ze hoopte maar dat de man in haar leven dat nooit te horen zou krijgen. 'Vertel op – wat is er met je gebeurd?'

Kanans gezicht verstrakte, en even dacht ze dat hij haar aan de kant zou meppen. Toen gleed de droevige mengeling van verdriet en spot over zijn gezicht. 'De echte vraag is: wat gaat er nog met me gebeuren?'

Ze liet haar schouders langzaam zakken. 'Je blijft dezelfde persoon. Dit heeft geen effect op je intelligentie of persoonlijkheid, en ook niet op je bestaande herinneringen. De kennis en vaardigheden die je nu hebt, zullen niet worden uitgewist.'

'Dus ik kan nog steeds autorijden en een hert villen.'

'Ja.'

'Ken ik iedereen nog?'

'Ja. Dit is geen dementie. Het is geen alzheimer.'

'Maar mijn hersens slaan niets op.'

'In wezen niet, nee.'

'Dus het wordt allemaal een livevoorstelling. Niets wordt voor langere tijd opgeslagen. Ik heb geen harde schijf.'

Hij huilde niet. Hij had alleen maar zijn telefoon in zijn zak gestopt. 'Die andere dokter…' Hij keek naar de deur, om aan te geven dat hij Simioni bedoelde. 'Die is zeker weggegaan zodat jij hier zou blijven en alles aan me uit kon leggen.'

'Ik ben psychiater. Ik hoor goed om te kunnen gaan met mensen…'

'… wier leven verwoest is?'

'Ja.'

Hij bleef even roerloos staan en liet een zacht, vreugdeloos lachje horen. 'Je bent in elk geval eerlijk. Wat doe je precies? Trek je als een donquichot ten strijde tegen loslopende gekken?'

'Ik ben forensisch psychiater. En ik word gebeld bij spoedgevallen, zoals het jouwe vandaag op de luchthaven.'

'Forensisch…'

'Dat wil niet zeggen dat ik me bezighoud met forensisch onderzoek op een plaats delict. Ik werk waar het pad van de psychiatrie dat van de wet kruist.'

'Heb ik vandaag een wet overtreden?' vroeg hij.

'De politie denkt van wel.'

Ze vertelde dat hij in het vliegtuig agent Paterson had aangevallen en dat hij een schok van een taser had gehad. Hij leek het voor het eerst te horen.

'Staan ze buiten te wachten om me te arresteren?' wilde hij weten.

'Ze zijn er wel, maar tot nu toe heb ik een stokje voor de arrestatie gestoken.'

'Ik heb helemaal niet het gevoel dat ik iets vergeet.'

'Wat voel je wel?'

Behoedzaam keek hij haar even aan. 'Dat is wel echt een vraag voor een psych.'

Ze spreidde haar handen en haalde haar schouders op.

Hij zuchtte. 'Het verdwijnt straks allemaal, hè? Alles wat ik zie en hoor. Dit gesprek. De toekomst.' Hij keek uit het raam. Een dunne zonnestraal wierp zilveren licht op zijn gezicht. 'Ik leef voortaan in een doorlopend heden.'

Jo liet die woorden op zich inwerken. 'Zo zou je het kunnen bekijken.'

'Zal ik me grote dingen kunnen herinneren? Wie er president is? Een asteroïde die op de aarde knalt?'

Hij zou het zich nog niet herinneren als hij zélf president werd. Elk moment zou nieuw zijn, elke gebeurtenis een nieuwe ervaring, iedere persoon die hij ontmoette een vreemdeling.

'Wat moet ik doen? Hoe moet ik ermee omgaan?'

'Je moet strategieën bedenken om jezelf eraan te herinneren waar je bent, waar je naartoe gaat, waar je net bent geweest. Briefjes. Foto's. Een pda. Neem altijd een camera, pen en papier mee.'

'Ik kan zeker niet meer werken, hè? Of alleen zijn. Ik heb een... babysitter nodig.' Hij veegde met zijn hand over zijn voorhoofd. 'Om me te vertellen of ik mijn tanden heb gepoetst en goddomme mijn eigen reet heb afgeveegd.'

In een flits haalde hij uit met zijn arm en gooide het nachtkastje om. De telefoon kletterde met een akelig, rinkelend geluid op de vloer. Jo stond doodstil. Van het ene moment op het andere leek het of haar gehoor tien keer zo scherp was geworden. Het was of ze stof in de lucht hoorde dwarrelen en Kanans hart in zijn borstkas hoorde dreunen. Links van haar zat de deur, bijna twee meter van haar af. Ze maakte aanstalten om weg te rennen als hij zich tegen haar zou keren.

Aarzelend hief ze haar hand op. 'Ian, je vrouw is niet thuis. Heeft ze...'

'Hoe weet je dat ze niet thuis is?'

Hij haalde zijn telefoon tevoorschijn en drukte weer de voorkeurtoets met zijn eigen nummer in. Jo liep met opgeheven handen naar hem toe en gebaarde dat hij haar de telefoon moest geven.

De telefoon ging over. Ze nam het toestel aan en liet hem zien welke nummers hij had gebeld. Zijn gezicht betrok.

Even was hij stil. 'Ik moet weg.'

'Nog niet. Heeft je vrouw een mobiele telefoon? Kun je haar op haar werk bereiken? Of kun je anders familie of vrienden bellen?'

Kanan gaf geen antwoord, maar keek uit het raam. In het zonlicht leken zijn lichte ogen glanzend wit.

'Ik ga dood, hè?'

*Dat gaan we allemaal, liever.* 'Niets wijst erop dat deze aandoening dodelijk is.'

'Je hoeft me niet te sparen, doc. Zelfs als ik blijf ademhalen, maakt dat niet uit.' Hij bracht twee vingers naar de zijkant van zijn hoofd en tikte ertegenaan, alsof hij een vuurwapen op zichzelf richtte. 'Ik ben er geweest. Vijf minuten achter elkaar, meer zal ik me niet kunnen herinneren. Toch?'

'Daar ziet het wel naar uit.'

'Je pakt dit echt als een psych aan, hè? Je blijft daar staan wachten tot ik alles spui. Ik vind het best – ik heb wel eerder met een psych te maken gehad, een paar keer zelfs, en ik ben niet gek. Dus luister goed,' zei hij. 'Zelfs als ik niet onder de grond lig, raak ik mezelf kwijt. De man met de zeis komt me halen terwijl ik nog rondloop. Het is oogsttijd.'

Tussen de donkere wolken door piepte fel zonlicht de ziekenhuiskamer binnen. Jo bleef roerloos staan en bestudeerde Kanans lichaamstaal. Hij leek kalm – maar kalm als een rivier met hoog water, waarin het gladde oppervlak scherpe onzichtbare stenen bedekte. De rust bedekte zijn woede, verwarring, angst en nog meer. Hij hield iets voor haar verborgen.

'Ian, vertel me wat er in Afrika is gebeurd.'

'Dat is niet belangrijk.'

'Weet je wat er met je aan de hand is?'

Een witte blik. Het was of ze in het hart van een diamant keek. Helder, hard en volkomen levenloos.

'Waar wordt dit probleem door veroorzaakt?' vroeg ze.

Een paar tellen lang stond hij doodstil. 'Ik ben vergiftigd.'

'Waarmee?'

'Geef me pen en papier.'

Ze maakte haar tas open, haalde er een notitieblok uit en gooide het naar hem toe. 'In de spiraalband zit een pen. Begin maar te schrijven.'

Hij deed wat ze had gezegd.

'Hoe ben je vergiftigd? Was het een ongeluk?' vroeg Jo.

'Misschien.'

'Misschien ook niet?'

Hij keek haar aan. Even verscheen er een doffe blik in zijn ogen, alsof er een pijnscheut door hem heen was gegaan. 'Misschien ook niet.'

'Schrijf iedereen op die jou wellicht kwaad zou willen doen.'

'Dat hoeft niet.'

'Waarom niet?' Ze trok een wenkbrauw op. 'Omdat je weet wie je heeft vergiftigd? Of omdat je het zelf hebt gedaan?'

In de gang liepen twee verpleegkundigen voorbij, die een brancard met een schreeuwende patiënt duwden. Kanan draaide zijn hoofd naar het geluid en liet de pen boven het notitieblok zweven.

'Ian?'

Hij draaide zijn hoofd weer naar haar en keek haar met heldere ogen aan. 'Is dit een afdeling spoedeisende hulp? Is er iets gebeurd, dokter...' Hij las haar pasje. '... Beckett?'

# 6

Hier en daar brak zilverkleurig licht door de wolken heen. De schaduwen in de kamer werden somber en lang, net als de stilte. Jo pakte het notitieblok uit Kanans handen en liet hem zien wat hij had opgeschreven. *Jo Beckett. Forensisch psychiater.*

'Wat is er aan de hand?' vroeg hij.

Uit haar tas haalde ze een watervaste stift. 'Geef me je arm eens. Maak het knoopje van je mouw los.'

Hij rolde zijn rechtermouw op en stak zijn onderarm uit. Ze draaide de binnenkant naar zich toe en schreef: *Ernstig geheugenverlies. Ik kan geen nieuwe herinneringen aanmaken.* 'Je hebt een sos-armband nodig, maar voorlopig voldoet dit ook.' Ze gaf hem de stift. 'Als je nog iets weet wat je niet mag vergeten, schrijf het dan nu op.'

Hij had nog veel meer nodig. Een camera. Iemand die altijd bij hem was. Verbluft staarde hij naar de woorden.

'Je hebt hersenletsel. Je zei dat je misschien vergiftigd was. Ik moet weten hoe dat gebeurd is en waarmee,' zei Jo.

Hij legde een hand tegen de zijkant van zijn hoofd. Deed zijn ogen dicht en sloeg dubbel.

'Ian?'

Hij rende naar de prullenbak. Hij greep hem beet, bukte zich en braakte.

Achter haar ging de deur open, en Rick Simioni kwam binnen. Hij zag Kanan voorovergebogen bij de prullenbak staan en liep naar hem toe.

Kanan ging rechtop staan. Zodra hij Simioni in de gaten kreeg, draaide hij zich razendsnel om. 'Wie ben jij?'

'Dokter Simioni, de neuroloog.'

Vanuit de deuropening stond een vrouw toe te kijken, die de glans van gevernist hout had. Een gekapte wilg, helder van kleur. Haar ledematen waren bruin en gespierd, haar haren een soepele, karamelkleurige golf. Met grote, geschokte ogen staarde ze naar Kanan.

'Ian.' Haar stem klonk verstikt.

Kanan rechtte zijn rug en zocht met zijn hand steun tegen de muur. Hoewel hij zijn hoofd liet hangen en bleek van misselijkheid was, zochten zijn lichte ogen contact met de hare.

Simioni legde een hand op Kanans elleboog. 'Ga zitten. Kom.'

'Zo meteen,' zei Kanan.

De vrouw liep door de kamer naar hem toe, hief haar hand op en raakte voorzichtig en teder zijn borstkas aan.

Simioni gebaarde dat Jo met hem mee moest lopen. 'Laten we hun een minuutje privacy geven.'

Jo liep met Simioni naar de gang. De deur van de kamer zwaaide zachtjes dicht. De jonge vrouw ging dicht bij Kanan staan en raakte zijn wang aan. Kanans ogen waren ondoorgrondelijk. Opluchting, verwarring, vreugde, wanhoop – Jo kon zijn blik niet ontcijferen. Hij haalde haar hand van zijn gezicht en hield hem stevig vast. De deur ging met een klik dicht.

Jo keek Simioni vragend aan.

'Dat is zijn vrouw,' zei hij. 'Het nieuws was een zware klap voor haar.'

'Waar heeft ze de afgelopen twee uur gezeten?' wilde Jo weten.

'Dat heb ik niet gevraagd. Je ziet eruit alsof je erg geschrokken bent. Is er iets nieuws gebeurd met meneer Kanan?'

'Een paar dingen. Heel raar.'

Simioni keek naar de gesloten deur. Hij aarzelde, en toen hij weer naar Jo keek, stond er een frons op zijn voorhoofd.

'Je kunt nog iets aan de lijst met rare dingen toevoegen,' zei hij. 'De agenten van de luchthaven hebben zijn bagage opgehaald en hierheen gestuurd. Hij had een paar ongewone souvenirs bij zich – een zwaard en een paar dolken.'

'Wat voor een zwaard?'

Hij keek verbijsterd. 'Wat een rare vraag.'

'Is het een ceremonieel zwaard, een voor de Olympische Spelen goedgekeurde degen, of een slagzwaard waarmee hij een spiegelgevecht houdt als hij verkleed naar een middeleeuws festival gaat?'

'Er zit geen bloed op. En het is oud. Heel oud. Het... hoe noem je dat, het handvat...'

'Het gevest.'

'... is bewerkt. Er staan letters op, oud en afgesleten. In het Arabisch. Waarom wil je dat weten?'

'Hij is in Afrika en het Midden-Oosten geweest. Hij zegt dat hij babysitter is voor het bedrijf, maar hij komt met wapens thuis. Hij zegt dat hij vergiftigd is en hij heeft misschien wel een zelfmoordpoging gedaan. En ik heb een vierhonderd jaar oude Japanse *katana* in mijn woonkamer. Als ik hoor dat iemand scherpe voorwerpen importeert, vooral een combinatie van messen en zwaarden, wil ik zeker weten dat hij ze niet kan gebruiken om harakiri te plegen.'

De deur van de kamer ging open en Kanans vrouw kwam naar buiten. Haar gezicht was bleek.

Simioni liep naar haar toe. 'Mevrouw Kanan...'

'Ik kan het niet.' Ze hief haar hand op. 'Ik kan niet praten over...' Haar gezicht vertrok en ze duwde de rug van haar hand tegen haar mond, alsof ze een schreeuw wilde onderdrukken.

De vrouw van Ian Kanan was klein en tenger. Zelfs met haar hooggehakte laarzen was ze een paar centimeter kleiner dan Jo, en Jo was niet groot. Met haar soepel golvende, karamelkleurige haar zag ze er atletisch en zelfverzekerd uit. Ze droeg een jas van witte wol, getailleerd en stijlvol. Daaronder droeg ze een nauwsluitende zwarte trui en een blauw rokje met Schotse ruit, dat strak over haar achterwerk stond. Afgezien van haar verzorgde haar leek ze wel een modieuze punk uit Glasgow.

Met trillende stem zei ze: 'Help hem.'

Ze draaide zich om en rende door de gang.

Jo en Simioni keken elkaar aan. De neuroloog schudde zijn hoofd, alsof hij geen zin had om haar te kalmeren en het liefst zou strootjetrekken in de hoop dat Jo zou verliezen.

Jo ging achter haar aan. 'Mevrouw Kanan.'

Haar stem leek het effect van een paardenzweep te hebben. De vrouw ging over op een drafje en keek niet om.

'Wacht alstublieft,' zei Jo. 'We hebben uw hulp nodig.'

De vrouw ging de hoek om. Jo volgde haar en zag haar op het kruispunt van twee gangen staan, waar ze verward om zich heen keek. Was ze nu geschokt, ontzet, of probeerde ze de laatste normale seconden van haar bestaan vast te houden voordat haar gelukkige, georganiseerde leventje als nat papier uit elkaar viel?

Jo stak haar hand uit. 'Dokter Jo Beckett.'

Kanans vrouw aarzelde een paar tellen voordat ze overstag ging en haar een hand gaf. 'Misty Kanan. Is het waar? Is hij over vijf minuten vergeten dat ik hier was?'

'Ja.'

'Dat is krankzinnig. Hij is krankzinnig. Dat is wat u zegt. Hij wordt gek.'

'Dat zeg ik helemaal niet.'

'Er zitten allemaal gaten in zijn brein. Dat betekent toch dat hij krankzinnig begint te worden?' Ze wreef met haar handen over haar wangen. 'Maak er een einde aan. Maak hem beter.'

'We weten niet wat hij heeft.'

'Geef hem medicijnen. Opereer hem. Doe iets. Elektroshocktherapie. In godsnaam, doe iets.'

'We proberen uit te zoeken wat er aan de hand is. We hebben uw hulp nodig. U moet hem aan het praten zien te krijgen.'

'Hij wil mijn hulp niet. Hij is... God, je krijgt een punthoofd van die man. Hij wil sterk zijn. Hij zal nooit toegeven dat hij zwak is.' Ze drukte haar handen tegen haar ooghoeken. 'Hypnotiseer hem. U bent psychiater – haal hem hieruit. Zet zijn geheugen weer aan.'

'Zijn herinneringen zijn niet zoek, ze gaan verloren voordat ze kunnen worden opgeslagen. We kunnen zijn systeem niet herstarten en ze terughalen. Het is geen kwestie van de aardlekschakelaar omzetten en weer stroom krijgen.'

Misty keek onrustig naar Jo's gezicht en over haar schouder. Ze leek even stekelig en gespannen als een rol prikkeldraad met scheermesjes. Ze wreef met haar handen over haar armen en krabde zich, alsof ze jeuk had.

'Ik heb frisse lucht nodig.' Ze wilde weglopen.

'Wacht – geef me uw telefoonnummer,' zei Jo.

Misty stond stil, pakte een papiertje en schreef er iets op. 'Mijn nieuwe mobiele nummer. U kunt me altijd bellen. Dag en nacht.'

Ze draaide zich om en haastte zich door de gang, waarbij ze om een verpleeghulp heen rende die een oude man in een rolstoel duwde. Jo hoorde haar in tranen uitbarsten.

Ze keek haar na en dacht: *wat moet ik daar nu weer mee?* Ze haalde een hand door haar haar, zuchtte en liep de hoek weer om.

Simioni was nergens te bekennen, maar agent Paterson stond bij de verpleegstersbalie. Ze liep naar hem toe en glimlachte verontschuldigend naar hem.

'In het vliegtuig leek ik misschien bezorgder om Kanan dan om u. Gaat het goed met uw elleboog?' vroeg ze.

'Prima, bedankt.' Zijn kinderlijke gezicht zag er vermoeid uit. 'Het is tijd om Kanan te vertellen wat zijn rechten zijn.'

'Dat kunt u doen, en hij zal ze ook begrijpen. Maar vijf minuten later herinnert hij zich niet meer wat u hem hebt verteld.'

'Hoofdletsel kan mensen gewelddadig maken. Misschien haalt hij weer uit. Hij moet in bedwang worden gehouden.'

Het volgende couplet, hetzelfde als het eerste. 'Geef me wat tijd...'

'Die hebt u gekregen.'

Ze hief haar handen op, want ze wist dat ze haar uiterste best had gedaan. Achter Paterson zag ze Simioni door de gang lopen. Hij droeg een rugzak en een pakje in noppenfolie.

Hij legde de spullen op de balie. 'Kanans handbagage, plus een van de dolken die hij heeft meegenomen. Herken je het type?'

Paterson leek met stomheid geslagen. Hoofdschuddend keek hij naar Jo. 'Wat vroeg u ook weer op de luchthaven? "Hoe ernstig getikt, en op welke manier?" Dat was de verkeerde vraag. U kunt beter vragen wíé er getikt is, en het antwoord is: de dokters. Kanan hoort een dwangbuis te dragen.'

Jo deed haar mond open om iets onvriendelijks terug te zeggen, maar haar telefoon ging. Haar beltoon bestond uit een deathmetalloopje en een zanger die '*Psychosocial*' schreeuwde. Ze greep het toestel en draaide haar rug naar de ontzette gezichten van Paterson en Simioni.

Bij het zien van het schermpje werden haar wangen rood. Ze nam op en zei zachtjes: 'Kan ik je terugbellen?'

'Dag en nacht,' antwoordde Gabe Quintana. 'Je weet me te vinden.'

'Fijn.' Ze verbrak met bonzend hart de verbinding en draaide zich weer om. 'Sorry.'

Paterson perste een puffend geluid onder het nauwsluitende overhemd van zijn uniform vandaan. 'Is Kanan stabiel?'

'Die term is betrekkelijk,' antwoordde Simioni. 'Maar zijn leven is op dit moment niet in gevaar.'

'Ik moet hem arresteren.'

Jo stemde zwijgend in. Daar moest Kanan dan maar aan wennen. 'U neemt hem vanavond niet mee naar de gevangenis. Hij is opgenomen in het ziekenhuis.'

'Begrepen. Maar ik moet de formaliteiten afwikkelen.'

Met tegenzin begeleidden Jo en Simioni Paterson naar Kanans kamer op de spoedeisende hulp. Paterson deed de deur open.

Kanan was verdwenen.

# 7

'Verdomme nog aan toe.' Paterson pakte zijn portofoon en beende door de gang.

Kanan was weg, evenals zijn jack, portefeuille en paspoort, die op de stoel naast het bed hadden gelegen. Op de vloer naast het bed lag een gekreukte blauwe sjaal met Schotse ruit, die bij de rok van Misty Kanan paste. Jo raapte hem op. Op de bezoekersstoel lag een pakje met noppenfolie, dat was opengescheurd. Simioni wierp er haastig een blik in.

'Het zwaard is er nog,' zei hij. 'De dolk...'

In de gang liep een verpleeghulp voorbij, en Jo schoot hem aan. 'Hebt u een man uit deze kamer zien komen? Roestbruin haar, lichtblauwe ogen?'

'Een paar minuten geleden. Hij kwam naar buiten en vroeg of ik de vrouw had gezien die hier was geweest.'

'Zijn vrouw?'

'Rok met Schotse ruit, mooi gezichtje?'

'Ja.'

'Ik heb hem verteld dat ik haar die kant op zag gaan.' Hij knikte met zijn hoofd naar de andere kant van de gang.

De politieagent was de andere kant op gelopen. Jo draaide zich naar Simioni. 'Haal Paterson.'

Zelf rende ze in de richting die de verpleeghulp had aangewezen. Kanan kon niet ver weg zijn. Ze kon zich wel voor het hoofd slaan, want Kanan had een paar keer met nadruk gezegd dat hij weg wilde. Ze had er niet van uit mogen gaan dat Simioni en Paterson hem in de gaten hielden.

Waarom had Kanan de benen genomen?

Leuk quizvraagje: zakenreis, gif en wapentuig – welke termen hoorden niet bij 'babysitter voor een bedrijf'?

Aan het einde van de gang duwde ze de dubbele deuren open. Misschien was Kanan wel naar buiten gelopen. Zou hij dan doelloos rondzwerven? Kende hij de buurt?

Ze liep een hoek om en kwam in een andere gang. Aan het uiteinde zag ze hem in de buurt van de liften lopen.

Hij keek om zich heen en liep met gelijkmatige passen van haar weg.

Jo liep naar hem toe. 'Ian, wacht.'

Hij draaide zich om en staarde naar haar alsof ze een doelwit in zijn vizier was. Hij herkende haar niet.

Waar bleef agent Paterson? Ze keek over haar schouder. Hij was nergens te bekennen. Met uitgestoken handen liep ze langzaam op Kanan af.

'Ik ben dokter Beckett. Ga alsjeblieft niet weg. Je hebt ernstig hersenletsel.'

Hij liet zijn blik langzaam over haar verschijning dwalen, tot hij de sjaal met de Schotse ruit in haar hand zag. Zijn gezicht verstrakte, alsof hij op een spijker had getrapt.

'Die sjaal heeft Misty bij de spoedeisende hulp achtergelaten,' zei Jo. 'Ik heb hem gevonden.'

Hij dook op haar af.

Ze sprong opzij, maar hij was snel. Hij greep haar beet en trok haar met verbluffend weinig moeite een openstaande lift binnen. Ze haalde adem om te schreeuwen, maar hij tilde haar op, draaide haar om en legde een hand op haar mond.

Ze worstelde om los te komen, trok haar knieën op en probeerde hem te schoppen. Ze zag de deuren dichtschuiven, zag de glanzend geboende vloer, de klinische muren en het meedogenloos fluorescerende licht in de gang tot een smalle streep samenknijpen, en daarna was alles weg.

Met zijn knie duwde Kanan op de knop om de lift stil te zetten.

'Hoe kom jij aan Misty's sjaal?' vroeg hij.

Hij was lenig en sterk, hij stond stevig op zijn benen en zijn woorden klonken helder. Jo tilde haar voet op en probeerde tegen de alarmknop te schoppen. Kanan tilde haar op en droeg haar naar de verste hoek van de lift. Haar claustrofobie krijste in haar oren. *Afgesloten ruimte, gewelddadige paranoïcus.*

'Voor wie werk je?' wilde Kanan weten.

Ze wrong zich in allerlei bochten en probeerde hem op zijn wreef te trappen.

'Wie?' Hij duwde haar met haar rug tegen de muur. 'Ga je gillen als ik mijn hand van je mond haal?'

*Nou en of!* Ze schudde haar hoofd.

'Je hebt gelijk, dat doe je niet.' Hij hief zijn rechterhand op, waarin hij een van de oude dolken hield. 'Je geeft me gewoon heel rustig antwoord.'

Het lemmet glinsterde in het lamplicht. Op het glanzende staal stonden vreemde patronen. Bochtige lijnen, donker, geen echte kronkels – bijna het patroon van een printplaat. Toen Kanan het lemmet iets kantelde, glommen de lijnen als olie.

Het was geen ceremonieel *seppuku*-mes. Het kwam niet uit Japan. Maar het was oud, zo oud dat het vrijwel zeker ooit was gebruikt – meer dan eens.

Ze zou niet gillen.

Nog niet.

Hij haalde zijn hand van haar mond. 'Wat wil je? Heb je het bij je?'

'Misty heeft je nog geen kwartier geleden opgezocht op de spoedeisende hulp. Ik heb haar gesproken.'

'Gelul.'

'Je kunt het je niet herinneren. Ga mee naar de spoedeisende hulp en...'

'Lieg niet tegen me.'

Ze kon hem er niet van overtuigen dat ze de waarheid sprak.

Misty had bij aankomst in het ziekenhuis niets hoeven tekenen. Misschien konden de agenten Kanan vertellen dat zijn vrouw bij hem was geweest, meteen nadat ze hem in de boeien hadden geslagen, en sodeju, wat zag dat lemmet er scherp uit.

'Ik ben psychiater. Ik heb je na je vlucht vanuit Londen in een ambulance hierheen gebracht. Je vertelde me dat je op je zakenreis naar Afrika vergiftigd was. Je zei: "Ze zeggen vast dat ik het zelf heb gedaan."'

In plaats van verwarring verschenen er ongeloof en woede op Kanans gezicht. 'Zelf gedaan? Dat mocht je willen. En ik ben niet vergiftigd. Besmet.'

Dat was iets heel anders. Ondanks haar angst vroeg ze: 'Waarmee?'

Hij bracht zijn oor dicht bij het hare. 'Luister naar me.'

Hij ademde zwaar, hij stond stijf van de spanning. Jo voelde dat hij op het punt stond om in te storten. Als ze niet zo bang was geweest, zou ze medelijden met hem hebben gehad. Nu voelde ze zich alsof ze met een gewond dier in een kuil was gevallen.

'Als je een psych bent, kun je stil zijn en een minuutje naar me luisteren. Daar ben je toch voor opgeleid?'

De lift leek wel een levensgroot blik dat haar moeiteloos kon vermorzelen. *Niet hyperventileren*, zei ze tegen zichzelf. *Gewoon blijven ademhalen.*

*En richt dat mes niet op mij.* Ze had geen wapen, geen bescherming, niets waarmee ze zichzelf kon verdedigen. Haar riem, misschien. Haar handen.

'Dus jij zegt dat je niet weet wat er met me aan de hand is,' zei hij.

'Inderdaad.'

'En je wilt zeker weten waarom.'

'Ja.'

Hij trok zijn mondhoeken op, waardoor witte tanden zichtbaar werden. 'Slim. Echt waar. Slim.'

De moed zonk haar in de schoenen. 'Ik probeer je niet in de val te laten lopen. Je hebt ernstig hersenletsel. Je hebt hulp nodig. Waarmee ben je besmet?'

'Hou je mond. Ik zal ze uiteindelijk vinden. Waar zijn ze?'

'Wie?'

Hij duwde haar tegen de muur. 'Ik regel alles. Ik ben ermee bezig. Maar ik zal ze vinden.'

Op zijn linkerarm, net onder zijn elleboog, zag Jo zwarte lijnen op zijn huid. Er was iets op geschreven. Ze had 'geheugenverlies' op zijn rechterarm geschreven, maar dit was iets anders. Deze woorden waren niet van haar afkomstig.

Ze had er een hekel aan als er op lichamen werd geschreven.

'Sta je me te bestuderen?' vroeg hij.

Jo keek naar hem. In zijn ijzige ogen zag ze woede. De drijfveer achter de woede was de wanorde in zijn systeem: chaos, angst, verdriet. Het mes hing in zijn hand.

'Ik weet dat ik me niet alles kan herinneren, maar ik ben niet gek. Ik maak mijn taak af.' Hij keek haar aan, ogenschijnlijk om te zien of ze hem geloofde. 'Geloof je me?'

*Natuurlijk niet.* 'Natuurlijk.'

'Je moet één ding goed begrijpen. Het interesseert me niet wat de gevolgen voor mij zijn. Jullie hebben me al genoeg ellende bezorgd. En als ik jullie terugpak, zal niemand een man met mijn aandoening straffen. Ze kunnen me toch niets aandoen wat nog erger is.'

Hij bleef haar aankijken met ogen die nu niet meer dood als diamanten waren. Ze zwommen juist van het licht, en zijn borstkas rees en daalde tegen de hare. Zijn lippen waren slechts een paar centimeter van haar oor verwijderd. Hij staarde naar haar, misschien zoekend naar bevestiging, en zijn greep verslapte.

Daardoor kreeg ze een decimeter en een fractie van een seconde cadeau. Ze wierp zich tegen zijn lichaam, bracht haar linkerbeen omhoog en schopte tegen het paneel met de knopjes. Ze raakte de rode alarmknop.

In de lift begon een sirene te loeien. Nijdig duwde Kanan haar van zich af. Hoofdschuddend duwde hij op de knop om de deuren te openen. Hij leek niet meer te denken aan het mes, dat losjes in zijn hand hing.

De deur schoof centimeter voor centimeter open. Kanans blik

viel op het gelamineerde ziekenhuispasje dat met een klemmetje aan Jo's trui vastzat. Hij trok het los.

Hield het omhoog. 'Ik weet je te vinden.'

De deuren gingen open. Hij draaide zich om en ging ervandoor.

Jo legde haar hand op de wand. Het licht leek vreselijk fel, en haar hart bonsde in haar oren.

De deuren van de lift schoven weer dicht. Ze schoot als een ijshockeypuck naar buiten, langs een paar coassistenten in operatiekleding. Ze keek links en rechts de gang in, maar Kanan was verdwenen.

Ze greep een van de coassistenten beet. 'Bel de beveiliging.'

Die boodschap op Kanans arm. Ze wist niet of die erop was geschreven toen hij uit het vliegtuig kwam of na aankomst in het ziekenhuis. Ze had hem alleen nog maar in een overhemd met lange mouwen gezien.

Het gegons in haar hoofd werd luider: vreugde, boosheid, opluchting en een bijna duizeligmakende opwinding dat ze ongedeerd was.

Een van de coassistenten vroeg: 'Gaat het?'

'Liften,' zei ze. 'Nachtmerrie.'

Het gerinkel van de alarmbel vulde de gang, maar het geluid kon de echo van Kanans stem niet overstemmen. *Ik zal ze uiteindelijk vinden.* Jo durfde er bijna niet aan te denken wat hij bedoelde, want ze had gezien wat er op Kanans huid stond: namen. En een met inkt geschreven woord dat als een giftige spin over zijn arm kroop.

*Dood.*

# 8

Jo schakelde terug toen het verkeer vóór haar op de gladde, natgeregende snelweg afremde. Haar haar wapperde om haar heen. Ze
toetste een knop van de handsfree telefoon in en belde het nummer nog eens.

Deze keer werd er meteen opgenomen. 'Jo Beckett. Breng je tegenwoordig je eigen zaken mee naar het bureau?'

'Ik vind het ook leuk om jou te horen, inspecteur.'

Als reactie daarop hoorde Jo het wieltje van een aansteker draai-
en. 'Nee, ik meen het, je fleurt mijn dagen op. Ik zit aan mijn bureau damesbladen te lezen en te hopen dat je belt. Welke mode-
trend moet ik deze lente volgen – de stijl van een filmster of die
van een sprookjesprinses?'

'Zwart, Amy. Of zwart.'

Tang deed haar uiterste best om niet te lachen, maar desondanks
ontsnapte er een kort 'ha' aan haar keel. 'Toe, dokter. Ik sta tot je
beschikking. Kom naar dat koffietentje onder aan de heuvel vlak bij
je huis. Omdat ik zo aardig ben, kan ik tien minuten voor je vrij-
maken.'

Tang klonk alsof ze al genoeg cafeïne ophad, maar Jo zei: 'Ik ben
onderweg.'

Een kwartier later slaagde ze erin twee straten van Java Jones af een parkeerplaats te vinden. Het café bevond zich in een trendy zijstraat onder aan Russia Hill vlak bij Fisherman's Wharf. Jo wriemelde haar sjaal over haar hoofd, zette de kraag van haar spijkerjack op, gooide kwartjes in de parkeermeter en rende over het trottoir. De grote ramen van Java Jones waren beslagen. Binnen verspreidden de lampen de amberkleurige gloed van een schemerig Parijs café rond 1870. Het zag eruit als een schilderij van Monet. Ze was kleddernat toen ze de deur openduwde.

De uitnodigende geur van espresso verwelkomde haar. Uit de stereo-installatie klonk muziek van Fall Out Boy, 'Hum Hallelujah'. Inspecteur Amy Tang trommelde met haar vingers ongeduldig op de bar, wachtend op haar bestelling.

Tang was een zee-egel, klein en stekelig. Ze droeg een zwarte jekker, een zwarte lange broek en zwarte laarzen. Haar haar was zwart en piekerig. Jo wist dat ze onder de stekels een hart had – een behoedzaam, zwaarbewaakt hart. Je kon echter sneeën en blauwe plekken oplopen als je bij dat hart probeerde te komen. Jo mocht haar ontzettend graag.

Met verkleumde vingers probeerde Jo haar natte sjaal van haar hoofd te halen, die nu haar haren en halve gezicht bedekte.

Tang keek naar haar. 'Solliciteer je naar een plek op een ninjaschool?'

'Doe jij auditie voor *The Matrix*?' Jo wikkelde haar sjaal af als een mummie die haar verband verwijdert en schudde water uit haar bruine krullen.

Achter de bar schonk Jo's zus Tina Tangs bestelling in. 'Jo houdt van al dat gedoe met vrouwelijke krijgers, Bushido en psychische meedogenloosheid. Ik lijk meer op onze Ierse voorvaderen. Wij zijn dichters en musici.'

'Volgens mij grappenmakers en dwarsliggers.' Jo hield haar telefoon omhoog. 'Jij hebt dit ding gepikt. Haal alsjeblieft de beltoon eraf die je erop hebt gezet.'

'Maar "Psychosocial" is een hartstikke zieke beltoon.'

'Ironisch, ik begreep het. Maar het geschreeuw maakt kleine kinderen en volwassen politieagenten bang.'

Het rotweer had geen effect op Tina's humeur. Ze was een tien jaar jongere, iets kleinere versie van Jo en had genoeg zilver in haar oren en aan haar vingers om voor een magneet te worden aangezien. Ze was zo'n energieke persoonlijkheid dat Jo zich afvroeg wat er zou gebeuren als ze op een uitzonderlijk dynamische dag langs een open la met bestek zou lopen.

Tina nam de telefoon van haar aan. 'Ik verander hem op één voorwaarde. Morgenavond... Jo, kijk me niet zo aan, je belooft het me al maanden en je krabbelt steeds terug. Kom op.'

'Als je wilt dat ik met je op pad ga, moet je een hint geven wat we gaan doen. Iets bouwen met ijslollystokjes? Krav Maga?'

Tina stak haar onderlip naar voren en probeerde als een jong hondje te kijken.

Jo hief haar handen op. 'Oké, ik geef me over.'

Tina klapte haar vuisten tegen elkaar als een verrukt klein kind. Met een grijns gaf ze Jo haar kop koffie.

Jo lachte. 'Ik ben zojuist in een val gelopen, hè?' Ze nam haar koffie aan. 'Bedankt. Denk ik.'

Tang nam haar mee naar een tafeltje. 'Ik heb de agenten van de luchthaven gesproken. Vervelende confrontatie tussen jou en die Kanan. Gaat het weer?'

'Niets aan de hand. Al zei hij wel dat hij me wist te vinden.'

'Hoe denkt hij dat te doen?'

'Hij heeft mijn ziekenhuispasje afgepakt. Hou het er maar op dat hij dat kan gebruiken. Hij lijkt me een vindingrijk type.'

'Dus hij is een mogelijke stalker. Met hersenletsel. En verder?'

'Ik denk dat hij op weg is om iemand te vermoorden.'

'Waarom denk je dat?'

'Hij heeft een lijst met namen en het woord "dood" op zijn onderarm gekrabbeld.'

Tang zette haar mok neer. 'Vanaf het begin, alsjeblieft.'

Jo vertelde haar het verhaal: de belegering van de 747, het gebruik van de taser, de toevallen. De bizarre resultaten van de MRI-scan, Kanans woede en vastbeslotenheid om het ziekenhuis te verlaten. Zijn agressie tegen haar in de lift.

'Hij zegt dat hij met zijn taak bezig is, dat hij alles zal regelen en dat hij "ze uiteindelijk zal vinden". En hij zei dat hij niets te verliezen heeft. Tel dat op bij "dood" en je hebt een hitlist van een moordenaar.'

'Is hij het type dat door het lint gaat?' wilde Tang weten.

'Geen idee. Zijn hersenen worden uitgeboord als een appel.'

'Wat is er volgens jou aan de hand?'

Jo haalde adem. 'Ik vind het moeilijk om te speculeren zolang ik niet meer gegevens heb.'

'Doe eens een gooi met de kennis die je hebt, Beckett.'

Jo leunde achterover en trommelde met haar vingers op de houten tafel. 'Oké. Dit is mijn werkhypothese.'

'Je bedoelt een hypothese waarmee we aan het werk moeten. Defensief spel.'

'Precies. Kanan ging naar Zuid-Afrika, zogenaamd op zakenreis. Tijdens zijn verblijf is hij besmet geraakt met een zeer gevaarlijke stof die zijn kortetermijngeheugen onherstelbaar heeft beschadigd. Misschien is hij bij illegale praktijken betrokken geweest.'

'Zoals?'

'Diefstal.'

'Denk je dat hij weet waar zijn hersenletsel vandaan komt, maar om die reden zijn mond houdt?'

'Precies,' zei Jo.

'Denk jij dat hij een kraak heeft gezet?'

'Werkhypothese.'

'Hij heeft dus iets gevaarlijks gestolen. Maar dat ging verkeerd, en hij is besmet geraakt.'

'Misschien heeft hij me daarom wel gevraagd of ik "het bij me had" en me daarom bezworen dat hij "er nog mee bezig was".'

'Een ruzie binnen de dievenbende? Gaat hij achter zijn medeplichtigen aan?' vroeg Tang.

'Wraak is een aannemelijk motief.' Jo leunde naar voren. 'Hij wordt ergens door gekweld. Afgezien van het hersenletsel, bedoel ik. Hij wordt gedreven door pijn en angst.'

'Dat klinkt alsof je met hem meeleeft.'

'Het is geen kwestie van sympathie, maar van empathie. Ik voel dat hij ergens vreselijk onder lijdt.' Ze tilde haar mok op. 'Dat betekent echter niet dat ik me laat inpakken. Als we Kanan niet vinden, gaan er mensen dood.'

Tang haalde een notitieboekje uit haar jaszak. 'Kon je de namen op zijn hitlist lezen?'

'Eentje. Alec.'

'Geen achternaam?'

'Het spijt me.'

'Even over die anterograde amnesie. Gaat die niet geleidelijk aan over?'

'Helaas niet. Die vorm is zeldzaam, maar verwoestend.'

'Waarom kan hij zich dingen vijf minuten lang herinneren en daarna niet meer?'

'Je hersenen vormen niet in één keer herinneringen. Het is een proces, geen gebeurtenis, en het vindt in verschillende delen van het brein plaats. Als er nieuwe informatie binnenkomt, blijft die een paar minuten in het werkgeheugen. Daarna wordt de informatie door de mediale temporaalkwabben gecodeerd en naar andere delen van het brein gestuurd, waar ze permanent als langetermijnherinneringen wordt opgeslagen.'

'Maar Kanans codeermachine is beschadigd. Gaat dat niet meer over?' informeerde Tang.

'Als ik naar de MRI van zijn hersenen kijk, ziet het er niet goed voor hem uit. Die grijze cellen zijn van binnenuit weggeteerd. Verdwenen.'

'Waardoor?'

'Kanan zei eerst dat hij was vergiftigd. Daarna gebruikte hij het woord "besmet".'

'Waarmee?'

'Geen idee, en ik weet ook niet of het een ongeluk of opzet was. Het kan zijn dat hij in de war was, maar het kan ook zijn dat hij iets verborgen hield. Heeft iemand geprobeerd hem te vermoorden? Heeft hij een zelfmoordpoging gedaan? Daar wilde hij niets over zeggen.'

'Wat wil je nu doen?'

'Het op dezelfde manier aanpakken als een psychologische autopsie.'

'Hij leeft nog.'

'Maar de oorzaak en de aard van zijn letsel zijn verdacht.'

Jo verrichtte een psychologische autopsie als er sprake was van een verdacht sterfgeval en de politie en de lijkschouwer niet konden vaststellen of het slachtoffer door natuurlijke oorzaken, een ongeval, zelfmoord of moord was overleden. Haar hulp werd ingeroepen bij de gluiperige gevallen, de zaken die zich in het hoge gras verborgen zodat ze niet goed zichtbaar waren. De zaken die niet konden worden opgelost door de mensen die bekentenissen en onomstotelijk bewijs wilden hebben.

'Vergroot je je werkterrein?'

'Ja, het lijkt me leuk als er meer op mijn cv staat dan "Een kijkje in het leven van beruchte doden".' Ze glimlachte zuur naar Tang. 'Ik kan in Kanans verleden duiken en proberen uit te zoeken wat de oorzaak is van deze...' *Plaag*, had ze bijna gezegd. '... besmetting, of wat het dan ook is. Misschien kan ik er dan achter komen wat het in godsnaam is. En uitzoeken wie hij wil opsporen.'

Tang nam haar mok tussen haar handen. 'Klopt het dat mijn collega's je erbij hebben gehaald?'

'Voor een mogelijke inbewaringstelling. Ik ben dus niet gevraagd als adviseur, ik ben gewoon een lid van het mobiele crisisteam. Maar er zit wel een psychiatrisch aspect aan jullie onderzoek.'

'Maatschappelijk werkers zijn per uur veel goedkoper dan een psych.'

'Mooi. Zoek er dan maar een. Dan ga ik naar Maui tot de maatschappelijk werker Kanan binnenbrengt en hem ervan overtuigt dat hij geen jacht op me moet maken.'

Tang hief haar handen op. 'Namens de belastingbetalers zit ik je gewoon te zieken. Luister. Kanan heeft vliegtuigpassagiers geslagen, een politieagent aangevallen en jou meegesleurd en met een mes bedreigd. Dat is ontvoering, vrijheidsberoving en een aanval met een dodelijk wapen. Ik wil graag dat je als psychiater aan deze zaak meewerkt. Maak een beoordeling van Kanan op en help ons hem te vinden.'

'Goed zo. Dank je.'

'Begin maar meteen,' zei Tang. 'Zoek uit op wie hij het heeft voorzien.'

*Voordat hij mij vindt*, dacht Jo. 'Begrepen.'

Tang dronk de rest van haar koffie op en stond op.

'Ik moet je nog iets vertellen,' zei Jo.

'Ik heb een hekel aan "nog iets". Dat klinkt als "iets ergers".'

'Dat is ook zo. Kanan kan niet worden teruggefloten,' zei ze. 'Als hij per se iemand wil doden, zal hij zich niet laten tegenhouden. Want zelfs als ik hem op andere gedachten kan brengen, is hij dat binnen vijf minuten vergeten en gaat hij weer op pad. We moeten hem aanhouden voordat er iemand sterft.'

Tangs blik was somber. 'Neem contact op als je Kanans vrouw te pakken hebt gekregen. We gaan bij haar langs.'

Jo gooide haar sleutels op het tafeltje in de gang en liep naar de keuken. Het was koud in huis. Ze hield haar spijkerjack aan, draaide de verwarming hoger en deed een paar lampen aan. Haar hardhouten vloeren glansden. Haar spiegelbeeld volgde haar vanaf de spiegel in de gang.

Het was alsof de gebeurtenissen van die ochtend nog maar net achter de rug waren. Kanans geur plakte nog aan haar trui. Ze wilde het luchtje kwijt, maar ze dwong zichzelf om aan de keukentafel te gaan zitten nu haar herinneringen nog vers waren en haar eerste aantekeningen over de zaak te maken, beginnend met alles wat Kanan tegen haar had gezegd.

*De man met de zeis komt me halen terwijl ik nog rondloop.*

Het was een afschuwelijke gedachte. Doorleven zonder geheugen, zonder het vermogen om iets te leren en te onthouden. Het vlammetje van het leven helder zien worden en vervolgens uit het zicht zien verdwijnen, voor altijd onbereikbaar, als een tafereeltje dat je vanuit een snel rijdende auto opvangt. Het was een nachtmerrie.

Haar hand ging naar het koptische kruis dat aan een kettinkje om haar nek hing. Het gaf haar moed om te geloven dat de dood niet het einde was, maar een radicale verandering.

Heel even zag ze haar echtgenoot, Daniel, levend, en daarna

dood. De herinnering greep haar bij de keel. Daniel was er niet meer, hun gezamenlijke leven was uitgewist. Maar een geestelijke uitwissing – al je ervaringen bij elkaar geveegd en weggevaagd – beangstigde haar op een heel andere manier. De geest bestond uit intelligentie en humor en een ziel. Wat bleef er over als je geen geheugen meer had?

Ze legde haar pen neer en ging naar boven om te douchen.

Op het kastje in de slaapkamer stond een ingelijste foto van Daniel. Het was een kiekje van een van hun laatste klimtochten in Yosemite. Daniel stond met een geamuseerde blik achter haar en had zijn armen om haar schouders geslagen. Jo lachte in de camera. Achter hem glansde Half Dome in het gouden licht van de zonsondergang.

*Ik mis je, rotzak*, dacht ze.

Daniel was trauma-arts geweest, gedreven, getalenteerd en nieuwsgierig naar de wereld. Op de spoedeisende hulp was hij als een boeddha in het oog van een storm geweest. Maar al had hij uiterlijk kalm gelegen, binnenin hadden vuren gewoed die hij altijd voor zichzelf had gehouden en waarvan hij haar alleen een glimp had getoond als hij gespannen was. Tijdens die buien wilde hij niet praten, maar ging hij tien kilometer hardlopen of op de veranda aan de voorkant van het huis zitten om naar de basketballende buurtkinderen in het park aan de overkant te kijken. Uiteindelijk had ze geleerd dat ze hem moest dwingen weer met beide benen op de grond te komen.

'Pas op of ik haal de braadpan,' zei ze dan tegen hem. 'Die galmt als een gong als ik hem tegen je harde kop sla, maar ik wil er straks nog mee koken.'

Negen van de tien keer verscheen er dan een glimlach op zijn gezicht en trok hij haar naast zich op de trap. Als hij glimlachte, leek hij een totaal ander mens.

En als hij haar voor het ochtendgloren wakker maakte omdat hij was opgepiept of het gevecht om de dekens niet kon beslechten, zei ze soms alleen maar: 'Braadpan.' Dan moest hij lachen, deed hij net of hij haar gemopper niet hoorde en zorgde hij dat ze klaarwakker werd.

Tegenwoordig werd ze in haar eentje wakker. In het begin met een schok, elke keer weer – een paar verwarde seconden voordat de herinneringen en de realiteit weer als een lawine of de wrakstukken van hun gezamenlijke reis op haar afkwamen. Of als de ronddobberende, beschadigde medische benodigdheden in de traumahelikopter waarin Daniel was gestorven. In het begin was het feit dat ze haar ogen opendeed en het ochtendlicht zag al voldoende geweest om alle gebeurtenissen opnieuw te beleven.

De tijd had dat verdriet verzacht. Als ze wakker werd en uitkeek over de eindeloze horizon van de dag en een wereld waarin Daniel niet meer bestond, waar hij nooit meer zou zijn, waar ze hem niet tevoorschijn kon toveren, dreigde het dikke touw van verdriet haar niet meer te verstikken. Ze moest verder in die immense, drukke, kolkende wereld, die van haar eiste dat ze zich overal doorheen sloeg terwijl ze zich verloren voelde, dingen wilde delen, vragen wilde stellen, op Daniel wilde steunen, hem wilde aanraken en wilde lachen en haar armen om hem heen wilde slaan en in zijn armen wilde kruipen, nog één keer, al was het moment zo kort als het geluid van een deur die dichtsloeg, alleen maar om hem 'Johanna' te horen zeggen en te weten dat ze zijn anker was en hij de ster aan de nachtelijke hemel, het klankbord voor al haar hoop, ambities en verlangens waarnaar ze met zoveel liefde keek.

Herinneringen. Tijdens de afgelopen tweeënhalf jaar had ze geleerd hoe ze aan haar man kon denken zonder verschrikkelijke huilbuien te krijgen. Ze had geleerd hoe ze hem en zelfs zijn dood voor zich kon zien zonder alles opnieuw te beleven. Ze wist nu hoe ze moest voorkomen dat het beeld haar verlamde en er adrenaline door haar aderen schoot tot ze het wilde uitschreeuwen. Dat had ze geleerd in de rouwverwerkingsgroep van UCSF, die ze nu zelf leidde. Ze had geleerd hoe ze een stap achteruit moest zetten, hoe ze zich kon inleven zonder in te storten, hoe ze een touw over de kloof van het verdriet kon gooien en kon klaarstaan voor anderen die de afgrond moesten oversteken.

Ze kon de foto op het kastje nu met tederheid bekijken. Meestal. Ze kon wakker worden en zin in de dag hebben. Meestal.

En tegenwoordig kon ze wakker worden met een glimlach, een

versnelde polsslag en een dwaas, dromerig gevoel dat ze niet meer had gehad sinds ze een tiener was. Verliefdheid.

Ze gooide haar kleren in de wasmand, trok een zwart-witte kimono aan en liep vlug op haar tenen over de koude houten vloer om de douche aan te zetten. Onder de warme waterstraal liet ze de zorgen van die ochtend en Ian Kanans agressie van zich af stromen. Daarna droogde ze haar haren tot de krullen losjes en verward op haar rug hingen. Ze trok een ivoorkleurige visserstrui, een groene cargobroek en wollen sokken aan en deed de luiken open. Buiten was de grijze dag veranderd in *ik heb er zin in!*

Haar huis stond op de top van de heuvel en keek uit over het glanzende groen van de magnolia in haar achtertuin, de daken van victoriaanse appartementencomplexen en huizen die in de kleuren van dinky toys waren geschilderd. Achter de montereyden van een van de buren, achter buurten die op de heuvels en valleien wel woonwijken op een golvende zee leken, achter de donkere wouden van het Presidio, lag de Golden Gate Bridge, die in de middagzon felrood afstak tegen de grijze wolken erachter. Ze draaide haar haar in een wrong en zette het met een grote haarklem vast.

Ze was halverwege de trap toen er werd aangebeld. Haar hart sloeg een slag over. Waarschijnlijk was het FedEx, of Wendell de postbode, die weer speed had gebruikt en vijf keer zo snel als zijn collega's zijn ronde deed. En vijf keer zo beroerd. Waarschijnlijk stopte hij bij iedereen op de heuvel weer de verkeerde post in de bus.

Maar als het niet de peppillenpostbode was, werden de mogelijkheden teruggebracht tot 'o, shit' en 'ik had lippenstift op moeten doen'. Jo liep door de gang en deed de voordeur open.

Op de veranda stond Gabriel Quintana. In zijn handen had hij een zak donuts en twee bekers koffie die zo groot waren dat ze een dorstige dragster van brandstof konden voorzien.

'Mag ik je dag bederven?' vroeg hij.

Ze glimlachte.

Terwijl ze de zak donuts van hem aannam, liet ze hem binnen. 'Als je mij suiker, boter en cafeïne brengt, mag je mijn ziel hebben.' Door de gang liepen ze naar de keuken, waar ze in de zak keek. 'O, heerlijk. Wat moet ik ervoor doen? Zeg het maar. Een bank beroven? Gooi een van die verrukkelijke chocoladedingen op het aanrecht en wijs maar een lokettist aan.'

'Ik wil iets heel anders.'

Hij zette de bekers koffie op het aanrecht. Hij sloeg een arm om haar heen, trok haar tegen zich aan en kuste haar.

Ze had dus helemaal geen lippenstift nodig.

Ze liet haar armen over zijn schouders glijden. Hij droeg een blauwgeruit flanellen overhemd over een zwart T-shirt en een spijkerbroek. Oude, hoge Caterpillar-schoenen. Hij zag eruit of zijn kleren uit een catalogus met houthakkerskleding kwamen.

'Laten we vieren dat het donderdag is,' zei hij.

Ze had het gevoel dat ze in een achtbaankarretje zat dat omhoogging. Ze wist dat ze zo naar beneden zou duiken en haar hart ging als een razende tekeer, haar armen tintelden, haar brein struikelde alsof het elk moment kon vallen. *Jeetje. Woepie. Sexy ding.* Er kwamen ook andere gedachten bij haar op, die ze wegstopte. *Een man voor een overgangsperiode. Chemische reactie. Pas op, dokter.*

Ze had tijdenlang om Gabe Quintana heen gedraaid voordat ze zichzelf had toegestaan om in het diepe te springen. Ze bekeek hun relatie alsof het een rotswand was die ze voor het eerst moest beklimmen. *Gewoon ademhalen. Ervoor gaan.*

Hij liet haar los, en met een glimlach om zijn mondhoeken pakte hij de koffie. 'Heb je tijd om morgen uit eten te gaan?'

'Dan heb ik meer nodig dan donuts.'

'Acht uur? Dan reserveer ik bij het North Beach Restaurant.'

Het North Beach Restaurant in San Francisco kookte Italiaans op een niveau waarvan de mensen in Toscane alleen maar konden dromen. En het was niet goedkoop.

'Heb je iets te vieren?' vroeg ze.

'Moet dat dan, *chica*?'

'Nee,' zei ze, maar ze dacht: *er is iets aan de hand.* Er was al een poosje iets aan de hand, maar Gabe liet zich niet in zijn kaarten kijken.

Gabe was derdejaarsstudent theologie aan de universiteit van San Francisco. Het was een mysterie dat ze nog niet had kunnen oplossen: waarom had een alleenstaande vader en voormalige be-roepsmilitair van de luchtmacht zich op de studie van de katholie-ke morele theologie gestort?

'Kan Sophie met ons mee?' vroeg ze.

'Ze gaat naar het verjaardagsfeestje van haar nichtje, en daar blijft ze ook logeren.' Hij glimlachte en nam een slok koffie.

Ze glimlachte terug. Opeens leek het veel te warm in huis. 'Ben je op weg naar Moffett?'

'Ja.'

Door de openslaande terrasdeuren keek hij naar de mengeling van donkergrijze wolken en zonneschijn. Als het stormde, was de kans groter dat hij de rest van de dag bezig was met het redden van op-varenden van gekapseisde schepen of automobilisten die na een slip op een natgeregende weg in een ravijn waren beland. Gabe was een PJ, een parajumper in een reddingsteam van de 129th Rescue Wing van de California Air National Guard. Hij was sergeant bij de lucht-macht geweest, had jaren als hospik in actieve dienst gezeten en werkte nu als reservist bij het eskader, dat zijn thuisbasis op Moffett Federal Airfield in Mountain View had. Hij was opsporings- en red-dingsexpert bij de eenheid en bijna niemand op aarde was zo erva-ren in mensen uit afschuwelijke situaties redden als hij, of het nu om operaties overdag, 's nachts, op het land, op zee of onder water ging.

'Moet je er nu meteen naartoe?' vroeg ze.

'Tenzij jij een beter idee hebt.' Zijn mondhoeken gingen om-hoog. 'Als het vandaag rustig is, hebben we een vechtsporttraining. Voordat ik wegga, kan ik je wel een paar technieken laten zien.'

'Ik ben een klimmer, geen vechter. Ik kan jou een paar grepen laten zien.'

Ze greep zijn overhemd beet en trok hem naar zich toe. Terwijl ze haar mond op de zijne duwde, tilde hij haar op en zette hij haar op het aanrecht. Ze sloeg haar benen om zijn middel en haar hoofd galmde als het waarschuwingssignaal bij een spoorwegovergang.

Hij haalde adem. 'Jezus. Die grepen van jou, zijn die dodelijk? Want als je die bank berooft, wil ik nog wel in leven zijn om van de buit te genieten. En...' Hij keek door de achterdeur naar bui-ten en fronste zijn wenkbrauwen. 'Is dat...'

Jo keek naar de achtertuin. 'Verdorie.'

Haar buurman stond over de schutting te turen.

Ze liet Gabe los en sprong van het aanrecht. 'Daar zit ik op te wachten, zeg.'

In Ferd Bismuths platgekamde haar zat zoveel Brylcreem dat het de kleur van een vettige hamster had. Zijn blik was opgewekt en hoopvol. Hij zwaaide.

Ze liep naar de terrasdeur om de luiken dicht te doen. Zodra ze haar hand naar het glas bracht, stak Ferd een vinger op en knikte hij, alsof ze hem had gewenkt. Langs de schutting liep hij in de richting van de straat.

'Hè nee,' zei ze. 'Bah.'

Ferds hoofd dobberde verder, half zichtbaar, met de ogen steeds op haar gericht. Hij struikelde. Verdween uit het zicht. Kwam weer tevoorschijn en liep door. Hij had hulst in zijn haar.

'Wil je dat ik achter de deur als een dolle poedel grom als hij aanklopt?' vroeg Gabe.

'Bedankt, maar ik kan hem wel aan.'

'In dat geval ben ik weg.' Hij pakte zijn koffie, haalde zijn sleutels uit de zak van zijn spijkerbroek en liep naar de voordeur.

'Lafaard,' zei Jo.

Hij draaide zich om. Zijn haar had de kleur van steenkool. Hij was zo slank als een jaguar en liep ook even rustig als een katachtige. Hij bezat een ongekunstelde, kalme elegantie.

Ze wist dat hij haar de tijd gaf. Ze gingen met elkaar om sinds november – af en toe, want hij was weg geweest, zij was weg geweest en hij wilde haar niet opjagen.

Gabe wist maar al te goed hoe het verdriet haar leven had verscheurd. Hij was degene die haar had verteld dat Daniel dood was. Maar ze vroeg zich af of hij besefte hoe heftig haar gevoelens voor hem waren. Dat ze als een onstabiele dynamietstaaf kon ontploffen als hij nog een keer naar haar toe liep.

Ferd klopte op de voordeur. Dwingend en herhaaldelijk.

'Daag je me uit om te blijven?' vroeg Gabe.

De glans in zijn ogen voorspelde niet veel goeds. 'Nee.'

Zijn glimlach werd breder. 'Ik blijf nog wel een paar minuutjes.'

'Wat ben jij vals. Je hebt een slecht karakter.'

'Ik heb je ziel gekocht met een donut. Wat had je dan verwacht?'

De klopper tikte weer tegen de deur. Jo ging overstag en deed open.

Ferd kwam wippend op zijn tenen in de deuropening staan. 'Heb je het nieuws gezien?'

Een gesprek met Ferd was of je een stel wezels in een doos probeerde te houden. Als ze niet op haar woorden paste, konden zijn angsten ontsnappen en werd hij diepongelukkig of hypochondrisch.

'Ik kijk niet naar het nieuws. Ik wil mijn dag niet bederven,' zei ze.

Hij bleef op zijn tenen wippen. Hij was niet te zwaar, maar hij droeg zulke slobberige kleren dat Jo vermoedde dat hij als tiener dik was geweest. Op zijn shirt zat een naamplaatje van een computerzaak, waarop stond: HOI, IK BEN FERD.

'Apenvirus,' zei hij.

Ferd paste al lange tijd op de villa van Jo's buren. De eigenaars verbleven in Italië en Jo betwijfelde of ze van het bestaan van Ferds huisgenootje wisten, meneer Peebles – een kapucijn, maar dan geen monnik.

'Ik heb er niets over gehoord,' zei ze.

Hij keek steels over zijn schouder het trappetje af. 'Mag ik binnenkomen? Ik wil niet dat de buren me horen.'

Ondanks haar opleiding tot therapeut en haar mooie woorden over het bepalen van grenzen zei ze niet dat hij moest ophoepelen. Hij was ongelooflijk lastig en verschrikkelijk neurotisch, maar hij was een waakzame buurman en had haar geholpen toen haar huis in oktober bij een aardbeving beschadigd was geraakt. Door haar goede humeur, de sterke koffie en de herinnering aan Gabes kussen kon ze de drang onderdrukken om hem weg te sturen.

Hij liep rechtstreeks van de hal naar de keuken. Hij zag Gabe, stond stil en begon als een krankzinnige geleerde in zijn handen te wrijven.

'Ferd,' zei Gabe, terwijl hij de zak met donuts uitstak.

'Nee, dank je,' zei Ferd.

Jo kwam achter hem aan de keuken binnen. Gabe nam een slok van zijn koffie en zag eruit alsof hij alle tijd van de wereld had. Voor een man wiens bevoegdheden veel verder gingen dan die van een verpleegkundige, die was opgeleid om onder oorlogsomstandigheden trauma-evacuaties uit te voeren en die meer parachutesprongen had uitgevoerd dan sommige leden van het 101st Airborne, wist hij hoe hij de indruk moest wekken dat het leven een strandvakantie was. Niets anders dan teenslippers, goede golven en een koud flesje bier. Maar tijdens de afgelopen maanden – en daarvoor, onder de barste omstandigheden – had Jo genoeg tijd met hem doorgebracht om te weten dat hij een zeer gepassioneerde, trotse man met een killersmentaliteit was.

Hij staarde naar haar aantekeningen over Ian Kanan.

Ferd ging tussen hen in staan. 'In Congo is er uitgebreid over geschreven. Ik las erover op de website van de World Veterinary Association, de wereldbond van dierenartsen. Het virus heeft een paar apensoorten in de binnenlandse hooglanden getroffen.'

Jo glipte langs hem heen. 'Ik ben blij dat de dierenartsen zich ermee bezighouden.'

Een doorntje van ergernis prikte in haar brein. Gabe las haar aantekeningen en keek naar de kopieën van Kanans paspoort en rijbewijs. Ze raapte haar papieren bij elkaar en duwde haar laptop dicht.

'Ik hou de situatie in de gaten,' zei Ferd. 'Maar ik weet niet wat de incubatietijd van het virus is.'

'Weet je zeker dat je geen donut wilt?' vroeg ze.

'Hoe lang kunnen zulke ziektes broeden?'

Jo zette haar handen op haar heupen. 'Meneer Peebles komt niet uit Congo, Ferd. Hij komt uit een dierenwinkel in San Mateo.'

Ferd had het voor elkaar gekregen om een hulpdier te krijgen dat hem emotioneel moest steunen. Dat was meneer Peebles, maar het beest was net zo achterdochtig en overbezorgd als zijn baasje en gaf zich ongeremd over aan zijn dwangneuroses. Zijn ontsnappingspogingen hadden met enige regelmaat succes. Hij keek alsof hij via een oortje van de geheime dienst instructies voor een moordaanslag kreeg. En hij kon met dodelijke precisie poep smijten.

Nu zijn miniatuurdubbelganger met hem onder één dak woonde, leek Ferd dichter bij een paniekaanval dan ooit.

Hij keek naar Gabe. 'Die virussen kunnen zich als een bosbrand verspreiden. Misschien is *Outbreak* er nog niets bij.' Hij wendde zich tot Jo. 'Maak je daar maar geen zorgen om, ik heb alles in de hand.'

'Dat is fijn om te weten.'

Hij hield zijn hoofd een beetje schuin, glimlachte naar haar en kreeg een wazige blik in zijn ogen.

'Ferd.' Ze wilde niet dat hij fantaseerde dat hij elfenprinses Johanna had gered en de hobbits een ellendig lot had bespaard.

Abrupt hield hij zijn hoofd weer recht. 'Ik stond na te denken. Over de symptomen.'

'Dan moet je naar de dierenarts.'

*God bestaat en zal je straffen als je het leven van een plaatselijke dierenarts vergalt*, mompelde haar geweten.

'De overzichten melden alleen lichamelijke symptomen,' zei Ferd. 'Geen psychische.'

Jo schudde haar hoofd. 'Nee.'

'Maar...'

'Meneer Peebles is vijfenveertig centimeter lang en weegt nog geen twee kilo. Hij is heel klein. Hij heeft geen psychiater nodig.' *En mij al helemaal niet*, dacht ze.

'Hij is...'

Gabe keek op van zijn koffie. 'Schrijf het allemaal op. Hou een logboek bij.'

Ferd knikte. 'Dat is wel een goed idee. Ik maak me alleen zorgen dat...'

'Hou het voorlopig stil. Je moet voorkomen dat er paniek uitbreekt.'

Ferd fronste zijn wenkbrauwen. Zijn zorgen hardop uitspreken was zijn modus operandi.

'Moet je je voorstellen wat er gebeurt als de stad in de rats zit over geïnfecteerde apen en jij met meneer Peebles naast je over Geary Boulevard rijdt,' zei Gabe. 'Dan krijg je een vuilnisbak door je voorruit.'

Ferd legde een hand op zijn maag. 'Maar... Ik kan er niets aan doen, ik maak me zorgen over zijn gedrag. Hij...'

'Als je aan de menigte weet te ontkomen, mag je van geluk spreken als je behalve je sokken nog andere kleren draagt.'

Jo zei: 'Hou alles gewoon goed in de gaten.'

Ferd rechtte zijn rug en knikte ernstig. 'Als hij symptomen vertoont, zal ik je waarschuwen.'

'Graag.' Jo begon hem voorzichtig in de richting van de deur te duwen.

Hij riep over zijn schouder. 'Succes op school, Gabe. Ik ga naar mijn werk.'

Jo slaagde erin om de deur dicht te doen en liep terug naar de keuken. Gabe liep met zijn armen over elkaar bij de keukentafel te ijsberen. Ze keek hem veelbetekenend aan.

Hij knikte naar haar aantekeningen. 'Is dat een nieuwe zaak van je?'

Ze stopte haar handen in haar achterzakken en wachtte tot hij zijn excuses zou aanbieden. Dat deed hij niet.

'Dat is vertrouwelijke informatie,' zei ze.

'De aantekeningen lagen open en bloot op tafel. Het was niet mijn bedoeling om me met je zaken te bemoeien.' Zijn ogen hadden een warme bruine tint, maar zijn blik was koel. 'Die man, Kanan – heeft hij je vastgegrepen en bedreigd?'

'Er kan niets gebeuren. De politie is naar hem op zoek.'

'Is Kanan een beveiligingsadviseur van een bedrijf in Silicon Valley?'

'Gabe, je hoeft je geen zorgen te maken.'

Zijn schouders verstrakten. 'Geef antwoord.'

Ze gaf hem zijn zin. 'Ja.'

'Hij klinkt niet als een herdershond van een onderneming. Hij klinkt alsof hij voor een particulier militair bedrijf werkt.'

Ze dacht dat ze hem niet goed had gehoord. 'Denk je dat hij een huurling is?'

'Beschrijf hem eens voor me,' zei Gabe.

'Je hebt zijn foto gezien.'

'Alleen een pasfoto. Dat is niet genoeg.'

'Een jaar of vijfendertig. Jouw lengte. Casual gekleed, maar duidelijk in goede conditie. Slank. Maakt een… alerte indruk.'

'Gespierd?'

'Ja.'

'"Alert". Bedoel je dat hij de situatie om zich heen heel goed inschat?'

'Afgezien van zijn geheugenverlies wel, ja.' Ze herinnerde zich dat Kanan haar aan een revolverheld had doen denken. 'Ga door.'

'Het is maar een vermoeden, maar mensen die door bedrijven worden ingehuurd om hun werknemers tijdens reizen door de derde wereld te beschermen, zijn geen lieverdjes.'

Zijn ernst bracht haar van haar stuk. 'Ik zal het nagaan,' zei ze.

'Heel verstandig. Vind je het erg als ik dat ook doe?'

'Dat is niet nodig.'

'Vind je het erg?'

'Je bent er niet bij betrokken.' Ze zag dat hij geen spier vertrok. 'Nee, ik vind het niet erg. Afhankelijk van wat je ermee wilt doen.'

'Uitzoeken voor wie hij werkte voordat hij beveiliger van Chira-Sayf werd. Ik kan het aan een paar kennissen vragen. Uitzoeken of hij voor een particulier militair bedrijf heeft gewerkt.'

'Oké.' Ze vond het vervelend om zijn hulp te accepteren, want ze was een volwassen vrouw die best voor zichzelf kon zorgen. 'Gabe, dit is erg aardig van je, maar wel overdreven voorzichtig. Ik ben niet bang voor Kanan.'

Zelfs op dat moment veranderde zijn gelaatsuitdrukking niet. Ze zag alleen iets in zijn ogen opvlammen voordat hij een stap naar voren zette en zijn hand op haar heup legde.

'Dat zou je wel moeten zijn.' Hij gaf haar nog een kus. 'Ik bel je.'

# 9

Seth was weer elk gevoel van tijd kwijt. Zijn gedachten dwaalden voortdurend af. Hij probeerde aan school te denken, aan algebra, maar hij kon zich niet concentreren. Vandaag was de zoveelste dag dat hij geen huiswerk had ingeleverd. Hij probeerde aan zijn bandje te denken, maar hij hoorde steeds zijn gitaar versplinteren en ploinken toen hij van zijn fiets was getrokken en op zijn gitaarhoes was geland. De angst slokte alles op.

Hij keek naar zijn bord, waar een stukje vanaf was. Zijn hotdog lag erop, lauwwarm.

Hij wist dat de mannen vlakbij waren en hem in de gaten hielden. Het hele huis werd in de gaten gehouden. En als hij probeerde te ontsnappen... Hij rook de hotdog. Zijn maag rammelde, en het water liep hem in de mond. Hij greep de hotdog beet en at hem in drie happen op.

Af en toe hoorde hij Whiskey nog janken. Zouden honden traumatische gebeurtenissen onthouden? Van die gedachte kreeg hij een dikke brok in zijn keel. *Hou op*, zei hij tegen zichzelf. Whiskey leeft nog. Ze hebben hem niet gedood.

Hij begreep nog steeds niet waarom ze hem moesten hebben. Hij wist alleen dat het iets met zijn vader te maken moest hebben, en met zijn vaders werk.

Hij had zijn ouders nooit laten merken hoeveel hij wist. Hij had gemerkt dat ze erg op hun woorden letten als hij in de buurt was.

*Wat doe jij precies, pap?*

Doorgaans haalde zijn vader dan zijn schouders op, of hij stuurde hem met een kluitje in het riet. Eén keer had Seth een kern van waarheid te horen gekregen: 'Ik zorg dat mensen uit de problemen blijven.'

Toen zijn vader dat zei, had zijn moeder vanaf de andere kant van de kamer bezorgd naar hem gekeken. Seth had het idee dat ze een geheime afspraak hadden om niets over zijn vaders werk te vertellen, en dat zijn vader die zojuist had geschonden.

Alsof zijn vader een crimineel was. En Seth een kleine kleuter.

'Je vader is tegenwoordig thuis,' had zijn moeder gezegd.

*Meestal*, had Seth gedacht. Zijn vader werkte niet meer in het buitenland, maar hij maakte nog steeds zakenreizen. Dan zag Seth hem zijn paspoort in zijn jaszak stoppen.

*Ik zorg dat mensen uit de problemen blijven.* Maar nu zat Seth in de problemen, en dat kwam door zijn vader. Waar wás zijn vader eigenlijk? Wist hij hiervan? Het duurde nu al zes dagen. Seth raakte steeds elk gevoel van tijd kwijt, maar dat wist hij nog wel. Zes kommen Rice Krispies. Zes Hot Pockets-pasteitjes uit de magnetron. Inmiddels zes hotdogs. Straks zou hij een fles Gatorade drinken en zou het donker worden en zou het huis grondig worden afgesloten en zou hij weer bang worden omdat de mannen *vlakbij* waren.

Hij had hen horen praten toen ze hem in het park beetgrepen. De menselijke hotdog had tegen de man met de puisten gezegd dat beveiliging overbodig zou worden. 'De opbrengsten worden enórm. Torenhoog.'

Hoe lang zou dit nog duren? Wanneer zou zijn vader komen?

Want dát hij zou komen, wist Seth zeker. Hij wist het zoals hij in het donker de weg naar huis wist. Zoals hij wist welke cd's de Foo Fighters tot nu toe hadden uitgebracht en hoe hij het gitaarloopje van 'The Pretender' moest spelen. Zijn vader zou komen. De mannen hadden hem bedreigd en gezegd dat hij zijn vader nooit meer zou zien als hij zich niet gedroeg, maar hij geloofde hen niet, hoe bang hij ook voor zijn vader was. En dat was hij, want hij wist dat zijn vader anders dan andere vaders was en geen stroomdraden in appartementen aanlegde of gebitten van patiënten corrigeerde. Hij zorgde dat mensen niet in de problemen raakten.

Seth zat in de problemen. Zijn vader zou hem helpen, daar kon Seth op rekenen. Hij kon zijn vader alles vertellen, ook lastige dingen – zelfs dit. Hij moest gewoon geduld hebben. Maar op dit moment, nu meteen, moest hij zorgen dat hij hier wegkwam.

'Is het hier?'

Ian Kanan keek op van zijn telefoon. De taxi reed heel langzaam westwaarts over Crissy Field Avenue. De omgeving was verlaten. Er was niemand buiten. De taxichauffeur bekeek hem via de achteruitkijkspiegel.

'Wacht even,' zei Kanan.

Hij kon niet naar huis. Ze zouden zijn huis dag en nacht in de gaten houden, en aan de hand van zijn telefoonsignaal zouden ze met driehoeksmetingen zijn positie proberen te bepalen. Hij zocht diep in het menu van de telefoon en zette het signaal af. Vliegtuigstand – hij kon de telefoon aan laten staan, foto's nemen, alle informatie gebruiken die hij in het toestel had opgeslagen, maar zijn telefoon zou geen signalen uitzenden of ontvangen. Het toestel maakte geen contact met gsm-masten. En niemand kon hem vinden.

In een submenu stelde hij de telefoon zo in dat het ontvangstsignaal vrijdagavond om tien uur zou worden geactiveerd.

Hij zag de woorden op zijn rechterarm. *Ernstig geheugenverlies. Ik kan geen nieuwe herinneringen aanmaken.* Nou, dat had hij wel gemerkt. Hij wist niet meer dat hij de chauffeur had gevraagd om naar Crissy Field te rijden. Hij wist niet meer dat hij in de taxi was gestapt.

Hij zat in de nesten. Hij zat zonder rugzak en computer, hij had alleen zijn telefoon nog. De herinneringen lekten uit zijn hoofd als zuurstofbellen uit een doorboorde duikfles. Hij was alleen, bij de baai in San Francisco, en het was zijn bedoeling zich gedeisd te houden. Het was duidelijk dat het plan was mislukt.

Hij moest naar zijn onderduikadres.

'Laat me er hier maar uit,' zei hij.

'Zeker weten?'

'Heel zeker.' Hij knoopte het spijkerhemd dicht dat hij over het T-shirt van Fade To Clear droeg. Het zou buiten koud zijn. 'Heb je misschien pen en papier voor me? Ik betaal je ervoor.'

Dat leverde nog een blik via de achteruitkijkspiegel op. De taxichauffeur draaide zich moeizaam om en gaf hem een ballpoint en een blokje zelfklevende memobriefjes.

'Bedankt.' Kanan betaalde hem, stopte de pen en het blokje in zijn borstzak en stapte uit.

Van opzij kwam een harde wind. De taxi reed weg naar een plaats die níét verlaten was.

Het plan was mislukt. Hij moest naar het onderduikadres. Die gedachte striemde hem harder dan de maartse wind. Hij zette de kraag van zijn overhemd op en vouwde zijn armen om zijn bovenlichaam. Het Fade To Clear-shirt van Seth hielp misschien tegen de kou. Hij hield zichzelf voor dat hij zich daaraan moest vasthouden.

Even zag hij Seth voor zich, een en al ellebogen en magere benen, een bril die van zijn neus af gleed en een bloedserieus gezicht als hij gitaar speelde. De talentenjacht van school, een zaal vol getikte veertienjarigen die het bandje van zijn zoon toejuichten. Misty die met een stralend gezicht naast hem stond. Ze had tegen hem aan geleund en bijna gelachen van trots. In het kabaal had hij zich naar haar toe gebogen, haar haren naar achteren geschoven en in haar oor gefluisterd: 'Hij is echt een kind van jou, meid. Talent en passie.'

Nu hoopte hij dat Seth ook flink wat van Misty's lef had geërfd. Dat zou zijn zoon hard nodig hebben.

Kanan had zich nog nooit zo alleen gevoeld. Het liefst wilde hij zijn gezin zien, maar dat ging niet, dat kon pas als dit allemaal voorbij was. Hij deed zijn best om zich te concentreren. Hij mocht zijn gedachten niet laten afdwalen. Hij moest de klus klaren.

*Ik kan geen nieuwe herinneringen aanmaken.* Het drong tot hem door dat hij straks misschien alleen nog maar herinneringen aan zijn gezin zou hebben.

Hij had een plan nodig. Een eenvoudig plan.

Regel een vervoermiddel. Regel wapens. Zoek Alec op, en daarna de anderen.

Hij liet zijn blik over de weg, de staalgrijze baai en de gigantische Golden Gate Bridge dwalen. Hoog boven zijn hoofd, tussen de door de wind gebogen eucalyptusbomen en pijnbomen, tekende de toegangsweg naar de brug zich flauw af. Hij boog zijn hoofd en liep de wildernis van het Presidio in.

Later die middag kreeg Jo Misty Kanan te pakken. Ians vrouw had geen zin in een ondervraging.

'Ian is ziek en verdwaald. Ga hem maar zoeken in plaats van mij aan een kruisverhoor te onderwerpen,' zei ze.

'De kans dat we hem vinden is groter als we praten met degene die hem het best kent. Dat bent u.'

Misty zweeg even. 'Goed dan. Vijf uur vanmiddag.'

Om halfvijf stopte inspecteur Tang in een burgerauto voor Jo's huis. Ze toeterde als een ongeduldige tiener. Jo stapte in en Tang reed met hoge snelheid weg.

'Weet je al hoe je deze psychologische non-autopsie wilt aanpakken?' informeerde Tang.

'Of ik nu Kanans situatie beoordeel of een verdacht sterfgeval bekijk, het basiswerk is hetzelfde. Ik maak een persoonlijkheidsprofiel van de persoon in kwestie.'

Tang reed de heuvel af, en Jo hield zich vast toen de weg scherp daalde. Ze passeerden een vrouw van over de zeventig, die haar beagle uitliet en op de stoep liep te puffen als Tenzing die de Everest beklom.

'Ik loop mijn vaste lijstje na en probeer vast te stellen of zijn hersenletsel is ontstaan door natuurlijke oorzaken, een ongeluk, een zelfmoordpoging of een poging tot moord.'

Als Jo een psychologische autopsie uitvoerde, bestudeerde ze doorgaans politierapporten, processen-verbaal, de medische en psychologische achtergrond van het slachtoffer en de opleiding die hij had genoten. Ze ondervroeg zijn familie, vrienden en collega's. Vooral reacties van vrienden en familieleden op iemands overlijden waren relevant, evenals vroege signalen die op suïcidale neigingen wezen of aanwijzingen dat de overledene was bedreigd. Ze bestudeerde dingen die het slachtoffer had opgeschreven en keek wat zijn hobby's waren, wat hij las en naar welke muziek hij luisterde. Ze verdiepte zich in zijn fantasieën, angsten en fobieën. Ze probeerde erachter te komen of hij vijanden had.

Ze legde het Tang uit. 'Ik maak een tijdbalk van gebeurtenissen die aan Kanans kwetsuur vooraf zijn gegaan. Misschien helpt die ons om erachter te komen wat er met hem is gebeurd.'

'Prima. Speel jij maar de vriendelijke psych. Ik leg Misty Kanan het vuur na aan de schenen.'

'Denk je dat dat nodig is?'

'Hoe groot is de kans dat Kanans vrouw niets weet als hij bij een mislukte roof betrokken is?'

Jo dacht daar even over na. Ze had zo haar twijfels. 'Laten we maar eens kijken hoe het gesprek loopt en langzaam naar die vraag toe werken.' Ze keek even naar Tang. 'Dit bezoek van jou is nog steeds niet helemaal officieel, hè? Ik neem het voortouw wel.'

Ze arriveerden vóór Misty Kanan bij haar huis, een naoorlogs gepleisterd gebouw met plat dak in het Richmond District, ten noorden van Golden Gate Park. De huizen stonden dicht op elkaar, als schoenendozen in een rek, en de straat was een vergezicht van asfalt, beton en bovengrondse elektrische bedrading. Maar de kersenbomen stonden in bloei. Handenvol felgekleurde bloesems kleurden de trottoirs hardroze en fleurden het uitzicht op. In veel steden zou dit een kleinburgerlijke buurt zijn, maar in San Francisco was elke hamburgerverpakking die je op de grond liet vallen en van een huisnummer voorzag een half miljoen dollar waard. De Kanans zaten goed in de slappe was.

Ze parkeerden de auto bij de stoeprand. Het regende inmiddels niet meer. Het wolkendek was opengebroken en aan de westelijke horizon was de zon knaloranje. Tang dook diep weg in haar jas, kauwde kauwgom en beet op haar duimnagel.

'Vecht je tegen het verlangen naar een sigaret?' vroeg Jo. 'Want dat zou ik dapper vinden.'

'Ik ben bloednerveus en bid dat mijn droomprins me meevraagt naar het eindexamenfeest.'

'Wauw. Het schijnt dat *Carrie* dit jaar het thema wordt.'

Tang maakte zich klein in haar jas. Jo liet haar met rust en hield haar mond.

Aan de zuidelijke kant van de straat kwam een nachtblauwe Chevy Tahoe de hoek van Fulton om rijden. De auto was uitgerust met verstralers en een bullbar. Misty Kanan zat achter het stuur. Ze reed naar het huis en draaide de oprit op.

Jo en Tang stapten uit en liepen naar haar toe. De Tahoe stond met draaiende motor op de oprit toen de garagedeur openging. Misty liet haar raampje zakken.

'Laat mij maar eerst naar binnen gaan en het inbraakalarm afzetten. Dan loop ik om en doe de voordeur open,' zei ze.

Ze reed de garage in. Een pluim uitlaatgas kringelde rond de remlichten, die felrood oplichtten. Jo en Tang liepen naar de voordeur en stonden in de loeiende wind te wachten. Na een paar ijzige minuten liet Misty hen binnen.

'Sorry, ik had nog even gekeken in de slaapkamers en de bijkeuken. Ik hoopte dat Ian misschien…' Ze haalde haar schouders op.

'Is hij thuis geweest?' vroeg Jo.

'Nee.' Ze spreidde haar armen en liet ze langs haar lichaam vallen. 'Ik vind het nog steeds ongelooflijk dat hij uit het ziekenhuis is weggelopen.'

'Hebt u enig idee waarom hij is weggelopen?' vroeg Tang.

'Omdat hij… geestelijk niet in orde is. En zeg maar Misty.'

Misty haalde nogmaals haar schouders op en liep voor hen uit naar de keuken. Het huis was compact en modern, met een vloer van blond hout. Borden stonden opgestapeld in de gootsteen, een fles ketchup stond open op het aanrecht. De koelkast was bedekt met magneten en een lesrooster van een middelbare school. In de hoek stond een volle voederbak van een hond.

'Misty, de politie heeft me gevraagd om Ians geestelijke toestand te beoordelen,' zei Jo. 'Ik moet je een paar directe vragen stellen als we je man willen vinden en erachter willen komen wat de oorzaak is van deze…'

'Ramp,' zei Misty.

'Ja.'

'Ik kan wel wat hebben. Je mag heel direct zijn.'

Misty liep naar de woonkamer, die met niet al te dure, vrolijke meubels van IKEA redelijk smaakvol was ingericht. Een stapel kranten hing over de salontafel. Op de vloer stond een wasmand en in de hoek stond een strijkijzer op een strijkplank, maar kennelijk was Misty abrupt met haar bezigheden gestopt.

Het kon best zijn dat ze wel wat kon hebben, maar ze zag er uitgeput en gespannen uit. Ze ging in een fauteuil zitten en klemde haar handen om haar knieën.

Jo ging tegenover haar op de bank zitten. 'Heeft Ian gebeld sinds hij het ziekenhuis heeft verlaten?'

'Nee.'

'Mag ik de boodschappen beluisteren die hij na aankomst van zijn vlucht heeft ingesproken?'

'Die heb ik gewist,' zei Misty.

*Verdorie.* Jo hield haar blik neutraal. 'Waarom?'

'Negenenveertig berichten? "Misty, ik ben net geland." "Misty, ik ben onderweg." "Misty, neem alsjeblieft op." Dezelfde toon, dezelfde verwarring. Het was alsof ik steeds dezelfde boodschap afspeelde.' Ze schraapte met haar vingernagels over haar geruite rok, alsof ze erge jeuk had. 'Ik kon er niet tegen.'

Tang spitste haar oren, als een jack russell die in de struiken een eekhoorn hoorde. 'Misty, na je vertrek uit het ziekenhuis heeft Ian dokter Beckett aangevallen.'

'Waar heb je het over?' vroeg Misty.

'Hij heeft haar een lift in gesleept, een mes getrokken en haar tegen de wand geduwd.'

Misty keek met open mond naar Jo. Ze reageerde opvliegend en fel. 'Heeft hij je tegen de wand geduwd? Waarom zou hij? Ik geloof er niets van.'

'En hij heeft dreigementen geuit,' zei Tang. 'Ik ga ervan uit dat die tegen een aantal mensen waren gericht.'

'Dat kan niet.' Ze liet haar blik tussen Tang en Jo heen en weer flitsen. 'Waar halen jullie dit vandaan? Dreigementen? Ian is ernstig ziek!'

Jo vouwde haar handen op haar schoot. 'Dat weet ik. Ian is misschien besmet met een stof die zijn hersenletsel veroorzaakt.'

'Besmet? Wie zegt dat?' vroeg Misty.

'Ian. Heb je enig idee hoe hij kan zijn vergiftigd?'

'Nee.'

Tang haalde haar notitieboekje tevoorschijn. 'Hij was op zakenreis in het Midden-Oosten en Afrika. Wat deed hij daar?'

'Wat hij altijd doet. Beveiliging van een bedrijf.'

'Kun je iets preciezer zijn?'

'Ian bespreekt zijn werk niet met me. Dat is vertrouwelijke bedrijfsinformatie.'

'Heeft Ian een gevaarlijke baan?'

'Nee.'

'Buitenlandse beveiliging voor een hightechbedrijf? Nooit?'

'Hij zorgt juist dat de mensen die hij begeleidt níét in de problemen raken. Hij houdt hen mijlenver van gevaarlijke situaties vandaan.'

'Wat doet Chira-Sayf?'

'Onderzoek naar materialen.' Misty probeerde het daarbij te laten, maar Jo en Tang staarden haar aan tot ze eraan toevoegde: 'Nanotechnologie.'

Jo reageerde met een neutraal knikje, maar in haar achterhoofd ging een alarmbelletje rinkelen. 'Wat kun je me vertellen over zijn achtergrond en opleiding?'

'Waarom vraag je dat?' vroeg Misty.

'Ik moet zo veel mogelijk informatie verzamelen.'

Misty sloeg haar benen over elkaar. Haar stevige laars wipte zenuwachtig heen en weer. 'Tien jaar in het leger. Toen hij eruit kwam, vond hij een carrière waarin zijn vaardigheden werden gewaardeerd.'

'Wat voor vaardigheden?'

Misty bestudeerde haar aandachtig. 'Heb je in het leger gezeten?'

'Nee. Waarom vraag je dat?'

'Sommige burgers denken gewoon: leger. Schieten. Camouflage en blindelings gehoorzamen. Er zijn binnen het leger tientallen specialiteiten. Ian voerde verkenningen uit.'

Tang schreef alles op. Het was zo stil in huis dat het krassen van haar pen hoorbaar was.

Jo keek even naar een ingelijste foto op een boekenplank. 'Is dat je zoon?'

'Seth,' antwoordde Misty.

De jongen op de foto had Kanans roestkleurige haar en ijsblauwe ogen achter zijn bril. Zijn glimlach was een beetje uitdagend, alsof hij de fotograaf voor de gek hield. Het was een puberlach, meer ondeugend dan sarcastisch. Hij zat in kleermakerszit op het gras gitaar te spelen. Een grote hond met de kleur van een Ierse setter en de malle, verwachtingsvolle blik van een labrador duwde met zijn neus tegen zijn schouder.

'Leuke jongen. Hoe oud is hij?'

'Veertien.'

Jo wachtte tot ze meer zou vertellen. In deze situatie begonnen sommige mensen vragen te stellen of flapten ze er emotionele onthullingen uit. Anderen klapten als een oester dicht en verdedigden hun vooropgezette meningen, hun hoopvolle verwachtingen of verzinsels over hun dierbaren. Ze wachtte af of Misty nog iets meer over haar zoon zou vertellen, maar dat gebeurde niet.

'Heb je het hem verteld?'

'Nog niet.' Misty's voet bleef wippen.

Jo wilde vragen of alles goed ging met het gezin, maar de vrouw 'die wel wat kon hebben' bleek koppig, uitdagend en defensief te zijn. Daarom besloot ze het over een andere boeg te gooien.

'Voor de psychologische beoordeling moet ik het leven van het slachtoffer in kaart brengen. Ik onderzoek zijn hele geschiedenis, en dan bedoel ik de medische, psychologische en emotionele kanten – familie, relaties, huwelijk...'

De blos begon onder in Misty's hals en kroop omhoog naar haar wangen. 'Wil je dat ik over ons seksleven praat?'

Jo hief haar hand op. 'Ik zeg alleen dat ik naar relaties vraag.'

Misty likte over haar lippen. 'Het geeft niet. Ian en ik hebben een hechte band. Altijd gehad. Er was onmiddellijk een klik tussen ons.'

Ze bloosde zo hevig dat haar wangen wel leken te gloeien. Jo had het idee dat ze de kamer in een karmozijnrode gloed kon hullen als ze het licht uitdeden.

'Hij is mijn zielsverwant. Bij hem vergeet ik alles om me heen. Ik...' Ze hield op met praten toen ze besefte dat ze het werkwoord 'vergeten' had gebruikt. Haar ogen leken te branden als een gloeilamp. 'O, geweldig, een freudiaanse verspreking.'

Misschien.

'Ik bedoelde er niets mee.'

'Zulke dingen vallen psychiaters wel op, Misty, maar we vellen geen oordeel.'

Misty bewoog haar kaak heen en weer, alsof ze wilde zeggen: *ja hoor, dat zal wel*. 'In bed kunnen we het goed met elkaar vinden. Hoe klinkt dat?'

'Dat klinkt prima.'

Misty's voet ging nog steeds op en neer. Ze keek naar de vloer. Toen ze weer opkeek, stonden haar ogen vol glanzende tranen.

'Wat voor een man wordt hij nu? Zal hij me vergeten?'

Jo gaf niet meteen antwoord, maar dacht na over de vraag hoeveel ze kon vertellen en wat ze zeker wist.

'Ik ben zijn vrouw. Ik werk als verpleegkundige op een school. Je kunt me alles vertellen.'

'Zijn herinneringen van vóór de beschadiging zouden intact moeten blijven,' zei Jo.

'Dus hij vergeet in elk geval niet hoe hij heet, waar hij is opgegroeid, wat hij voor de kost doet en dat soort dingen.'

'Nee.'

'En hoe zit het met ons huwelijk?'

'Dat zal hij zich herinneren. Hij heeft niet het soort geheugenverlies dat je vaak in films ziet. Anterograde amnesie betekent dat hij geen nieuwe herinneringen kan vormen.'

'Dus als hij me ziet, weet hij wie ik ben. Als hij thuiskomt, weet hij dat hij hier woont.'

'Ja.'

Misty hield haar knieën zo stevig vast dat haar knokkels wit waren. 'En verbetert zijn toestand na verloop van tijd?'

'Dat weten we niet zeker, maar het lijkt onwaarschijnlijk.'

Misty's ogen flitsten als een stroboscoop, wit en koud. De blik was weer razendsnel verdwenen. 'Je weet niet wat er in zijn brein gebeurt, is het wel? Je bent psychiater. Je gaat over emoties, niet over medicijnen. Er komen elke week nieuwe doorbraken.'

Was zij werkelijk verpleegkundige? 'Niet voor deze aandoening, vrees ik.'

Misty keek naar Jo alsof ze een politiefotograaf was die een foto van een slachtoffer nam. 'Eén ding weet ik zeker: onze band is onbreekbaar. Ian en ik houden van elkaar. Zodra ik hem zag, wist ik dat hij de ware voor mij was. Dat weet ik nog steeds zeker en ik laat hem niet door mijn vingers glippen. Ik zal vechten om hem te helpen.'

Haar starende blik werd minder ijzig en leek te pulseren, alsof ze Jo uitdaagde om haar tegen te spreken. Het was alsof ze een scheur in haar pantser had laten ontstaan, alsof ze woorden naar buiten liet stromen die ze zo lang had ingedamd dat ze bijna verroest waren.

Tang vroeg: 'Waarom zou hij uit het Midden-Oosten twee dolken en een kromzwaard meenemen?'

Misty's ogen lichtten even op, met net zo'n zwakke glans als die op het vreemde staal van het mes dat Jo in Kanans hand had gezien. 'Hij werkt voor een paar eigenaardige, egocentrische mensen. Waarschijnlijk willen ze die spullen als trofeeën aan de muur hangen.'

Er stonden witte vlekken op haar wangen. Jo interpreteerde ze als een teken van stress. Bleke spikkels van vernedering.

'Bij die kerels van Chira-Sayf gaat het er altijd om wie de grootste pik heeft. Maar gaan ze die zwaarden zelf halen? Nee, dat laten ze Ian doen.' Haar blik was zuur. 'Stelletje eikels.'

'We moeten zijn baas spreken,' zei Jo. 'Welke eikel is dat?'

Misty stond op. 'Riva Calder. Ik zal jullie het telefoonnummer geven.'

Ze liep naar het kookeiland en scheurde een stukje kladpapier af. Nadat ze er een nummer op had geschreven, gaf ze het aan Jo.

Tang schoof op de bank naar voren. 'Wie is Alec?'

Misty reageerde heel verrast, alsof ze haar met opzet op het verkeerde been hadden gezet. 'Alec?'

Tang keek op. 'Ja.'

Misty aarzelde. 'Het zou Alec Shepard kunnen zijn, de president-directeur van Chira-Sayf.'

Tang schreef het op. 'Heeft Ian onenigheid met Shepard?'

'Nee. Natuurlijk niet. Waar wil je naartoe?'

'Toen je man dokter Beckett aanviel, zag ze een lijst met namen op zijn arm staan, onder wie "Alec".' Tang onderstreepte een woord in haar notitieboekje. 'En "dood".'

Misty stond doodstil. Haar gezicht werd krijtwit. 'Wacht even. Denken jullie dat hij een hitlist op zijn eigen arm heeft geschreven? Onmogelijk.'

Tang klikte met haar pen. 'Kun je een andere verklaring bedenken?'

Misty hief haar hand op alsof ze een verkeersagent was. 'Waarom val je Ian op deze manier aan? Wat probeer je te bereiken?'

'We proberen erachter te komen waar hij mee bezig is,' antwoordde Tang.

'Jullie hebben een verborgen agenda. Jullie willen hem helemaal niet helpen.' Ze verhief haar stem. 'Denk je dat hij wraak wil nemen? Dat is paranoïde. Het is belachelijk.'

'Als je weet wat het anders zou kunnen zijn, zeg het dan alsjeblieft,' zei Jo.

'Ik heb geen idee. Misschien maakt Ian zich zorgen om die mensen. Of probeert hij wanhopig contact met hen te krijgen.'

'Maar niet met jou?'

Het was alsof Jo haar een klap had gegeven. Haar gezicht vertrok. 'Waarom val je me aan? Mijn hemel, Ian heeft een geheugenprobleem. Het is logisch dat hij dingen heeft opgeschreven.'

'Het woord "dood"?'

'Jezus, ik geloof mijn eigen oren niet. Hij zit in de problemen. Hij is ziek. Hoe langer het duurt voor jullie hem vinden, hoe groter de kans dat er iets met hem gebeurt. En dan komen jullie mij vertellen dat híj het probleem is!'

Tang klikte met haar pen. 'Wie wil hij vermoorden?'

'Niemand.'

'Weet je dat zeker?' vroeg Tang.

Misty balde haar vuisten. 'Hoe durf je! Denk je dat je dieper in Ians hoofd kunt kijken dan ik?' Ze wendde zich tot Jo. 'Denk je dat je hem beter kent dan ik? Waarom? Omdat hij je vijf seconden tegen een wand heeft geduwd?'

'Bevalt zijn werk hem goed?' vroeg Tang.

'Heel goed.'

'Heb je iets gehoord over diefstallen binnen het bedrijf?'

'Insinueer je nu dat hij een dief is?' Misty's blik werd niet verhit, maar juist gedistilleerd tot helder, bevroren glas. 'Ian is een eerlijke man. Hij zou nooit iets van iemand stelen. Nooit. En ik wil niet meer met jullie praten.'

Tang zweeg even, alsof ze overwoog haar onder druk te zetten. Daarna sloeg ze haar notitieboekje dicht en stond ze op. 'We proberen de waarheid te achterhalen, Misty. We spreken elkaar nog.'

Jo volgde Tang naar de deur. Misty hield hem open. Ze zei geen woord tegen de inspecteur, maar toen Jo haar passeerde, legde ze een hand op haar arm.

'Het enige wat ik wil, is Ian.' In haar ogen blonken hete tranen. 'Zorg dat je hem vindt.'

Op het trottoir haalde Tang in de vochtige, winderige zonsondergang haar sigaretten tevoorschijn. 'Het is hartstikke leuk om met jou vriendelijke psych, bitse agent te spelen. Dat was verhelderend.'

'Dat was pijnlijk,' zei Jo.

'Ze houdt iets voor ons verborgen. Ik durf te wedden dat haar man een crimineel is en dat zij hem beschermt.' Ze stak een sigaret op, nam een trek en keek met samengeknepen ogen naar Jo. 'We moeten uitzoeken wat hij heeft gestolen en van wie. Voeg dat maar toe aan het lijstje van de dingen die je moet doen.'

# 10

Ron Gingrich droeg de laatste twee zakken ijsgruis naar de aluminium emmer op het terras bij het zwembad. Hij scheurde ze open en gooide de inhoud in de emmer.

Vanuit het huis riep Jared: 'Vergeet niet de tuinfakkels aan te steken.'

Gingrich salueerde. Sinds die vlucht vanuit Londen had hij nog geen twee minuten voor zichzelf gehad. Hij kuierde met klepperende slippers naar de garage, pakte een kratje Stella Artois van de stapel en sleepte het naar het terras. Zijn paardenstaart danste in de wind. De wolken waren verdreven en de avond was koel en glashelder.

Hij duwde met zijn vuisten op zijn onderrug en vroeg zich weer af waarom hij als krullenjongen voor een zesentwintigjarige knul werkte, een jong genie dat computerspelletjes ontwierp en zichzelf een soort rockster van de eenentwintigste eeuw vond.

Ron propte bierflesjes tussen het ijs in de enorme emmer. Hij kon zich de afgelopen anderhalve dag nauwelijks herinneren. Jetlag was echt verschrikkelijk, zeker op zijn leeftijd. O, hij wist hoe hij op reis van alles voor elkaar kon krijgen. Hij was twintig jaar manager van heavymetalbands geweest en had een keer met de Grateful Dead getoerd voordat hij als manusje-van-alles en regelneef voor Jareds startup in Silicon Valley was gaan werken. Koop voor de baas twintig zwarte T-shirts, het juiste merk afzakkende spijkerbroek en Crocs in de kleur die de coole CEO's even verderop in Sunnyvale dragen.

Hij kon een boel gezeik hebben. Hij zei altijd dat hij niet te beroerd was om hard te werken.

Hij keek over het zwembad en de heuvel met de cipressen naar de baai. Vanuit deze buurt, waar de huizen tien miljoen dollar kostten, had het water in de zonsondergang een iriserende grijsblauwe kleur. De veerboot uit Sausalito tjoekte naar de haven. Op San Francisco International Airport kon hij vliegtuigen zien opstijgen. Vanaf deze afstand kropen ze als zilveren mieren langs de hemel.

Wat moest hij ook weer doen?

Hij keek naar zijn handen. Hij hield twee warme biertjes vast.

IJsemmer. Het feest. Juist. Hij propte de biertjes in de emmer.

Vanuit het huis klonken stemmen. Er arriveerden mensen. Jonge, hippe techneuten – de gastenlijst bestond voornamelijk uit makers van computerspelletjes, opgeschoten jongens die de hele dag zaten te gamen en daar bakken geld mee verdienden. Er waren ook een paar durfkapitalisten die hun werk financierden en wat mensen uit de filmindustrie, die zich met digitale animatie bezighielden. Misschien waren er ook wel een paar mensen van Industrial Light & Magic.

Jared stak zijn hoofd om de patiodeur. 'Ron, de tuinfakkels. En ruim al dat gereedschap voor het huisje naast het zwembad op. Straks struikelt er nog iemand, en ik krijg vanavond advocaten op bezoek.'

'Oké, baas.'

'En noem me geen baas.'

'Oké.' *Eikel.*

Jared zou het niet erg moeten vinden dat hij 'baas' werd genoemd. Jerry Garcia had het ook niet erg gevonden dat Ron hem 'baas' noemde. God, wat miste hij de Dead.

Hij haalde zijn iPod uit zijn zak, deed de oortjes in zijn oren en scrolde door zijn playlist. Toen 'Attics of My Life' in zijn oren klonk, glimlachte hij.

Hij pakte zijn aansteker en stak de tuinfakkels rond het zwembad aan. Er waaide een kille wind, maar de baas wilde sfeer in de tuin. Zijn blik dwaalde af en hij zag op sfo vliegtuigen opstijgen.

Die vent die tijdens de vlucht vanuit Londen door het lint was gegaan – wat een trippende idioot. Toen hij door het gangpad naar de nooduitgang was gerend, had Gingrich even gedacht dat het vliegtuig in brand stond, maar de vlammen hadden alleen in het hoofd van die gast bestaan. Gingrich had hem met zijn ogen gevolgd en gedacht: *wat bezielt die gek?* Daarna hadden hij en Jared elkaar aangekeken en geweten dat er niet zou worden ingegrepen als zij niet in actie kwamen. Ze waren opgesprongen en hadden de gestoorde vent met geweld van de nooduitgang weggesleurd.

Hij wreef over de snee in zijn arm. Tijdens de worsteling had de gesp van de man in zijn huid gekrast.

'Ron?'

Jared klonk stomverbaasd. Gingrich draaide zich om.

De zon was ondergegaan, de tuinfakkels stonden flakkerend op het terras. Het kabaal van het feest was oorverdovend.

'Waar heb je gezeten?' vroeg Jared.

'Ik heb dat gereedschap opgeruimd, zoals je had gevraagd.'

Jared hield zijn hoofd schuin. 'En doe het huisje bij het zwembad op slot. De elektriciens zijn nog niet klaar met de verlichting van het zwembad. Er leiden wel kabels naar het zwembad, dus daar mag beslist geen stroom op staan. Ik wil niet dat iemand de schakelaars van de tuinverlichting met die van het zwembad verwart.'

'Goed.'

Jared bleef hem vreemd aankijken. 'Voel je je wel goed, Ron?'

'Moe. Dat reisje naar Londen heeft er flink in gehakt.'

Jared knikte, staarde hem nog een paar tellen aan en liep terug naar zijn gasten.

Gingrich was niet moe, hij was volledig uitgeput. Zijn benen waren stijf, alsof hij al uren aan de zijkant van het huis stond. Alsof hij... Shit, hij had het steenkoud. Wanneer was de zon ondergegaan?

Hij keek op zijn horloge. 'Jezus.'

Het was inmiddels acht uur. Hoe had er zomaar een uur voorbij kunnen vliegen?

Hij wreef over zijn sikje en sloeg zich op de wangen om wakker te worden. Het huisje bij het zwembad. Het gereedschap naar binnen brengen. Ja, baas. Dan kon hij eindelijk naar huis gaan en in bed kruipen. Hij liep om de garage heen.

In het huisje bij het zwembad was het bloedheet. Jared stookte de verwarming van het bad flink op, want hij was opgegroeid in een of ander stoffig huis vlak bij de snelweg in Daly City, had een hekel aan vuil en hield van de schone chloorlucht van zwembadwater. Hij zwom elke dag, genietend van zijn rijkdom. Gingrich dacht dat hij het misschien ook deed om de stank van zijn computergames van zich af te wassen, spellen die waren ontworpen voor mensen die Grand Theft Auto te saai vonden en liever iets prikkelenders wilden. Dat spul werd verdorie ook nog verkocht aan kinderen van dertien, veertien jaar.

Gingrich deed het licht aan. Het was fel, een kaal peertje aan het plafond. Er fladderden motten om zijn hoofd, en de verwarming, pompen en filters deden puffend hun werk.

Die vlucht vanuit Londen – wat zou er met die halvegare aan de hand zijn geweest? Die psych die ze erbij hadden gehaald leek te denken dat de man niet gek was. Gingrich had hem op de grond zien liggen nadat de politieagent hem met een taser had geraakt. Het leek wel of de man in trance was geweest, en hij had liggen rollen alsof hij aan een spit hing. Bij de herinnering ging er een huivering door hem heen.

Achter zich hoorde hij het kabaal van het feest. Vijftig hebberige, getalenteerde, veeleisende feestbeesten, die bier dronken, deals sloten en de release van Jareds nieuwe spel vierden. Wat was het warm in deze schuur. Hij staarde naar de stroomonderbrekers aan de muur.

De zoemende pompen werkten bijna hypnotiserend. Hij knipperde met zijn ogen.

Man, wat waren zijn benen stijf. Hij had het gevoel dat hij al een eeuwigheid stond. Hij keek op zijn horloge. Halftien. De gasten wilden waarschijnlijk wel zwemmen. Hij moest de tuinfakkels gaan aansteken. Een paar biertjes uit de garage halen en in het ijs in die grote aluminium emmer stoppen.

Jared zou willen dat het zwembad perfect was. Hij zwom altijd, elke dag. Gingrich keek naar de apparatuur in het huisje. De deur was achter hem dichtgevallen. Het was hier verschrikkelijk heet en muf. Hij hoorde de pompen zoemen en in zijn oortjes speelde 'Brokedown Palace'.

Waarom stond hij in het schuurtje bij het zwembad? Hij herinnerde zich niet dat hij was binnengekomen. Hij moest er een reden voor hebben, maar...

Het kastje met de stroomonderbrekers stond open. Dat was raar.

Hij keek naar de schakelaars in het kastje. Het waren er vier, drie voor de bonte tuinverlichting die de gardenia's en rododendrons bescheen en eentje voor de onderwaterverlichting van het zwembad. Die schakelaar stond uit.

Waarschijnlijk had Jared hem gevraagd hierheen te komen en de verlichting aan te zetten. Waarschijnlijk wilde hij zwemmen. Hoe laat was het?

Hij keek op zijn horloge. 'Shit.'

Tien uur? Man, hij was zo moe dat hij elk besef van tijd kwijtraakte. Waarschijnlijk wilde Jared in het donker in zijn mooie zwembad zwemmen en doen of hij een dolfijn in zee was. Misschien had Jared zelfs een afspraakje, en kon hij niet naar het schuurtje komen om de schakelaar zelf om te zetten.

Hij stak zijn hand uit naar het kastje, maar bedacht zich.

Er klopte iets niet.

Jared. Lui genie. Opgegroeid in een bloedheet krot bij de 280, en nu te beroerd om de lampen in zijn eigen zwembad aan te zetten. Was dat het?

Zijn hand bleef in de lucht zweven. Man, het werd tijd om naar een nieuwe baan uit te kijken.

Het volgende moment vermande hij zich. Hij stelde zich aan. Dit was zijn werk. Hij had gewoon last van jetlag. Dit was een luizenbaantje. Hij was met zijn neus in de boter gevallen.

Jared was geen beroerde jongen. Eigenlijk had Gingrich hem

zelfs aangemoedigd om alles aan hem over te laten. Hoe moest je je anders onmisbaar maken?

Hij zette zijn iPod aan. The Who, precies wat hij nodig had. 'Teenage Wasteland' – dat nummer had hij al tijden niet gehoord.

Hij zette de grote schakelaar om en veegde zijn voorhoofd af. Het was benauwd in deze schuur, heter dan in de hel. Er vlogen motten om hem heen. De pompen maakten veel kabaal, irritant gewoon.

Hij duwde het kastje van de stroomonderbrekers dicht, deed het licht uit, ging naar buiten en sloot de deur af. Het was inmiddels helemaal donker en overal klonk lawaai. De muziek dreunde in zijn oren, Daltrey zong met lange uithalen. Het feest was echt in volle gang. Hij hoorde wat van die nieuwe muziek die de jongere generatie leuk vond – hoe noemden ze die ook alweer, emo? Screamo. Zo heette dat. Hartverscheurende tienermuziek, met zang van iemand die met een pruilmond in de microfoon schreeuwde. Om de hoek leken Jareds vrienden bij het zwembad mee te zingen.

Hij begreep die muziek niet. De klassiekers van de Dead waren heel anders. De avond was koel, maar hij had het gevoel dat hij urenlang naast een loeiend fornuis had gestaan. Hij veegde het zweet van zijn voorhoofd.

De gasten op het feest, de gameontwerpers en screamofans, waren niet zijn soort mensen. Hij wilde naar huis, naar bed. En hij had zo ongelooflijk veel last van jetlag dat hij daar vanavond extra veel behoefte aan had. Bij het zwembad waren de lampen uit, maar in het licht van de tuinfakkels rende iedereen rond. Jared gaf weer een waanzinnig feest. Die jongelui. Ook al waren ze volwassen, ze deden tikkertje rond het zwembad. Nou ja, zulke dingen waren misschien niet zo vreemd voor mensen die met spelletjes de kost verdienden.

Toen hij om het huis heen liep, klepperden zijn slippers op het voetpad. Hij had een biertje in zijn hand. Hij haalde de kroonkurk eraf en nam een slok. Ah, dat was beter.

Hij besloot het feest niet te onderbreken om Jared te vertellen dat hij wegging. Hij wilde naar huis. De baas zou het wel begrijpen.

Hij maakte het hek open, liep de oprit af en kuierde de straat op. In de nacht waren de sterren glashelder. Hij strekte zijn handen boven zijn hoofd en keek even om naar het huis. De voordeur stond open en binnen zag hij mensen rondrennen. Ze gilden en renden in en uit, sommigen in zwemkleding. Een van hen rende langs hem heen de straat op en schreeuwde uit alle macht.

Die gamers. Misschien deden ze wel een spelletje vlag veroveren. Hij keek de man na om te zien waar hij naartoe rende.

Hé, wat was dat? Er kwam een brandweerauto met gillende sirene de straat in rijden.

Blauwe en rode zwaailichten verlichtten de heuvel, en de sirenes loeiden. Er stormden nog meer mensen Jareds huis uit. Het was een gekkenhuis.

# 11

Jo werd wakker van een huilende wind. Toen ze haar ogen opendeed, zag ze een helderblauwe hemel hoog boven het dakraam zweven. Het was zes uur in de ochtend.

Als tiener zou Jo haar zusje aan een rondreizend circus hebben verkocht om 's ochtends een uurtje langer te kunnen slapen, maar door haar studie geneeskunde was haar innerlijke klokje gereset. Tegen de tijd dat ze aan haar tweede jaar begon, was ze in staat geweest om met haar lab-aantekeningen in haar ene hand en een mok koffie in de andere hand in het donker over de campus van Stanford te fietsen. Ze had het zelfs eens om halfzes 's ochtends gedaan, in een witte jas en een pyjama. Nu was ze bijna altijd vóór zevenen wakker.

Ze bleef nog even lekker onder de dekens liggen. Haar slaapkamer was ingericht met warme kleuren, een tegengif tegen het kille weer van San Francisco. Op het gelakte, zwarte Japanse bed lag een rood donzen dekbed. Om haar heen lagen stapels goudkleurige en oranje kussens. Op de ladekast stonden koraalkleurige orchideeën in bloei.

Ze vroeg zich af waar Ian Kanan was – in een hotel, ineengedoken in een stadsportiek, of misschien wel zwervend over straat. Ze vroeg zich af of Misty Kanan hun zoon had verteld dat Ian gewond was en vermist werd. Misty maakte een defensieve indruk op haar en had Amy Tang en Jo meteen als dreiging gezien. Misschien had Tang wel gelijk en verdoezelde Misty Ians aandeel in een mislukte roof. Er leek in elk geval iets aan de hand te zijn in huize Kanan. Of misschien probeerde Misty gewoon te voorkomen dat ze gek werd nu ze met een ramp werd geconfronteerd.

Jo had ook de nodige vragen over het nanotechnologische werk van Chira-Sayf. Hoewel de nanotechnologie veelbelovend was, had ze ook iets griezeligs. Als Kanan vergiftigd was, was het de moeite waard om onderzoek te doen naar besmetting met nanodeeltjes.

Het was nog te vroeg om iemand van Chira-Sayf te bellen. Ze had talloze boodschappen achtergelaten voor Kanans baas, Riva Calder, en was van plan om het op een beschaafd tijdstip nog eens te proberen, maar op dit moment was ze al klaarwakker en bruiste ze van energie. Ze gooide de dekens van zich af, trok sportkleding aan en reed naar de klimhal.

Mission Cliffs besloeg een compleet verbouwd pakhuis in het Mission District. De sportzaal was een labyrint van nagebouwde rotswanden die tot aan het plafond reikten, een overdekte speeltuin voor volwassenen. Jo tekende het voorklimmerslogboek, deed rekoefeningen, trok haar klimschoentjes aan en bevestigde haar gordel en pofzak. Een andere vroege vogel bood zich aan als zekeraar. Ze pakte haar klimtouw en liep naar de grootste wand. Die was vijftien meter hoog, had de kleur van de rotsen in Monument Valley en zat vol aangebrachte grepen in kleuren die aan Play-Doh deden denken. In het vroege ochtendlicht dat door het dakraam naar binnen scheen, was de hele wand van haar alleen.

Er ging niets boven de puurheid en de uitdaging van klimmen om haar op te peppen, haar hoofd leeg te maken en haar te laten voelen dat ze leefde. Behalve seks – op een goede dag. In een route ging het allemaal om lichaamsbeheersing en moed: bedenken hoe je boven moest komen, een inschatting maken van de benodigde kracht, grip, belastingshoeken en je eigen beperkingen. Het kwam neer op lef en zwaartekracht.

Het kostte ongeveer twee minuten om boven te komen. Via verschillende routes ging ze nog een paar keer naar boven en beneden. Ze eindigde helemaal bovenaan, in de lucht. Ze knapte er helemaal van op om in deze ruime, lichte omgeving aan de wand te hangen, slechts op haar plaats gehouden door een dun touw en haar eigen lichaamskracht.

Waarom wilden mensen vliegen en in een aluminium blik gevangenzitten als ze ook konden klimmen?

Toen ze de klimhal verliet, lag er een glans over de stad. In San Francisco heeft daglicht een witte gloed. Het weerkaatst op de muren van de victoriaanse huizen, die als ansichtkaarten de heuvels bedekken. Het komt tintelend uit de oplossende mist tevoorschijn en duikt als een opspringende vis uit de schuimkoppen in de baai. Jo zette haar zonnebril op en reed weg om ergens koffie te gaan drinken.

Een straat verder veranderde ze van gedachten en ging ze op weg naar Noe Valley.

Gabes 4Runner stond op de oprit van een knus, houten huis met een brede veranda, dat onder een aantal groenblijvende eiken was gebouwd. Gabe deed op blote voeten open en was gekleed in een spijkerbroek en een t-shirt van usf. Zijn haar was ongekamd en zijn bronskleurige huid glom in de zon.

Wie had er nog behoefte aan cafeïne? 'Goedemorgen, sergeant.'

Hij reageerde niet meteen. Meestal zei hij 'dokter Beckett' of 'daar hebben we de dodenpsych', maar nu stapte hij opzij om haar binnen te laten. 'Je ziet eruit alsof je ergens energie hebt opgedaan.'

'Ik vroeg me af of je al iets wist over Ian Kanans achtergrond.'

'Kom je daarvoor om halfacht 's ochtends hierheen?'

'Ja.' Ze glimlachte. 'Nee.'

Ze duwde hem tegen de muur en kuste hem.

Hij zette grote ogen op. 'Heb je vandaag iets explosiefs gedronken in plaats van sinaasappelsap?'

'Heb je een lucifer?'

Vanuit de keuken riep een kind: 'Pap, de eieren branden aan.'

Jo hield hem nog een paar tellen vast. In de keuken hoorde ze spetterende eitjes in een pan en het ochtendnieuws op de televisie. In Gabes ogen zag ze spijt.

'Haal ze maar van het vuur, moppie,' riep hij.

Jo ademde uit en zette een stap naar achteren. Sophie, Gabes negenjarige dochter, stak haar hoofd om de keukendeur.

'Hoi, Jo.'

'Hoi, Sophie.'

Sophie had een verlegen glimlach en een lange, melkchocoladebruine vlecht. Ze droeg een blauw met grijs uniform van een parochieschool.

'Met geschiedenis hebben we het over het oude Egypte. Wist je dat koning Toet zonder zijn hersens is begraven?' vroeg ze.

'Zo deden ze dat toen.'

'Smerig, maar wel cool. Ik heb trek.' Ze wervelde rond als een ballerina en verdween in de keuken.

Gabe ging zachter praten. 'Ze moet om acht uur met de schoolbus mee. Ik moet weer verder.'

Jo veegde haar haar uit haar gezicht. 'Maakt niet uit. Ik heb toch meer tijd nodig om niet meer aan uniformen van katholieke scholen te denken.'

Hij hief zijn handen op. 'Nee. Dat beeld wil ik helemaal niet zien – ik wil me jou niet in het uniform van een parochieschool voorstellen.'

'Maar ik weet nog dat ik er een droeg en nu hoor ik alleen nog maar zuster Dominica, die het meisjeskoor voorzong bij "Holy Virgin, by God's Decree".' Ze streek met een vingertop over zijn lippen. 'Ik moet gaan.'

'Wat Kanan betreft, ik heb een vriend van de luchtmacht gebeld. Hij kent de mensen die het zouden moeten weten.'

'Mooi. Je weet waar je me kunt vinden.'

'Dat is mijn werk, meisje.'

Er stond nog een glimlach op haar gezicht toen ze zich omdraaide om naar de deur te lopen. In de keuken begon het plaatselijke nieuws.

'… namen van de slachtoffers nog niet bekendgemaakt, maar getuigen bevestigen dat brandweer- en reddingseenheden zijn uitgerukt naar het huis van Jared Ely, de directeur van computerspelbedrijf Elyctrica, en dat Ely een van de drie dodelijke slachtoffers van het bizarre ongeluk zou kunnen zijn.'

Met haar hand op de deurknop bleef Jo staan.

'Het onderzoeksteam wil niet zeggen hoe het ongeluk in het zwembad heeft kunnen gebeuren, maar er wordt gespeculeerd dat er bij een reparatie stroomkabels zijn blijven liggen die de zwemmers per ongeluk hebben geëlektrocuteerd.'

Jo zocht in haar tas naar haar telefoon. Tegen de tijd dat ze het toestel had gevonden, ging het al over.

Inspecteur Amy Tang draaide zich met haar telefoon aan haar oor om en keek uit over het terras van Jared Ely's fantastische, trendy huis, dat vanaf een heuvel bij het Presidio uitzicht over de baai bood. In het piepkleine zwembad, dat het huis waarschijnlijk een ton duurder had gemaakt, dreven inmiddels geen lichamen meer.

'Beckett?' zei ze. 'Weet je nog dat ik officieel niet betrokken was bij de zaak van je memoryman? Dat ben ik nu wel.'

Jo liep naar buiten om te voorkomen dat Sophie haar zou horen. 'Is Jared Ely dood?'

'En twee van zijn gasten ook. Op een of andere manier is het borreluurtje van gisteren op een elektrocutie uitgedraaid.'

'Wat is er gebeurd?'

'Naar wat ik uit de paniek en verwarring heb kunnen opmaken, heeft een van zijn werknemers een schakelaar omgezet waar hij van af had moeten blijven. Een blootliggende kabel kwam onder stroom te staan en veranderde het zwembad in een frituurpan. Ik neem aan dat er bij de naam Ron Gingrich wel een belletje gaat rinkelen.'

Jo leek wel tunnelvisie te hebben. Haar vingers waren koud. 'Bel je me uit beleefdheid?'

'Nee. Je moet met Gingrich gaan praten en uitzoeken waarom hij er zich niets van kan herinneren.'

Het verkeer op Lincoln Boulevard raasde langs Ian Kanan heen, anoniem, snel, voorruiten die glinsterend zonlicht weerspiegelden. Over het fietspad liep hij heuvelopwaarts. Onder hem beukte de branding op het zand van China Beach. Hij had een papiertje in zijn hand.

*Auto*, stond erop.

Een stadswoud van montereydennen en afbladderende eucalyptusbomen torende boven de oostkant van de weg uit. Dit deel van San Francisco was een rimboe van groene schaduw en vochtige kou. Ooit was het Presidio binnen het Amerikaanse leger een geliefde stationeringsplaats geweest. De afgedankte legerbasis vormde nu onderdeel van de Golden Gate National Recreation Area. Het was een verlaten gebied, mooi en leeg. Als je van de weg af ging en een paar diepe greppels overstak, vervaagde het geluid van het verkeer en bestond de wereld uit dennengeur, hoog gras en aarde.

Het Presidio was een wildernis van vijfhonderd hectare die aan de rand van een grote stad lag. Het gebied stond vol verlaten gebouwen, zoals de bouwvallige barak waarin hij de nacht had doorgebracht.

Hij wist dat hij in de barak had geslapen omdat er een foto van het gebouw in zijn telefoon stond. Hij kon zich er niets van herinneren. Nu liep hij naar een buurt met kapitale villa's, die op een steile rots in de verte was gebouwd. Hij was op jacht. De spelregels waren eenvoudig. Regel een vervoermiddel. Regel wapens. Zoek Alec op, en daarna de anderen.

Op zijn linkeronderarm piepte het laatste stuk van de boodschap onder zijn opgerolde mouw vandaan. Het woord, dat met een zwarte, watervaste stift was geschreven, leek naar hem te schreeuwen.

*Dood.*

Het was een koude dag. De wind blies de nevelslierten uiteen, maar van het licht van de ochtendzon kreeg hij het niet warm. Het was alsof hij een steek had opgelopen van het mes dat angst, verdriet en onherroepelijkheid heette.

Hij was moe en wilde onder de douche. Met zijn hand streek hij over zijn gezicht. Hij moest zich ook nodig scheren. Het leek wel of hij een week op de achterste rij van een jumbojet had gezeten. Hij voelde zich verloren, maar boven alles voelde hij zich leeg.

Hij wilde naar zijn gezin, maar dat kon pas als dit achter de rug was. Hij kon niet naar huis. Ze hielden zijn huis in de gaten. Hij wilde zijn leven terug, maar dat kon niet meer. Er was te veel misgegaan.

Alles was gestolen, ook zijn recente herinneringen. Hij herinnerde zich Afrika, de rivier en de flacon. Hij zag de helende sneeën op zijn onderarm en herinnerde zich de blinde paniek op Chuck Lesniaks gezicht.

Sindsdien herinnerde hij zich niets meer.

Maar hij wist dat de klus was mislukt. Nu liep hij in zijn eentje en met lege handen in de kou. Hij had het spul niet afgeleverd. Hij was van alle kanten bedonderd, vanaf het moment waarop Lesniak had besloten het spul te stelen, ervandoor te gaan en het voor nog meer geld te verkopen. Om de klus af te ronden, moest Kanan overgaan op zijn noodplan.

Bij de gedachte aan een confrontatie met Alec brak het klamme zweet hem uit.

Kanan stopte de gedachte diep weg en probeerde zich te concentreren. Hij had gemerkt dat dingen simpelweg... vervaagden als hij zich ergens door liet afleiden. En als hij zich probeerde te herinneren waaraan hij had gedacht, vergat hij waar hij op dat moment mee bezig was. Hij kon geen nieuwe herinneringen vormen, hij kon nauwelijks bijhouden waar hij was. Hij mocht zich niet laten afleiden. Hij moest zich op zijn doel concentreren.

Toch dwaalden zijn gedachten af en leek het of hij Misty hoorde lachen. Hij zag haar door de woonkamer lopen, met haar duim over haar schouder wijzen en tegen Seth zeggen: 'Hup, James Hetfield, zet je gitaar weg en maak je huiswerk, jongen.'

Seth had haar verbaasd aangekeken. 'Mam, sinds wanneer ken jij James Hetfield?'

Misty knikte als een headbanger en stak als een heavymetalfan haar pink en wijsvinger omhoog.

Seth bracht zijn handen naar zijn voorhoofd en kreunde: 'Zeg alsjeblieft dat je mijn moeder niet bent.'

Kanan had het uitgeschaterd. Er waren zoveel dingen die kinderen niet van hun ouders wisten.

Nu moest hij moeite doen om niet te huilen.

Hij keek op. Tot zijn verbazing liep hij over Lincoln Boulevard door het Presidio, op weg naar de dure huizen boven China Beach. In zijn rechterhand had hij een papiertje.

*Auto*, stond erop.

Eerst moest hij vervoer regelen, daarna wapens en daarna moest hij het lijstje afwerken. Hij zag hun namen op zijn arm staan, en daaronder: *dood.*

Het werd menens.

Tegen de tijd dat hij in de wijk op de heuvel was aangekomen, had de zon de mist weggebrand. De huizen zagen er peperduur uit, maar de straten waren rustig. Af en toe zoefde er een BMW over de keurig bijgehouden wegen, maar hij was de enige die buiten liep. De enige voetgangers op dit vroege tijdstip waren dienstmeisjes die van de bushalte naar hun werk liepen.

Met zijn handen in de zakken van zijn spijkerbroek kuierde hij door de straat. Op de oprit van een landhuis in Spaanse stijl stond een Ford Navigator met de kleur van opgedroogd bloed. De auto was uitgerust alsof de eigenaar een expeditie op Mars voorbereidde: een bullbar, verstralers, een bagagerek. Getinte ramen. Het enige wat ontbrak, was een machinegeweer op het dak.

Kanan slenterde erheen en hield vanuit zijn ooghoek de ramen van het huis in de gaten. Binnen was het donker en stil.

Hij liep de oprit op en bleef dicht bij de Navigator. Bij het voorwiel ging hij op zijn hurken zitten en streek hij met zijn hand onder de rand van de wielkast. Hij zocht met zijn vingers en – kijk eens aan. Hij vond het magnetische doosje met de reservesleutel. Voor oude rotten in het vak was de wielkast een beproefde bergplaats. Op het eerste gezicht was het misschien niet zo'n goed idee om daar een sleutel te verbergen, maar voor hem was het een meevaller. In het doosje zaten de reservesleutel en een sleutelhanger met een afstandsbediening voor het alarm en de startonderbreker. Kanan wist dat hij niet zomaar de sleutel in het contact kon steken, of de knop op de afstandsbediening kon indrukken en dan de sleutel in het contact kon steken. Bij dit voertuig moest alles in een bepaalde volgorde gebeuren. Als hij het verkeerd deed, was hij er gloeiend bij. Dan kon de politie hem opsporen, onder vuur nemen en hem dwingen met gespreide benen en zijn handen in zijn nek plat op de weg te gaan liggen.

Kanan liet de sleutel voorzichtig een stukje in het portierslot glijden tot hij een heel zacht klikje hoorde. Hij drukte op de afstandsbediening en zag de lichten knipperen. Hij schoof de sleutel verder in het slot en drukte nogmaals op de afstandsbediening. De Navigator liet een tjirpend geluidje horen.

Hij maakte het portier open, stapte in en startte de motor. De verwarming en de radio sprongen op volle sterkte aan. REM, 'Everybody Hurts'. Hij had het kunnen weten. De ironie was bitter als gal in zijn mond. *Everybody hurts...* Iedereen lijdt. Behalve de eigenaar van dit huis, de bestuurder van deze SUV, die hierboven een rustig leventje leidde waarin hem niets kon gebeuren. Hij stak zijn hand uit en zette de radio zachter.

Toen hij dat deed, zag hij de letters op zijn arm.

Even bleef hij hulpeloos zitten, alsof zijn keel was doorgesneden. Hij deed zijn mond open, maar hij kon geen lucht binnenkrijgen.

Overal in de stad bereidden mensen zich voor op een nieuwe dag. Kinderen ontbeten en pakten hun lunchpakketje in. Ze zwaaiden naar hun vader voordat ze naar school gingen. Seth niet. Vrouwen kusten hun echtgenoot voordat ze naar hun werk gingen. Misty niet.

Hij kon niet ademhalen. Stel dat hij hen nooit meer zag. Stel dat hij hen zag, maar niet meer wist wie ze waren. Hij liet het raampje zakken, maar zelfs met de wind en de blauwe hemel en de eindeloze oceaan vlakbij kon hij geen lucht krijgen.

Hij kon niet naar huis, hij kon niet bellen, hij kon hen niet bereiken. Zouden zijn vrouw en zoon denken dat hij hen in de steek had gelaten?

'Hou op. Concentreer je,' fluisterde hij.

Hij reed met volle vaart achteruit de oprit af. Daarna reed hij de ochtendzon tegemoet. Hij wist wie hij moest opsporen. *Alec.* Shepard was doel nummer één. De anderen kwamen later aan de beurt. Maar zelfs als hij de anderen doodde, zelfs als hij de anderen zou martelen voordat hij hen executeerde, zou Alec de ergste zijn, want als Kanan hem vond, werden ze geconfronteerd met de onvermijdelijke waarheid van zijn verraad.

Er klonk een ander liedje uit de radio. 'Breakdown' van Tom Petty and the Heartbreakers, koel en soepel. *Break down, go ahead and give it to me...* Ga door de knieën, toe, geef me mijn zin.

Dat leek er meer op.

# 12

'Laat die koffie maar zitten. Naar de garage. Nu.'

Murdock deed de deur open, keek naar Ken en Vance en gebaarde gebiedend met zijn duim. Ken sjokte door de deuropening. Zijn shirt spande zich om het vet rond zijn middel en om het geaderde vlees van zijn opgezwollen armen. Zijn puisten leken vuriger dan ooit.

'Ik had al gezegd dat Kanan onberekenbaar was,' zei hij. 'Hij is ontspoord en sleept ons in zijn val mee.'

'Kalm blijven,' zei Murdock.

De garage was koud en het licht van het kale peertje was onvriendelijk. Vance liep zenuwachtig om hen heen. 'Zijn we verneukt?'

Hij snoof en sjorde aan de gesp van zijn riem om zijn spijkerbroek omhoog te houden. Of misschien wilde hij wel voelen of zijn zaakje die nacht was weggeslopen zonder dat hij het wist.

Murdock schudde zijn kaalgeschoren hoofd. 'Concentreer je op het grote geheel. Wij hebben de troefkaarten in handen. Kanan komt over de brug.'

Vance veegde zijn neus af. 'Want als we verneukt zijn, wil ik weg. Gewoon een punt erachter. Ik ben het beu om te wachten. En ik verveel me kapot.'

Murdock keek even opzij naar Ken. 'Leg je neef uit wat onze taak is.'

Ken maakte met zijn tong een zuigend geluid achter zijn tanden. 'We gaan posten op de plaatsen waar Kanan waarschijnlijk opduikt. Jij gaat zijn huis in de gaten houden.'

Vance verschoof de blauwe bandana, die als een piratendoek om zijn hoofd was gebonden. 'Je zei toch dat dit niet fout kon lopen?'

Ken keek hem onvriendelijk aan.

Ken was dan misschien wel een pessimist, maar hij was ook een professional. Vance, daarentegen, was een knullige amateur. Het was de bedoeling dat hij de kneepjes van het dievenvak van Ken zou leren, maar Murdock zag dat zelfs Ken aan de capaciteiten van zijn neef twijfelde. En dit was een klus waarbij ze zich geen fouten meer konden veroorloven.

'Hou je blik op de buit gericht,' zei hij. 'Dat lab in Zuid-Afrika heeft wonderspul in een flesje gestopt, en Kanan heeft het in zijn bezit.'

'Waarom heeft hij het dan nog niet aan ons gegeven?' vroeg Vance.

'Hou op met dat zenuwachtige gedoe.' Hij kwam een stap dichter bij Vance. 'Besef je wel wat een voordeel het is om dit spul te krijgen? Dit is heel wat anders dan vuurwapens of C-4 aan het buitenland verkopen. Dit is krankzinnig makkelijk te vervoeren. We hoeven geen vrachtwagen of een scheepscontainer te hebben. Dit spul kun je gewoon in je zak meenemen. Het is de buit van je leven.'

Ken wreef over zijn neus. *Ja, kan best wezen*, dacht Murdock, *maar het is ook verdomd gevaarlijk spul.* Maar dat maakte het juist zo ongelooflijk waardevol.

Hij wees met zijn vinger naar Vance. 'Hiermee word je een *bad ass* die je stoutste dromen vol vuurwapens en lekkere wijven overtreft. Dit spul is het echte werk. Het is megabusiness, en we staan op het punt de enige dealers ter wereld te worden.'

Vance haalde zijn schouders op en veegde zijn neus weer af. 'Ja. Cool.'

Murdock knikte naar Ken. 'Bel Verkoop. Het heeft geen zin om de veiling nog langer uit te stellen. Kanan komt vandaag hoe dan ook met het spul over de brug.'

Hij spreidde zijn armen. 'We worden de heersers van de angst.'

In een zijstraat in de Haight stond Amy Tang met de telefoon aan haar oor bij het appartementengebouw van Ron Gingrich te wachten. De bries tilde Jo's haar van haar kraag en blies het omhoog rond haar gezicht. Ze knoopte haar jekker dicht en stak op een drafje de straat over naar het gebouw, dat magentakleurig was geschilderd.

Tang, die niets van de signaalkleuren in die buurt moest hebben, droeg een zwarte spijkerbroek, een zwarte trui en zwarte laarzen. Ze zag eruit alsof ze bij een Baby Gap voor goths had gewinkeld.

Ze stopte haar telefoon weg. 'Ik heb Gingrich verteld dat zijn baas dood is. Hij zit boven als een klein kind te janken. Ik wil van jou horen of hij een toneelstukje opvoert.'

Achter Tang zaten drie smoezelige tieners onderuitgezakt op de stoep te bedelen. Een van de meisjes stak haar rechterhand uit om geld aan te nemen, hield met haar linkerhand haar mobieltje tegen haar oor en voerde een telefoongesprek. Op het kartonnen bordje bij haar voeten stond: WEES BLIJ DAT IK GEEN STRAATHOER BEN.

Jo en Tang liepen over een krakende trap naar het appartement op de tweede verdieping waar Ron Gingrich met zijn vriendin woonde. Bij de deur stond een geüniformeerde agent van de SFPD. Het appartement was klein, een beetje rommelig en zag er vriendelijk uit. Gebatikte doeken bedekten de doorgezakte bank. Op de televisie en boekenplank stonden graslelies, en de muren waren versierd met posters van Hendrix en de Grateful Dead. In de keuken rook het naar gebakken eieren met spek.

De vriendin van Gingrich, Clare, was mager en nerveus, evenals de drie chihuahua's die als opspattend vet in een braadpan om haar heen stuiterden.

'Bent u psychiater?' vroeg ze. 'Vertel me alstublieft wat er met hem aan de hand is.'

Gingrich zat op een zitzak bij het erkerraam in de woonkamer, gekleed in een sportbroekje en een T-shirt van Metallica. Zijn paardenstaart was vettig. Zijn ogen, die het professioneel worstelen op tv volgden, waren helder.

Clare en de honden liepen naar hem toe. 'Ron, liefje, de dokter is er voor je.'

Gingrich keek vriendelijk op. 'Hé, u bent de psych uit het vliegtuig.' Hij stond op. 'Man, wat een idiote ervaring. Hebt u die vent uiteindelijk opgenomen?' Hij stak zijn hand uit naar Tang. 'Ik ben Ron.'

Tangs mond verstrakte. 'We hebben een paar minuten geleden kennisgemaakt.'

Er gleed een verwarde blik over het gezicht van Gingrich. 'Natuurlijk. Komen jullie me ondervragen over het gevecht in het vliegtuig?'

'Nee,' antwoordde Jo. 'Over Jared.'

'Bel hem maar even. Hij zal met alle plezier met jullie praten. Hij is wel rijk en zo, maar je hoeft hem niet via mij te benaderen. Hij is heel toegankelijk.'

Tang verplaatste ongemakkelijk haar gewicht van het ene been op het andere en keek naar Jo.

'Willen jullie koffie? Clare, schatje, hebben we nog van die Colombiaanse?' Gingrich glimlachte en liep naar de keuken. 'We hebben nog niet gegeten – hebben de dames zin om te blijven ontbijten?'

Clares gezicht leek wel een masker. 'Hij heeft een halfuur geleden drie eieren, toast en spek gegeten. Een kwartier geleden heeft hij nog eens drie eieren gegeten.'

Fluitend pakte Gingrich een koekenpan, die hij op het fornuis zette. 'Hoe willen jullie je eieren, dames?'

Jo keek niet naar Tangs fronsende blik en liep de keuken in. 'Ron, wacht even.'

'Wilt u geen eieren?'

'Ik moet het over Jared hebben.'

'Mij best, maar vanwaar die ernst?' Zijn ogen waren rood, maar keken niet zorgelijk. 'Wat is er aan de hand?'

'Het gaat over het feest dat hij gisteravond heeft gegeven.'

'Gisteravond?' Hij glimlachte, maar zijn gelaatsuitdrukking was vaag. 'Dat kan niet.'

'Heb je die elektrische schakelaar in het schuurtje omgezet?' vroeg Jo.

'Dokter, ik denk dat u in de war bent. Ik ben net terug uit Londen.'

'Ron, Jared is dood.'

Hij stond abrupt stil, met een ei in zijn hand. Even zag hij eruit alsof hij een harde klap tussen zijn ogen had gekregen. Daarna liet hij zich tegen het fornuis zakken. Hij zocht naar steun en drukte het ei tegen het aanrecht kapot.

'Nee. Hoe kan... O, jezus.' Hij keek naar zijn vriendin. 'Clare, Jared is... O, god.'

Hij liet zich langs het aanrecht op de grond zakken en barstte in tranen uit.

Jo's blik viel op de rode snee op zijn onderarm. Het leek wel of er met een botte spijker over zijn huid was gekrast.

'Ron?' vroeg ze.

Hij bedekte zijn hoofd met zijn handen.

Jo wendde zich tot Clare. 'Hij moet naar het ziekenhuis.'

Ze pakte haar telefoon en belde neuroloog Rick Simioni.

Kanan reed met de roodbruine Navigator het terrein van de jachthaven op. De baai was bespikkeld met schuimkoppen, en Alcatraz stak flauw af in de ochtendnevel. Hij reed naar het woud van zeilbootmasten en tuurde rond of de kust veilig was.

Hij ging te werk volgens een eenvoudig principe: blijf in leven, ga van het ergste uit, hou rekening met een hinderlaag. Op een vuurbasis van de Amerikaanse marine had hij eens een bordje op een deur zien hangen: ZORG DAT JE IEDEREEN DIE JE VANDAAG ZIET ZOU KUNNEN DODEN. Het was een passend advies.

Hij reed verder, op zijn hoede voor auto's of mensen die hier niet thuishoorden. Op het dashboard waren twee zelfklevende memobriefjes geplakt. Op het eerste stond: *auto, wapens, Alec, de anderen*. Het woord auto was doorgestreept. Daar reed hij in. Op het tweede briefje stond: *Somebody's Baby*.

De stem van het navigatiesysteem zei: 'Bij de volgende gelegenheid keren.'

Hij keek op. Hij stond in de jachthaven van San Francisco en tuurde door de voorruit naar de Golden Gate Bridge.

Hij keerde de auto, reed terug naar de boten, parkeerde en stapte uit. De lucht had een vrolijke, spottende blauwe tint, maar de pijnbomen huiverden in een melancholieke wind. Hij zette de kraag van zijn spijkerhemd op en liep naar de aanlegplaatsen.

Hij voelde de dolk die hij in zijn laars had gestopt. Er zat een steen op de plaats waar zijn hart moest zitten, massief en zo warm dat hij heel even nauwelijks kon ademhalen.

*Stel je niet aan*, zei hij tegen zichzelf. Vergeet het verraad, maak de klus af en spoor ze op.

De jachthaven zag er vol uit – op de baai waren slechts een paar zeilen zichtbaar. De mensen die hier een ligplaats hadden, zwoegden in het zakendistrict of Silicon Valley zestien uur per dag om hun speeltjes van honderdduizend dollar te bekostigen.

In de verte zag hij *Somebody's Baby*. Haar romp van glasvezel glansde in de zonneschijn. Hij sprong aan boord, liep het trappetje af en forceerde het slot op de kajuitdeur.

Ken Meiring zat in het zwarte busje en zag de Navigator langsrijden, twee keer, drie keer – jezus, hoe vaak wilde die kerel het parkeerterrein nog rond rijden? Uiteindelijk keerde de Navigator om en reed hij terug. Ian Kanan stapte uit en liep naar de boten.

Meiring kwam uit de auto en liep achter hem aan.

De kajuit van *Somebody's Baby* was verzorgd en stil. Er was niemand aan boord. Kanan liep naar de kombuis, haalde een bos sleutels en maakte een kast open die in de zitbank tegen de wand was gebouwd.

'Verdomme.'

Geen wapens. Geen pistool, geen geweer, niet eens het signaalpistool van de boot. Iemand had ze meegenomen. Ontzet staarde hij voor zich uit.

De boot schommelde, en boven zijn hoofd hoorde hij piepende schoenen op het dek.

Vlug trok Kanan zich terug in de kombuis. Hij trok de halve deur een stukje dicht en ging er op zijn hurken achter zitten. De piepende schoenen kwamen de trap af. Ze klonken zwaar, als hoge schoenen met rubberen zolen. Ze stonden stil.

Kanan keek om de halve deur heen. In het midden van de kajuit stond iemand met zijn rug naar hem toe. Hij was een man van achter in de dertig, blank, gebouwd als een vrieskast. Om zijn middel zaten rollen vet, alsof hij uit ossenwit was geboetseerd. Zijn nek was vuurrood van de groteske puisten die het gevolg van steroïdenmisbruik waren. In zijn rechterhand had hij een automatisch HK-pistool.

Kanans huid prikte van de adrenaline. Een onbekende met een vuurwapen. Een van hén?

Hij schatte zijn kansen in. De man zag er traag uit. Hij had zijn rug naar de kombuis gedraaid zonder hem eerst te doorzoeken. Als hij een professional was, was hij niet op zijn scherpst.

Maar dat was Kanan ook niet. Deze vetklep had hem opgewacht, en Kanan had hem niet gezien.

Ze bevonden zich in een kleine ruimte, en de man was drie stappen en een halve seconde van hem verwijderd. Kanan zette kracht, gooide de deur open en sprong.

De man hoorde hem en wilde zich omdraaien. Kanan raakte de linkerknie met zijn rechterbeen en sloeg hem met zijn vlakke hand op de ruggengraat, tussen de schouders. De man viel naar voren. Zijn hoofd sloeg tegen de rand van de bank en hij plofte als een homp vlees op de grond. Kanan stampte op zijn rechterhand en pakte het wapen van hem af.

Hij ging met zijn knie op de rug van de man zitten en duwde de loop tegen zijn schedel. 'Wie ben jij?'

Op geschokte toon antwoordde de man: 'Dit is mijn boot.'

'Niet waar. Wat doe je hier?'

De man staakte zijn toneelstukje. Tussen zijn samengeklemde tanden door werd zijn stem ruwer. 'Je zit in de nesten. Je hebt het spul niet geleverd en de deadline nadert.'

Kanan schoof zijn knie omhoog naar de nek van de man en zette zijn gewicht erop. 'Waar zijn ze?'

Het gezicht van de man werd rood. 'Je moet het spul leveren.'

'Wil je hier nog levend wegkomen? Vertel op.'

'Het spul. Anders kun je me de rug op.' De man bracht een hand naar zijn keel. 'Lucht… Ga van me af.'

Kanan bracht zijn arm als een slagman naar achteren en mepte met het pistool tegen het voorhoofd van zijn slachtoffer. De huid van de man barstte open en er verscheen een wazige blik in zijn ogen. Een slipspoor van bloed gutste uit de snee. Zijn hoofd viel slap op de grond.

Kanan doorzocht zijn zakken en vond een rijbewijs en een mobiele telefoon. De man heette Ken Meiring. Hij scrolde langs de telefoonnummers die met de mobiele telefoon waren gebeld.

*Murdock.*

*Vance.*

Een nummer met kengetal 650.

Kanan hield zijn hand stil. Hij kende dat nummer. Wat was dat nu?

Hij scrolde verder. Het nummer verscheen nog eens, en nog een keer, en nog een keer.

'O god,' zei hij. Hij had zich al afgevraagd wie hierachter zat. Maar hij had nooit gedacht dat... 'Jezus.'

Onder hem dook Meiring kreunend in elkaar, en er sijpelde speeksel uit zijn mond. Kanan duwde met het gewicht van zijn knie op Meirings nek. Terwijl hij dat deed, activeerde hij met zijn hand de fotofunctie van de camera. Een opgeslagen kiekje verscheen in beeld.

Het was een foto van Seth.

Met open mond staarde Kanan ernaar. Een kiekje van Seth op zijn fiets, op weg naar school.

De massieve steen in zijn borst leek te branden. 'Heb jij mijn zoon gestalkt? Heb jij hem hierbij betrokken?'

Onder hem lag Meiring met opgetrokken lippen te worstelen, en kreunend probeerde hij zich los te wurmen. 'We kunnen nog steeds allemaal tevreden naar huis. Verpest het niet.'

Seth. Zijn zoon. Kanan kon nauwelijks uit zijn ogen kijken. Zijn stem brak als een gebarsten porseleinen kom. 'Zeg waar ze zijn of ik maak je af.'

Meiring haalde uit met zijn been en probeerde Kanans arm te grijpen. 'Als je mij vermoordt, kun je het wel vergeten.'

Kanan drukte de loop van het pistool tegen Meirings slaap. 'Zet dat "tevreden naar huis" maar uit je hoofd. Wil je überhaupt nog naar huis? Vertel op, dan.'

Meirings blik flitste naar het pistool, dat niet op veilig stond, en naar de trekker, waar Kanans vinger omheen lag.

'Niet – jezus, oké, ik... Ze zijn op het schiereiland.'

'Waar?'

'Ik breng je er wel naartoe.'

'Waar?'

'Vergeet het maar.'

In een flits zag Kanan de link. Het bekende nummer in Meirings mobieltje. Op het schiereiland. Jezus christus.

'Vlak bij San Antonio Road in Mountain View,' zei hij effen.

Meiring zette grote ogen op.

*Shit.* Dat was het adres. Een oude bungalow, ogenschijnlijk in gebruik als huurhuis – maar deze mensen gebruikten hem als schuiladres. Dat was waar alles begon en eindigde.

Opeens begon hij vreselijke haast te krijgen. Hij moest erheen. En hij moest het opschrijven voordat hij het vergat.

'San Antonio Road in Mountain View. San Antonio Road...'

Hij keek rond of hij het ergens kon opschrijven. Hij strekte zich uit en stak zijn hand uit naar een la. Onder hem begon Meiring te brullen. Bokkend als een beest bracht hij hem uit zijn evenwicht. Kanan viel tegen de bank, Meiring rolde zich op zijn zij en begon als een waanzinnige te stompen. Kanan worstelde hem op zijn rug, sloeg zijn dijen om Meirings hoofd en hield hem in een verbeten worstelgreep vast.

'San Antonio Road in Mountain View,' zei hij.

Hij trok een la open, waaruit allerlei troep viel. Met zijn linkerhand pakte hij een stift. Meiring bromde en probeerde met zijn voeten grip te krijgen. Kanan kneep zijn benen om Meirings nek en trok met zijn tanden het dopje van de stift. Meiring kreunde, zette zijn hielen schrap en kromde zijn rug. Zijn vuisten maaiden rond en sloegen tegen Kanans benen.

Kanan drukte de stift op de glasfiber vloer en schreef: *San An...*

Met een gesmoorde brul wist Meiring zich aan de hoofdgreep te ontworstelen. Kanan bracht het pistool omhoog, maar Meiring gaf hem een elleboogstoot in het gezicht, sprong overeind en rende de trap op.

*Hou de woorden vast, hou ze vast* – jezus, hij had Meiring nodig, springlevend en spraakzaam, want zelf zou hij het vergeten. Meiring wist alles en nam nu de benen.

Kanan krabbelde overeind. Boven hem rende Meiring struikelend over het dek. Zijn voet bleef achter een kikker haken en hij verloor zijn evenwicht. Hij strompelde naar de rand van de boot en probeerde op de steiger te springen, maar hij sprong mis.

Met een schreeuw verdween hij uit het zicht.

Kanan hoorde een plons. Vanuit de deuropening van de kajuit keek hij naar het lege dek en de blauwe hemel. Het zonlicht prikte in zijn ogen. Boven hem vlogen schreeuwende meeuwen. Hij zette zijn hand tegen de wand van de kajuit om zijn evenwicht te bewaren.

Waar was hij?

Hij stond stil en oriënteerde zich. Hij was aan boord van *Somebody's Baby*.

Hij had een HK-pistool in zijn hand. De deur naar de kajuit was geforceerd en er was een la op de grond gegooid. Hij was buiten adem en zijn schouder deed pijn, misschien wel van het openbreken van de deur. Hij herkende het pistool niet, maar misschien had het wel in de la gelegen. Hoe dan ook, hij kon het wel gebruiken. Hij haalde het magazijn eruit, dat vol bleek te zijn. Hij ontlaadde het wapen en stopte het magazijn terug.

Buiten hoorde hij gespetter en een angstige kreet.

Hij rende de trap op naar het dek. Toen hij zich over de reling boog, zag hij onder zich een wanhopig kijkende man in het water liggen.

De man was zwaargebouwd en had een bloedend voorhoofd. Hij worstelde zich naar de boot en sloeg tegen de romp, in de hoop dat hij ergens grip op kon krijgen. Hij zonk onder water en kwam sputterend boven.

Net als die ellendige Chuck Lesniak in de Zambezi, klauwend met zijn handen om weer aan boord van de jetboot te komen.

'Hou vol,' zei Kanan.

Hij aarzelde even, maar trok toen zijn spijkerhemd uit, stopte het pistool en zijn telefoon in de mouwen en legde alles op het dek. Hij knielde, strekte zijn arm uit en greep de kraag van de man.

'Rustig maar. Ik heb je.'

Tot zijn grote schrik liet de man een schreeuw horen. Kanans arm werd met twee handen beetgepakt en hij werd overboord getrokken.

Kanan viel met zijn gezicht naar beneden en plonsde in het water, dat zo koud was dat het wel leek te branden. Toen hij happend naar adem boven kwam, zag hij het woeste gezicht van de onbekende, die als een onbestuurbare vrachttrein op hem afkwam.

De man was een van hen.

Hij greep Kanans haar beet, en als een sloopkraan die met zijn grijparm zwaaide, sloeg hij zijn arm om Kanans hals. Samen verdwenen ze onder water.

Knieën, ellebogen, vingers, een enorme kracht die op Kanans luchtpijp werd uitgeoefend. Ze zonken en draaiden, hun benen verstrengelden zich. De greep van de man was verpletterend.

Het werd steeds donkerder. Onder het oppervlak had het water de kleur van steenkool. Zijn longen en botten en huid schreeuwden het uit. *Lucht.*

Hij vocht tegen de paniek, bracht zijn knie omhoog en stak zijn hand in de zijkant van zijn laars. In het water voelde zijn arm traag aan. Vanaf de randen van zijn gezichtsveld kwam de nacht naar hem toe, grijs en daarna zwart rond zijn ooghoeken, een tunnel die werd samengedrukt tot één punt midden op de buik van zijn forse tegenstander. Hij haalde de dolk uit zijn laars.

Hij ramde zijn arm naar voren, naar het laatste grijze puntje daglicht in het midden van zijn gezichtsveld.

Het lemmet sneed door kleding en huid, door vet en fascia en spieren, tot diep in het lichaam. Met een guts werd het water rond Kanans hand warm. De greep van de dikke man gleed van zijn hals.

De warmte verspreidde zich in het water. Kanan trok het mes terug, duwde de man van zich af en zwom naar het wateroppervlak. Boven hem was de zon een flauw speldenprikje.

Hij had een scherpe pijn in zijn longen. Omdat hij er niet meer tegen kon vechten, ademde hij in. Zijn lippen, neus en ogen braken door het wateroppervlak heen. Proestend zonk hij weer weg onder de waterspiegel. Hij trapte met zijn benen. Deze keer kwam hij boven en bleef hij boven, happend naar zuurstof. Het leisteengrijze gat aan het einde van de tunnel werd lichter en breidde zich uit tot donker water en de glanzende witte romp van de boot. Hij greep de landvast beet.

Een pluim van bloed maakte het water troebel.

Geen luchtbellen. De laatste adem was al uit de longen van de man ontsnapt en naar boven gedreven om weer in de atmosfeer op te gaan.

Hij liet de landvast los en zwom door het ijskoude water naar de andere kant van de zeilboot. Hij dook een aantal keren onder water om het bloed van de dikke man van zich af te wassen. Hij beklom de ladder van de boot en vond zijn spijkerhemd op het dek. Zijn telefoon en een pistool waren erin gewikkeld.

Hij trok het hemd aan en stopte zijn telefoon in de borstzak. Daarna propte hij het pistool achter in de tailleband van zijn broek. De dolk liet hij weer in zijn laars glijden.

Hij sprong naar de steiger en liep huiverend van de zeilboot weg. Op de parkeerplaats zag hij een rode Navigator staan. Hij had sleutels in zijn zak, die de portieren ontgrendelden.

Klappertandend ging hij bij de Navigator staan en trok hij zijn spijkerhemd en het doorweekte t-shirt van Fade To Clear uit. Op zijn armen stond van alles geschreven. Een deel van de inkt was uitgelopen. In het handschoenenkastje vond hij een stift, waarmee hij elke letter overschreef, heel langzaam, tot alle woorden en namen heel duidelijk en scherp en zwart waren.

D. o. o. d.

Hij staarde naar het woord. Als hij zijn vrouw en zoon ooit terugzag, zouden ze het dan begrijpen? Kon hij met 'ik heb dit voor jullie gedaan' voorkomen dat hij het bij hen had verprutst?

Hij had een auto. Hij had een mes en een pistool. Hij wenste goddomme dat hij enige informatie had.

Hij stapte in de Navigator en startte de motor.

# 13

Met haar telefoon aan haar oor ijsbeerde Jo door de hal van de afdeling radiologie in het San Francisco General. Tang ijsbeerde de andere kant op, bijtend op haar duimnagel. De vriendin van Ron Gingrich, Clare, leunde tegen de muur en zag hen als stipjes in een spelletje Pong heen en weer gaan.

Jo beëindigde haar gesprek. 'Bij Chira-Sayf kan ik nog steeds niemand aan de lijn krijgen die goed geïnformeerd is. Ik ga erheen.'

Tangs gezicht zag eruit als een gebalde vuist. 'Leg die mensen het vuur na aan de schenen. Zoek uit wat ze in hun lab brouwen en of Kanan dat spul rondstrooit. Laat je niet met een kluitje in het riet sturen. Val aan, val aan, val aan.'

'Bel me als je iets hoort over de MRI.'

Clare had haar armen strak rond haar lichaam gevouwen, als een klein kind. 'Wat is er met Ron aan de hand?'

'Dat kan ik niet met zekerheid zeggen. Laten we hopen dat het niets ernstigs is,' zei Jo.

Toen ze wegliep, voelde ze zich een leugenaar.

Veertig minuten later reed ze met de Toyota Tacoma het terrein van het hoofdkwartier van Chira-Sayf Incorporated op. Het bedrijf was gevestigd in een viertal gebouwen van zandsteen en rookglas op een bedrijventerrein in Santa Clara. De berken begonnen net uit te lopen en de parkeerplaats stond vol glanzende nieuwe auto's. Op het keurig aangelegde grasveld stond een blok steen waaruit de naam CHIRA-SAYF was gehouwen. Dat straalde bestendigheid uit, of een overmoedige president-directeur die te veel cash tot zijn beschikking had.

Het hoofdgebouw was koel, rustig en minimalistisch ingericht. De receptioniste vroeg haar te wachten.

Jo keek om zich heen. Geen stoelen, geen plaats om te gaan zitten. Geen planten, alleen een esoterisch aangelegde rotstuin. Het enige wat er gastvrij uitzag, was een rek met brochures: dik, glanzend promotiemateriaal over het bedrijf. Haar Chinese kennissen zouden zich helemaal kunnen uitleven op de feng shui van het gebouw.

Jo ijsbeerde. De airconditioning zoemde als een mantra, en na tien minuten haalde ze een brochure uit het rek. Misschien kon ze tijdens het wachten origami vouwen. Een hele menagerie van zwanen, veldmuizen en nanobots creëren.

'Dokter Beckett.'

Bij het geluid van klakkende hakken keek Jo op. Een vrouw van tussen de veertig en vijftig kwam met samengeklemde handen de hal in. Ze had een vierkant gezicht, een vierkant figuur, loshangend blond haar. En een blik in haar ogen als een strandjutter die een dreigende golf op zich af ziet rollen.

Jo wist dat de meeste mensen niet blij waren als ze aankwam met de mededeling: 'Goedemorgen, ik werk aan een psychiatrische beoordeling van een van uw werknemers, die door de politie wordt gezocht.' Ze glimlachte en stak haar hand uit. 'Mevrouw Calder?'

De vrouw gaf haar vluchtig een hand, alleen met haar vingers. 'Volgens mij heeft mijn secretaresse u gevraagd om met onze personeelsfunctionaris te praten.'

Calders stem klonk ijl nu ze tegenover haar stond, en Jo hoorde een vleugje van een zuidelijk accent. Jo reageerde met een opgewekt, overtuigend stemgeluid.

'Het is beter om rechtstreeks naar de bron te gaan en Misty Kanan wist heel zeker dat u dat was. Ik kan later altijd nog met personeelszaken praten.'

Calder aarzelde, ogenschijnlijk verbluft dat ze Jo niet had afgepoeierd. Ze schraapte haar keel. 'Juist.' Tegen de receptioniste zei ze: 'Ze is bij mij, Jenny. Schrijf haar naam op. Geen telefoontjes.'

De receptioniste keek de vrouw scherp aan. Jo klemde een bezoekerspasje aan haar blauwe bloes en volgde Calder door de hal naar een vergaderkamer. Calder deed de deur dicht en gebaarde dat Jo aan de vergadertafel mocht plaatsnemen.

'Ian Kanan is geen werknemer van Chira-Sayf,' zei ze.

'Pardon?'

Calder ging tegenover Jo zitten en legde haar handen plat op de mahoniehouten tafel. 'Hij is een particuliere beveiliger. Chira-Sayf huurt hem per dag in. Technisch gesproken is hij eigen baas.'

Jo hoorde in haar hoofd het geluid van riempjes die werden vastgemaakt, waarschijnlijk afkomstig van het kogelvrije vest dat Calder aantrok. Een vest waarop al Jo's aanvallen zouden afketsen.

'Mevrouw Calder, ik ben hier niet om u te ondervragen. Ian Kanan wordt vermist en hij is ernstig ziek. Ik probeer hem te vinden.'

'U werkt voor de politie. Ik neem aan dat u informatie verzamelt die u eventueel in een rechtszaak wilt gebruiken.'

*Een rechtszaak tegen Chira-Sayf*, bedoelde ze. Ze was bang voor aansprakelijkheid, slechte publiciteit of iets ergers.

'En zelfs als hij hier werkte, verbiedt de Wet Bescherming Persoonsgegevens me om zonder dagvaarding personeelsgegevens vrij te geven.'

'Ik heb zijn personeelsgegevens niet nodig. Ik moet praten met mensen die hem kennen en uitzoeken waar hij kan zijn.'

'De politie waarschuwde ons dat Kanan gewelddadig kan zijn. We moeten nieuwe veiligheidsprotocollen instellen en bescherming voor het kantoor en de leidinggevenden regelen.' Haar ogen waren smalle streepjes in haar vierkante gezicht. Ze ontweek Jo's blik. 'We weten niet waartoe Kanan in staat is. De mensen zijn bang.'

'Dat begrijp ik, maar ik sta aan uw kant. Ik probeer Kanan van de straat te halen.'

Calder duwde haar handen op het tafelblad en staarde naar de lucht rond Jo's hoofd, alsof ze een stralenkrans of fladderende vleugels zag. 'Ik denk niet dat iemand met u wil praten.'

'Niet? Laten we het dan eens over de onderneming hebben.' Jo sloeg de brochure van het bedrijf open. 'Met welke nanotechnologische specialisaties houdt Chira-Sayf zich bezig?'

'Ik begrijp niet waarom dat relevant is.'

'Ontwikkeling van chips? Medische toepassingen?'

Ze bladerde door de brochure en zag foto's van in het wit geklede technici die in een steriele productieomgeving werkten. Wetenschappers in witte jassen. De president-directeur, Alec Shepard, die met een been op de rand van zijn bureau zat. Hij was een breedgebouwde man van achter in de veertig, met een indringende blik, een grijzende rode baard en een glimlach alsof hij over het hele universum heerste.

Op de volgende bladzijde stond een laboratorium op een andere plaats – rood zand, warm klimaat. Leeuwen. Jo fronste haar wenkbrauwen.

'Het spijt me, ik kan geen inhoudelijke mededelingen doen over ons bedrijf,' zei Calder.

Jo keek vluchtig op van de brochure. 'Het kan zijn dat Ian vergiftigd is. Ik moet weten of hij tijdens zijn werk voor Chira-Sayf besmet kan zijn geraakt.'

'Besmet? Nee – dat is onmogelijk. Niet door zijn werk. Hij is hier al bijna twee weken niet meer op kantoor geweest.'

'Dat weet ik. Hij is op zakenreis geweest naar het Midden-Oosten en Afrika. Ik probeer te achterhalen waar hij is geweest, omdat ik wil weten waar en hoe hij met een giftige stof in aanraking is gekomen.'

'Maar dat kan overal geweest zijn. De wereld is gevaarlijk. Mensen willen ons intellectueel eigendom en de materialen waarmee we werken stelen. In een van onze laboratoria hebben inbrekers de koperen bedrading uit de muren getrokken. Gewoon met breekijzers de scheidingswanden kapot gehakt en de telefoondraden eruit gerukt.'

'Was dat het lab in Zuid-Afrika? Dit gebouw?' Ze draaide de brochure naar Calder toe. 'Zijn er nog meer dingen gestolen?'

Calder staarde met grote ogen naar de brochure. Jo bleef haar vriendelijk aankijken, maar vroeg zich af waardoor Calders interne geigerteller was gaan tikken.

'Het doet er niet toe. Die brochure is verouderd.' Calder stak haar hand uit. 'Geeft u die maar aan mij, dan zal ik wat recentere informatie voor u halen.'

'Dat hoeft niet.' Jo stopte de brochure in haar tas. 'Heeft Ian het naar zijn zin bij Chira-Sayf? Heeft hij problemen gehad?'

Calder bekeek de tas zoals Gollem naar zijn Lieveling keek. 'Het spijt me. Ik kan u niets vertellen. Ian is gewoon een van onze medewerkers. Ik zie hem niet zo vaak.'

'Ik dacht dat u zijn baas was.'

Calder fronste, alsof ze zojuist over een barst in het trottoir was gestruikeld. 'Niet zijn directe baas. Ik heb u al uitgelegd dat hij een particuliere beveiliger is. Hij valt buiten onze bedrijfsstructuur.'

'Hij is een eenling.'

Een spiertje in haar wang trilde. 'Zo zou je het kunnen zeggen.'

'Voor wie werkte hij voordat hij bij Chira-Sayf kwam?'

'Dat zou ik moeten opzoeken.'

Jo voelde haar bloeddruk stijgen. 'Mevrouw Calder, is Ian door zijn reis naar Zuid-Afrika vorige week in gevaarlijke situaties terechtgekomen?'

'Daar kan ik u niets over vertellen. Ik ga niet over zijn buitenlandse reizen.'

'Wie dan wel? Met wie moet ik praten? De afdeling reizen? Techniek?'

'Het spijt me. Ik kan u niet helpen.'

Jo legde haar handen plat op de tafel en telde langzaam tot tien. 'In dat geval wil ik Alec Shepard spreken.'

Calder sprong op alsof iemand een hand onder haar rok had laten glijden. 'Dat kan niet. Hij is niet op kantoor.'

'Dan wacht ik tot hij terugkomt.'

'Dokter Beckett, u verdoet uw tijd. U moet met Ians vrienden en familie gaan praten om erachter te komen waarom hij... labiel is geworden. Ik kan u verder nergens mee helpen.' Ze liep naar de deur en maakte hem open. 'Het spijt me.'

'Mij ook.'

Calder liep met Jo mee naar buiten. Toen Jo in haar auto stapte, keek ze achterom naar het gebouw. Achter het blauwe glas stond

Calder, die haar handen als een uitvaartondernemer voor haar lichaam had samengeknepen.

Jo pakte haar telefoon en toetste een nummer in.

'Chira-Sayf,' zei de receptioniste.

'Alec Shepard, alstublieft.'

De receptioniste verbond haar door. Shepards secretaresse nam op. Jo vertelde wie ze was en vroeg of ze hem kon spreken.

'Hij is vandaag niet op kantoor. Mag ik vragen waar het over gaat?'

'Het is erg dringend. Ik maak voor de politie van San Francisco een psychiatrische beoordeling van Ian Kanan op.'

Het bleef even stil. 'Ik verbind u door met onze juridische afdeling.'

In haar hoofd hoorde Jo weer het geluid van een werknemer van Chira-Sayf die zich in een kogelvrij vest hees om aanvallen af te weren.

'Zegt u maar tegen meneer Shepard dat ik uitzoek of Kanan hem wil vermoorden. Vraagt u maar of hij mij belt.'

Het bleef nog langer stil. De secretaresse schreef Jo's nummer op. 'Dank u wel.'

Ze verbrak de verbinding en stak haar hand uit naar het contactsleuteltje, maar vervolgens bleef ze een paar tellen aarzelend naar de chique gebouwen van het bedrijf staren. Uit haar tas pakte ze de brochure van Chira-Sayf.

Ze bladerde erdoorheen. Waarom had Riva Calder zo nerveus gereageerd en haar een andere folder willen geven? De tekst was bedoeld om het bedrijf aan te bevelen. Nanotechnologie is onze toekomst. Voetbalmoleculen van deze wereld, verenig u. Er stonden foto's in van blije, glimlachende werknemers van Chira-Sayf, ijverige mensen aan het werk, bezig om de magie van de eenentwintigste eeuw te creëren.

Ze stopte met bladeren en staarde naar een foto van een paar mensen wier namen eronder stonden. 'Verdomme nog aan toe.'

Ze voelde een hete woede in haar borst opborrelen en pakte haar telefoon weer. Toen ze deze keer Chira-Sayf belde, kreeg ze de voicemail van Calder. Ze hing op en belde nog een keer.

'Ruth Fischer, alstublieft,' zei ze.

Ze werd doorverbonden en kreeg een vrouw aan de lijn. 'Met Ruth Fischer.'

Jo hoorde haar zuidelijke accent. 'Met Jo Beckett. Ik geef u drie keuzemogelijkheden: of ik ga terug naar de hal om te vragen of ik uw baas mag spreken, of u wacht tot ik de politie erbij haal, óf we kunnen afspreken in het winkelcentrum verderop. Er is een Taco Bell.'

Na een korte stilte zei Fischer aangeslagen: 'Taco Bell.'

Misschien serveerden ze wel zoete broodjes. Versgebakken.

Kanan staarde door de voorruit van de Navigator naar het hoofdkwartier van Chira-Sayf. Hij stond een straat verderop en had goed zicht op de ingang. De berken op het gras liepen uit, lentegroen in de zonneschijn.

Hij had pijn en zat onder de blauwe plekken. Het was alsof hij gevochten had. Hij raakte zijn lip aan. Die was gespleten, maar hij kon zich niet herinneren dat hij een klap op zijn mond had gehad. Hij droeg splinternieuwe kleren – een spijkerjack, een grijs flanellen overhemd, een t-shirt, een spijkerbroek, een boxershort en sokken. Zijn oude kleren lagen in een tas van Target op de vloer, kleddernat, net als zijn laarzen. In een andere tas van Target, die op de stoel naast hem lag, zaten zelfklevende memobriefjes, watervaste stiften en wegwerpcamera's. Hij kon zich niet herinneren dat hij bij Target had gewinkeld.

Tussen de memobriefjes op het dashboard hing er een met de boodschap 'zoek Alec'.

Het was duidelijk dat hij diep in de nesten zat. Hij had het spul niet geleverd. Dat kon ook niet, want hij had het niet. Daarom was hij overgestapt op zijn noodplan: Alec opsporen.

Hij keek op zijn horloge. Halfelf in de ochtend. Hij had geen flauw idee gehad hoe laat het was.

Hij wist dat hij een probleem had. Hij kon niet inschatten hoeveel tijd er voorbij was gegaan, en hij besefte dat hij bijna alles vergat. Door dit geheugenprobleempje was het of hij buiten de tijd kwam te staan en in een luchtbel van moment naar moment dreef.

De wereld zag er net zo uit als anders, maar hij had geen besef van verleden of toekomst, alleen van het heden. Hij had het idee dat hij klaarwakker was, uiterst helder, maar toch op drift.

Hij krabde aan de korstjes van de sneeën op zijn arm. Op zijn huid zag hij woorden die hij kortgeleden zelf met zwarte stift had geschreven.

Zijn hart sloeg een slag over en zijn maag kneep samen. Hij maakte het handschoenenkastje open, waarin een verrekijker lag. Hij zette hem aan zijn ogen en stelde hem scherp op de gebouwen van Chira-Sayf.

Vlak bij de ingang zou een zilveren Mercedes moeten staan. Niet te dichtbij, niet te veraf. Precies ver genoeg om de werkbijen te laten voelen dat de baas nog steeds wist wat er in de korf gebeurde. Alec zou op kantoor moeten zijn om audiëntie te verlenen. De mensen kwamen toch naar hem toe? Hij hoefde zelf nooit weg. Tenzij hij in Washington een afspraak had met die types van het Pentagon. Of een zeiltochtje maakte met zijn boot, *Somebody's Baby*. Of naar Johannesburg vloog als Chira-Sayf de stekker uit het onderzoek trok.

Kanan zag de auto niet staan.

En wat moest hij verdomme tegen Alec zeggen als hij hem vond? Zou het een enorm drama worden, een knallende ruzie over verraad? Zou er iets worden rechtgezet?

Zijn hart sloeg weer een slag over. Zijn gezin. Zijn mooie, pittige Misty. Zijn zachtaardige zoon Seth. Hij was vergiftigd, en zijn leven daardoor ook.

Zijn ogen prikten en hij vocht niet tegen zijn tranen. Het stalen lemmet van de dolk voelde heet aan tegen zijn been.

Uit het hoofdgebouw van Chira-Sayf kwam een vrouw. Ze was jong, sober gekleed en had loshangende bruine krullen die in de wind dansten. Hij keek naar het dashboard. Aan een ventilatierooster naast de memobriefjes hing een gelamineerd identiteitspasje. Hij keek erop. Het was dezelfde vrouw. DR. JOHANNA BECKETT.

De dokter stapte in een Toyota pick-up, verliet het parkeerterrein en passeerde zijn auto.

Hij volgde haar.

Aan de andere kant van het formica tafeltje nam de vrouw die zich als Riva Calder had voorgedaan een hap van haar taco. De tortilla-schelp brak, verkruimelde en braakte gehakt, kaas en sla uit.

'Ik luister,' zei Jo.

Ze veegde haar mond af. 'Ze zou me hebben ontslagen. Me eruit hebben gegooid.'

'Is dat de reden waarom u tegen me hebt gelogen, mevrouw Fischer?'

De vrouw at de rest van haar taco op, pakte een doosje kipnuggets en stopte er drie in haar mond. Ze spoelde ze weg met een slok Pepsi Light en keek naar Jo.

'U klinkt niet verbaasd. Of is dat normaal voor een psych?'

'Ik ben niet verbaasd. Ik ben verschrikkelijk pissig.'

Fischer sloeg haar ogen neer. 'Ik weet niet waarom ik ermee heb ingestemd. Het was dom. Zodra ik u met de brochure zag, wist ik dat het fout zou lopen.'

Ze viel aan op de kipnuggets alsof het aspirientjes waren. Of valium. Jo liet haar piekeren.

'U staat op het punt om uw eigen glazen in te gooien. In het gunstigste geval raakt u uw baan kwijt, in het slechtste geval haal ik de politie erbij. Ik raad u aan om me alles te vertellen,' zei Jo.

Fischer slaakte zo'n diepe zucht dat haar hele lichaam inzakte. 'Ja. Oké.'

'Wat probeerde u te bereiken?' vroeg Jo.

'Dat lijkt me wel duidelijk. Ik wilde u afpoeieren.'

'Waarom wilde Riva Calder me niet ontvangen?'

'Dat weet ik niet. Ze is niet eens op kantoor. Ze is hier al dagen niet meer geweest. Ze belde en vroeg me u te ontvangen.'

'Waarom?'

'Waarom ik haar moest spelen? Ik ben een uitzendkracht.' Ze spreidde haar handen. 'Kijk eens goed naar me. Wie is er zo traag en dik dat ze een makkelijk doelwit wordt?' Ze liet haar schouders hangen. 'En door mijn stommiteit word ik nu ontslagen.'

'Begin eens bij het begin.'

'Ik zat achter mijn bureau toen Riva's secretaresse door de gang naar me toe rende. Letterlijk. Ze verbond me door met Riva, die zei dat ik dit moest doen.'

'Wat vroeg ze u precies?'

'Ik moest u zoet houden. Vaag blijven, om u de indruk te geven dat er niets te onderzoeken viel. Zorgen dat u wegging.'

Jo voelde de woede weer opborrelen. Ze was beledigd. Laaiend. Als Ruth Fischer haar nu nuttige informatie kon geven, zou ze haar heel misschien géén Burrito Supreme naar het hoofd gooien.

'Waar was dat bedrog voor nodig?'

'Riva zei dat ze u niet persoonlijk kon ontvangen. Volgens haar was dat echt onmogelijk, maar u moest wél denken dat u met haar praatte.'

'Vond u dat geen zwak verhaal?'

'Een idioot verhaal.'

'Hoe ziet ze eruit?' vroeg Jo.

'Mager. Jong, natuurlijk. Best mooi, op een pinnige manier. Gespannen.'

'Latina, Aziatisch, Afro-Amerikaans?'

'Nee, lelieblank. Kleding uit *Vogue*. Editie Carrièrekrengen.'

'Wat zei u tegen haar?'

'Ik raakte van de wijs. Het was gewoon zo raar. Ik wist niet of het me zou lukken. Ze zei dat ze iemand anders zou zoeken als ik het niet wilde doen. Iemand die níét ontslagen wilde worden.'

'Heeft Riva u instructies gegeven?'

'Ze zei dat ik het spelletje moest meespelen. Dat ik mijn naam niet mocht noemen, en de hare ook niet. Ze zei dat u zou aannemen dat ik haar was. Ik hoefde niet te liegen. Zo ging het ook. Ik heb niet één keer bevestigd dat ik Riva Calder was. U ging er gewoon van uit.'

Het bleef een leugen. 'Wat moest u me vertellen?'

'Dat we geen vertrouwelijke informatie over Kanans arbeidsverleden konden vrijgeven. Dat we niet wisten waar hij was. Dat we u nergens mee konden helpen.'

'En wat is de waarheid?'

Fischer greep haar beker Pepsi beet alsof ze hem wilde wurgen. 'Ian Kanan is een griezelige kerel. Een geest die voortdurend het

kantoor in- en uitglipt. Praat met niemand. Komt niet op verga-
deringen, komt nooit naar de bedrijfspicknick.'

'Wat doet hij precies?'

'Bij Chira-Sayf hebben we een dienst die de computers beveiligt
en een dienst die het terrein beveiligt – gewoon van die ingehuurde bewakers, net als op de rest van het industrieterrein. En verder
hebben we Ian Kanan nog. Die past in geen enkele categorie. Hij
is geen man die ik tegen me in het harnas wil jagen.'

'Waarom is hij vorige week naar Zuid-Afrika gegaan?' vroeg Jo.

'Dat weet ik niet, maar hij ging deze keer geen voorbereidingen
treffen voor een topconferentie.'

'Chira-Sayf heeft toch een lab in Zuid-Afrika?'

Fischer schudde haar hoofd. 'Niet meer. Dat hebben ze gesloten.'

Jo pakte een notitieboekje en een pen. 'Wat deed dat lab?'

Fischer schoof haar beker weg. 'Experimenten. Het was in een
ander land gevestigd om de Amerikaanse wet te omzeilen.'

'Waar werkten ze aan?' vroeg Jo.

'Dat ging me boven de pet. Onderzoek. Opdrachten van rege-
ringen, goed werk. U weet wel, de Afrikaanse handel stimuleren.
Maar…' Ze keek het restaurant rond en keek daarna weer naar Jo.
'Ze hebben het volkomen onverwachts gesloten.'

'Waarom?'

'Geen idee. Maar het viel niet overal even goed. Op kantoor kregen mensen heel stekelige aura's.'

Jo hield haar pen stil boven het notitieboekje en legde hem neer.
'Als u het zegt.'

Fischer wuifde zichzelf koelte toe. 'Waarschijnlijk komen er van
mij vonken af. Als u mijn aura kon zien, zou u een brandblusser
pakken.' Ze deed een poging om te glimlachen. 'Die van u is licht-
paars.'

'Aha.'

Fischer pakte haar servet en snoot haar neus. 'Mensen met lichte paarstinten verfijnen hun spirituele karakter. Bent u daar actief
mee bezig?'

'Mevrouw Fischer…'

'Zegt u maar Ruth.'

'Ruth, wat gebeurde er toen Chira-Sayf het laboratorium in Zuid-Afrika sloot?'

'Chaotische aura's bij sommige mensen. De techneuten kregen de wind van voren. De leidinggevenden werden donker. U weet wel, gespannen.'

'En Riva?'

'Een rode gloed.' Haar kleine oogjes werden even wat groter. 'Ze zuigt zielen leeg.'

'Wat bedoel je daarmee?'

'Haar kern is uit balans. Ze heeft geen respect voor anderen. Ze denkt altijd dat mensen haar te grazen willen nemen. Typisch Silicon Valley. Ze is een bijenkoningin, maar ze is jaloers en leeg. Ze probeert de geest uit anderen te zuigen omdat ze zelf leeg is.' Fischer leunde over de tafel. 'En ik zal u nog eens iets vertellen. Ze heeft veel te veel belangstelling voor Ian Kanan.'

'Hoe dat zo?'

'Hij heeft trouwens een gele aura. Die vlamt boven hem uit.'

'Je hoeft zijn aura niet te beschrijven.'

'Maar ze is heel anders dan die van anderen. Leidinggevenden van Chira-Sayf vinden zichzelf heel belangrijk. Ze hebben een enorme eigendunk en ze zijn paranoïde. Alsof Hewlett-Packard elk moment een doodseskader dwars door de ruiten kan sturen.'

'Maar?'

'Maar Ians aura is heel serieus. Hij straalt uit dat hij weet waar hij over praat. Dat hij verstand heeft van het leven en de dood in de echte wereld.' Ze pulkte aan de kipnuggets. 'Volgens mij heb ik hem nog nooit zien glimlachen.'

'Waarom zeg je dat Calder te veel belangstelling voor hem heeft?' vroeg Jo.

'Ze zorgt altijd dat ze hem te spreken krijgt. Ze laat de deur van haar werkkamer openstaan als ze weet dat hij in de buurt is. Ze doet parfum op. En dat vlóékt bij haar karmozijnrode aura, geloof me.'

'Is ze op een romantische manier in hem geïnteresseerd?' vroeg Jo.

'Zou kunnen. Misschien probeert ze hem alleen maar aan haar

kant te houden. Ik weet niets van machtsstrijd in de bedrijfshiërarchie. Maar...' Ze keek weer rond. '... misschien dacht ze dat ze de machtige moest veroveren als ze de leuke niet kon krijgen.'

'Wacht even. Bedoel je dat ze een verhouding heeft gehad met een van de hoogste bazen omdat Kanan haar heeft afgewezen?'

Fischer haalde haar schouders op. 'Zou kunnen.'

Jo schreef iets in haar notitieboekje. Toen ze opkeek, was Fischers gezicht bleek.

'Wat is er?' vroeg Jo.

'Het spijt me dat ik u heb misleid. Ik vind mezelf echt een trut.'

'Dank je.'

Fischers opgezwollen ogen werden nog kleiner, tot ze muntopeningen in een automaat leken. 'Dan nog iets over het lab in Johannesburg. Niemand mag erover praten, maar een van onze werknemers wordt vermist.'

Jo's wenkbrauwen gingen omhoog. 'Wie?'

'Chuck Lesniak. Hij is uit Johannesburg vertrokken, maar hij is nooit thuisgekomen.'

'Wanneer is dit gebeurd?'

'In zijn laatste e-mail zei hij dat hij uit Johannesburg vertrok. Dat was een week geleden. Hij wilde een paar dagen naar Londen en zei dat hij ons deze week weer allemaal in Santa Clara zou zien. Maar hij is niet komen opdagen. Hij zat niet in het vliegtuig uit Londen.'

'Wat zegt het bedrijf erover?'

'Niets. Noppes.'

Jo klikte met haar pen. 'Hoe spel je zijn naam?'

'L-E-S-N-I-A-K. Denkt u dat dit verband houdt met Ians verdwijning? Ik bedoel, twee mannen van hetzelfde bedrijf. In één week.'

'Het zou toeval kunnen zijn, maar dat betwijfel ik.'

Jo's telefoon ging over. Het was Rick Simioni, de neuroloog.

'Ik heb de uitslag van Ron Gingrich' MRI. Het lijkt me belangrijk dat je die ziet.'

'Ik ben onderweg.'

# 14

De gang van de bungalow was muf en schemerig. De mannen trokken de vrouw aan haar armen naar de deuropening van de ver-
duisterde slaapkamer. Ze zette haar hielen schrap op het glimmende vloerkleed.

'Hou op,' zei de grootste van de twee.

De paniek boorde zich echter weer als een kurkentrekker door
haar heen. 'Laat me los.'

De grootste van de twee, Murdock, was kaal en had afhangende
schouders. Hij leek geen nek te hebben en zijn handpalm was klam.
Gouden armbanden nestelden tussen de zwarte haartjes op zijn dikke armen.

Ze probeerde zich los te wurmen. 'Als jullie me laten gaan, geef
ik jullie geld. Breng me naar de bank. Ik zal mijn bankrekening leeg-
halen.'

Ze kwamen bij de deur van de slaapkamer, waarin een bed met
een sjofele matras en een kussen met bruine vlekken stond. De ramen
waren dichtgespijkerd. Ze klemde haar kaken op elkaar en duwde
haar handen tegen de deurpost. De gedachte dat ze daar nog een uur
– laat staan een dág – zou moeten doorbrengen, was onverdraaglijk.

'Hou op, anders moet ik je handen weer achter je rug vastbin-
den.' Murdocks stem klonk vochtig. Hij had heel kleine tanden en

glinsterend roze tandvlees. 'Als je je verzet of zelfs maar schreeuwt, weet je wie ervoor moet boeten. Doe dus maar geen moeite. Je kunt toch niet weg, je schaadt alleen je gezin maar.'

De jongste man, die Vance heette, bracht zijn gezicht vlak bij het hare. 'Ja. Dit is een filiaal van Guantánamo, trut. Beschouw jezelf maar als een vijandelijke strijder.'

In de keuken klonk dreunende rapmuziek uit de stereo-installatie, en de hond blafte. Beide geluiden klonken laag en nijdig. Vance wrikte haar vingers van de deurpost en duwde haar met een harde tik op haar achterwerk door de deuropening.

Ze draaide zich met gebalde vuisten om, klaar om te vechten als Vance op haar afkwam en haar op het bed probeerde te gooien. Zijn silhouet tekende zich af in de deuropening.

'Fouilleer haar,' zei Murdock. 'We moeten zeker weten dat ze de telefoon niet ergens heeft verstopt.'

Vance paradeerde de slaapkamer in met de overdreven, slepende tred van een *gangsta*. Ze had geen idee waarom deze magere blanke jongen dacht dat hij de hoofdrol in *8 Mile* speelde, maar de term 'wanhopige overcompensatie' kwam bij haar op.

Hij draaide haar om. 'Benen wijd.'

Ze zette haar handen tegen de muur, spreidde haar voeten en verbeet haar walging toen Vance zijn handen over haar benen liet glijden. Dit deden ze elke keer als ze haar naar de kamer brachten, en elke keer stond Vance zichzelf meer vrijheden toe. Zijn vingers bleven even op haar kruis rusten voordat hij verderging. Haar wangen werden rood.

Eindelijk stapte hij achteruit. 'Ze heeft niets.'

'Gedraag je,' zei Murdock. Hij wees op een bruine papieren zak, die in de hoek op de grond lag. 'En kleed je om. Wat je nu draagt, ruikt niet al te fris meer.'

'En dat is niet netjes voor een dame,' zei Vance.

Ze sloegen de deur dicht en deden hem aan de buitenkant op slot. Met haar achterhoofd tegen de muur liet ze zich op de grond zakken.

Ze begreep er helemaal niets van. Waarom hadden ze haar gevangengenomen?

'Hou jezelf toch niet voor de gek,' mompelde ze.

Het was allemaal glashelder. Ze zat hier door Chira-Sayf, Alec en het werk dat het bedrijf in Zuid-Afrika deed. Ze zat hier door Ian en de buitenlandse reis die hij de week ervoor had gemaakt.

Ze werd gebruikt als pion in een of andere bedrijfsoorlog, een oorlog die veel verder ging dan verkoopverwachtingen en bedrijfsspionage. Dit ging om SLIM.

Ze had een brok ter grootte van een golfbal in haar keel, en haar ogen liepen vol tranen. Ze had hun gezichten gezien en hun namen gehoord. Dat voorspelde niet veel goeds voor haar toekomst.

Daarna haalde ze adem. Ze mocht niet instorten. Als ze dat deed, zou ze dit spelletje zeker verliezen. Ze moest haar hoofd erbij houden en een manier bedenken om hier te ontsnappen. Nu ze haar boeien van haar polsen hadden gehaald, had ze eindelijk een kans.

Maar hoe? De deur naar de kamer was goedkoop en hol. Als ze genoeg tijd had, kon ze er waarschijnlijk wel een gat in schoppen. Maar als ze dat deed, zou Murdock zijn dreiging uitvoeren en haar familie kwaad doen.

'Ouders, kinderen, huisdieren, ze komen allemaal in aanmerking,' had hij gewaarschuwd.

Ze wist niet waar ze was. Toen ze haar hadden beetgegrepen, hadden ze haar geblinddoekt en haar handen met plastic handboeien aan elkaar gebonden. Maar ze wist dat ze naar het zuiden waren gereden, en nu hoorde ze met korte tussenpozen het geluid van een locomotief. Dat moest de Caltrain zijn, en dat betekende dat ze zich op het schiereiland bevonden.

De kamer was benauwd en rook naar schimmel en vocht. Ze bevond zich in een goedkoop oud huis, een type waarvan wijken vol waren gebouwd. Het had goedkope oude ramen die hoog boven de grond zaten. Welke suffe architect had in de jaren zestig bedacht dat het stijlvol was om de ramen in een kinderslaapkamer op anderhalve meter hoogte te bouwen? De kamer leek daardoor wel op een...

Gevangenis.

Ze lachte bitter. *Hou je hoofd erbij.*

Ze klom op het bed en schoof de jaloezieën opzij. Het raam was van buitenaf dichtgetimmerd, en het glas in het goedkope aluminium kozijn was gebarsten. Ze maakte het raam open. Het kozijn klemde en piepte, maar ze slaagde erin om het raam ruim een halve meter open te krijgen. Ver genoeg om naar buiten te kunnen glippen, als ze het multiplex kon verwijderen.

Ze legde haar handpalmen op het hout, dat droog en warm was. Ze duwde ertegen, maar er kwam geen beweging in.

Ze zette zich schrap op de krakende veren van het bed en duwde nog een keer. Er gebeurde niets. Ze zou de plaat er nooit af krijgen, tenzij ze erin slaagde om een klauwhamer de kamer in te toveren.

'Dat zou nog eens slim zijn,' mompelde ze.

Slim. SLIM.

Ian had haar erover verteld, ook al hoorde hij niet zoveel te weten over het grote project van Chira-Sayf en mocht hij er al helemaal niet over praten, zelfs niet op de parkeerplaats van het hoofdkwartier van het bedrijf.

'Alec maakt zich zorgen,' had hij gezegd.

Alec had zich zorgen gemaakt, maar Ian was razend. Zijn gezicht was vertrokken tot een masker van woede, bleek onder de sproeten en de ijzige blauwe ogen.

'Er is iets misgegaan. SLIM werkt anders dan gedacht. Alec zet een punt achter het project.' Hij keek haar aan. 'Dat moet binnen deze auto blijven.'

'Natuurlijk,' zei ze bezorgd. Ian praatte nooit over zijn werk. Met collega's van Chira-Sayf had hij het nooit over kantoorroddels of producten die werden ontwikkeld, maar over de Oakland Raiders en persoonlijke beveiliging. Hij hield werk en privé altijd strikt gescheiden.

Maar hij wist dat er iets was misgegaan met SLIM. Chira-Sayfs killerapplicatie had zich op een of andere manier tegen het bedrijf gekeerd.

'Alec trekt de stekker eruit. Het leger krijgt het niet meer.' Hij staarde door de voorruit naar buiten. 'Er dreigt onenigheid.'

'Tussen wie?' vroeg ze. 'En word jij er tegen je zin bij betrokken?'

'Als ze dat doen, krijgen ze er spijt van. Want dan regel ik het op mijn manier.'

En als Ian dingen ging regelen, kon je je maar beter bergen.

De spijkers in de plaat zaten muurvast. Ze veegde haar handen af aan haar broek. Misschien kon ze het multiplex breken. Het was droog en bros. Ze streek met haar vingers over de plaat tot ze een kerf in het hout voelde, ongeveer een halve centimeter breed.

Het raam keek uit op de straat. Misschien kon ze iets door de kerf in het hout duwen en iemand waarschuwen, of met een vlag zwaaien.

Hoe kon ze de aandacht van een voorbijganger trekken? Ze kon zich niet legitimeren. Ze hadden haar tas, mobiele telefoon, auto en huissleutels in beslag genomen. Ze hadden haar sieraden van haar afgepakt. Zelfs haar trouwring, die ellendige dieven. En ze hadden haar in deze stinkende slaapkamer geduwd.

Ze draaide zich om naar de bruine papieren zak. Daarin zaten de kleren die Murdock in een opvallend vrijgevige bui voor haar had geregeld – een coltrui, een wollen lange broek, een sweatshirt van een dure ontwerper. Ze pakte het sweatshirt uit de zak. Ze kon het koord uit de capuchon trekken en ergens voor gebruiken.

Wacht. Ze keerde de zoom van het sweatshirt om. Er zat een stomerijlabeltje in.

CALDER.

Haar hart ging sneller slaan. Dat was nog eens een vlag om mee te zwaaien.

Toen bekroop haar een rare achterdocht. Ze pakte de broek en keek in de tailleband. Ook daar zat zo'n stomerijlabeltje in. Ze pakte de bloes. Daar ook.

Deze kleren leken er bijna om te smeken dat iemand haar zou identificeren. Iemand die een dood lichaam uit het slik van de baai trok, bijvoorbeeld.

'Godsamme,' fluisterde ze.

Ze ging op de rand van het bed zitten en trok de zoom met haar tanden kapot. Als een verpleegkundige die een noodverband klaarmaakt, scheurde ze een lange strook stof met het label van de bloes. Daarna ging ze aan de slag.

Jo liep bij radiologie binnen met het gevoel dat ze werd achtervolgd door een beest dat haar elk moment kon bespringen. Inspecteur Tang stond in de gang te bellen en leek ontmoedigd en van streek. Ze gebaarde met haar hoofd naar een deur en mompelde: 'Ga maar naar binnen.'

Het koele, stille vertrek werd verlicht door röntgenfoto's op lichtbakken en mri-beelden op het computerscherm van de radioloog. Bottenkunst. De ziel blootgelegd en teruggebracht tot neuronen en grijze cellen. Rick Simioni stond bij het bureau, met zijn witte jas over een overhemd van dure Egyptische katoen.

'Rick,' zei ze.

Toen hij naar haar keek, kreeg zijn gezicht door het licht van het computerscherm een griezelige, holle aanblik.

Dokter Chakrabarti, de radioloog, knikte stijfjes naar Jo en wees met zijn pen naar het scherm. 'De mri van meneer Gingrich.'

De beelden op het scherm herhaalden zich en waren verontrustend, net als Warhols zwart-witte doodscollages. Met hun drieën staarden ze ernaar.

Wat was er toch aan de hand?

Jo ging rustiger ademhalen. Haar opleiding en ervaring hadden haar geleerd dat ze afstand moest nemen als ze met rampzalig diagnostisch bewijs werd geconfronteerd. Ze stopte haar emoties veilig weg, net ver genoeg om nog empathie te voelen, maar niet zo dichtbij dat ze in de tragedie van de patiënt werd meegezogen.

Ze had gedacht dat geen enkele aandoening van het menselijk lichaam haar nog kon verbazen. Maar al stond ze nu als aan de grond genageld voor het computerscherm, ze wilde het liefst wegrennen.

Dezelfde zwarte draden die Ian Kanans brein hadden aangevreten, rukten op in dat van Ron Gingrich en... Ja, wat deden ze eigenlijk? Ze groeiden, of ze aten zijn mediale temporaalkwabben op.

'Weten jullie zeker dat het beeld niet vervormd is?' vroeg Jo.

De fluorescerende buizen in de lichtbakken zoemden als vliegenvangers. Simioni vouwde zijn armen over elkaar en staarde naar het scherm. Chakrabarti kon zijn blik er niet van losscheuren. Het was alsof de Warhol-beelden hem fascineerden.

'Het is geen fout in het beeld,' zei Chakrabarti. 'Op beide MRI's is hetzelfde te zien. Ik weet niet wat het is.'

Jo keek naar Simioni. 'Rick?'

Simioni concentreerde zich op het scherm. 'Een natuurlijke neurotoxine? Een tropische parasiet? Iets waarmee ze in het vliegtuig allebei in aanraking zijn gekomen?'

'Een vervuilende industriële stof?' opperde Jo. 'Een contaminant uit een hightechproductieproces?'

'Dat is een interessante mogelijkheid.'

'Kanan werkt voor een bedrijf dat zich met nanotechnologie bezighoudt.'

Beide mannen keken naar haar. 'Echt waar?'

'Echt waar.'

Amy Tang klopte aan, deed de deur open en stak haar hoofd om de hoek. 'Er is iets aan de hand in de jachthaven. Misschien houdt het hiermee verband. Ik ga erheen.'

Jo knikte, en Tang verdween. Jo keek weer naar de MRI-beelden. 'Wat denken jullie?' vroeg ze.

Simioni dacht diep na. 'Er wordt gekeken naar de mogelijkheden van nanotechnologie bij de behandeling van hersentumoren. Het is algemeen bekend dat de behandeling van hersentumoren erg moeilijk is, omdat veel kankermedicijnen uit moleculen bestaan die te groot zijn om de bloed-hersenbarrière te passeren en de tumor te bereiken. De barrière houdt de meeste middelen tegen. Alleen heel kleine stoffen kunnen passeren.'

'Zijn nanodeeltjes klein genoeg?'

'Sommige wel, maar chemotherapie met nanodeeltjes is lastig. Als de verkeerde middelen de barrière passeren, kunnen ze ernstige herseninfecties veroorzaken, die erg hardnekkig en moeilijk te behandelen zijn. En sommige nanodeeltjes leveren de kankermedicijnen wel af, maar richten zich niet alleen op de tumoren – ze hopen zich op in het omliggende gezonde weefsel.'

'Dus nanodeeltjes kunnen een Trojaans paard zijn,' zei Jo. 'Ze kunnen door de natuurlijke beveiliging van het brein heen glippen en een enorme chaos aanrichten.'

'Precies.'

Alle drie staarden ze naar de beelden op het scherm.

Simioni wees op de beelden van de hersenen van Gingrich. 'Ik weet niet precies wat de bloed-hersenbarrière kan passeren en zich zo specifiek in dit ene gebied kan nestelen.'

'Waar is meneer Gingrich nu?' vroeg Jo.

'Boven. We hebben hem opgenomen.' Simioni bleef naar het scherm staren.

'Is het besmettelijk?' vroeg Jo.

Hij keek haar aan. 'Ik hoop het niet.'

# 15

Stef Nivesen stond aan boord van de volle AirTrain naar de wolken boven het kustgebergte te kijken. Ze waren zo hagelwit dat ze het zonlicht leken te versterken. Ze leken wel jupiterlampen aan de hemel.

De AirTrain ratelde over de verhoogde spoorbaan naar de terminal van San Francisco International Airport. Stef stond in een hoekje gepropt en hield het handvat van haar rolkoffer vast. Ze wist haar evenwicht te bewaren toen de trein een bocht maakte, en ze deed net of ze niet zag dat de mannen in de trein naar haar keken. Ze wist dat haar rode uniform van Virgin Atlantic haar perfect paste. Ze was zesentwintig, ze deed aan sport en ze droeg hakken die haar mooie benen accentueerden. De retro-uniformen van Virgin straalden de glamour van de jetset uit. En ze wist dat ze al die kerels op de judomat aan zou kunnen. Ze vloog op de route SFO-Heathrow en was dol op haar baan. Ze vond het heerlijk om naar Londen te vliegen, was dol op Britse mannen en wist dat zij een langeafstandsvlucht als een twaalf uur durend drinkgelag zagen. Soms wenste ze dat de 747 een brandslang had waarmee ze dronken en handtastelijke passagiers terug naar hun stoel kon spuiten.

Ze krabde over haar arm. Het was erg warm in de trein. Ze was moe, maar klaarwakker.

De trein stond stil, de deuren gingen open en er stroomden mensen naar buiten. Stef keek verbaasd om zich heen. Waarom stond ze bij het autoverhuurbedrijf? Ze was de andere kant op gegaan, van de garage naar de internationale terminal.

Hoe had ze haar halte kunnen missen?

Ze keek op haar horloge en ontspande zich. Ze had nog genoeg tijd.

Er stroomden mensen binnen die bagage meezeulden en de trein reed weer weg. Stef staarde naar de wolken boven het kustgebergte. Ze waren zo fel als jupiterlampen.

Gelukkig was het vandaag zonnig. Heel anders dan gisteren, toen ze uit Londen was gearriveerd met die halvegare aan boord. Dat was echt raar geweest. Ze krabde weer aan haar arm. Ze was blij dat die twee mannen de gek hadden tegengehouden voordat hij de nooduitgang opende. Ze had met haar veiligheidsriem om zich heen vijftien meter verderop op een klapstoeltje gezeten. Het zou haar veel moeite hebben gekost om hem op tijd te bereiken, laat staan tegen te houden.

Waarom had die woesteling de deur willen openmaken? Had hij frisse lucht willen hebben? Stef in elk geval wel. Het was heet en benauwd in de trein. En fel. Iedereen leek uitzonderlijk fel en scherpomlijnd te zijn.

'Mevrouw? Voelt u zich wel goed?'

Stef knipperde met haar ogen en keek naar de man die voor haar stond. Een petje van de 49ers en negenenveertig pond vet rond zijn middel.

'Pardon?' vroeg ze.

'Voelt u zich wel goed? U draaide rondjes, alsof u ergens door werd geduwd.'

'Ik voel me prima.' Wat een rare opmerking van die kerel.

De trein stopte en de deuren gingen open. Verdorie, ze waren bij de internationale terminal. Ze haastte zich door de deuren, die alweer dichtgingen.

Ze liep via het personeelspoortje langs de beveiliging en wandelde rechtstreeks naar de gate, waar al veel passagiers stonden te wachten tot ze konden instappen. Ze keek op haar horloge.

Er ging een schok van ontsteltenis door haar heen. Over een half-uur vertrok het vliegtuig. Jezusmina, hoe kon het ineens zo laat zijn?

Ze ging harder lopen. Haar telefoon ging over en ze keek op het schermpje. De beller was Charlotte Thorne, een van haar Britse collega's.

Stef nam haastig op. 'Ik ben onderweg.'

'Dat zei je een uur geleden ook al. Waar ben je?'

'Ik loop door de hal. Hoe kom je erbij dat ik dat al heb gezegd?'

Charlotte zuchtte geërgerd. 'Ben je er deze keer echt? Weet je zeker dat jij en je vriendje je niet proberen te drukken?'

'Doe niet zo mal. Ik zie de gate al.'

Geërgerd verbrak ze de verbinding. Waarom beweerde Charlotte dat ze had gelogen? Een uur geleden had ze Charlotte hele-maal niet aan de lijn gehad. Ze had haar niet meer gesproken sinds hun laatste vlucht samen. Erg raar allemaal.

Ze kwam bij de gate, waar ze haar schouders rechtte, glimlach-te en naar het vliegtuig liep.

Jo liet haar tas op de keukentafel vallen, drukte op de knop van het koffiezetapparaat en maakte de terrasdeuren naar de patio open. Het was fris, maar na het zien van de MRI van Ron Gingrich had ze behoefte aan frisse lucht.

Ze pakte haar aantekeningen en keek of ze nieuwe mailtjes had. Er was een bevestiging dat Kanan douanepapieren had voor het zwaard en de dolken die hij mee naar huis had genomen. Ze waren geclassificeerd als museumstukken, gekocht bij een antiquair in Jor-danië en bestemd om tentoongesteld te worden. Kanan vervoerde ze voor Chira-Sayf Inc.

Chira-Sayf. Waar kwam die naam vandaan?

'Chira' stond niet in haar woordenboek, maar 'chiral' of 'chiraal' was een scheikundige term, die te maken had met molecuulstruc-tuur en asymmetrische atomen. 'Sayf' was de getranscribeerde spel-ling van het Arabische woord voor zwaard. Foto's lieten oude krom-zwaarden zien, waarvan de lemmeten dezelfde glans hadden als het mes waarmee Ian Kanan langs haar gezicht had gezwaaid.

Ze staarde naar het scherm. Op het grasveld buiten fladderden zwarte vleugels, en ze hoorde een scherp geluid. *Kra.*

Twee kraaien pikten aan een voorwerp op het gras. Ze liep naar buiten en klapte in haar handen om de vogels weg te jagen. Ze vlogen haastig op en lieten hun prooi slap en zonder ledematen op het gras achter.

Verbluft staarde ze ernaar.

Ze waren bezig geweest om een knuffeldiertje kapot te scheuren. Het was een slappe, smaragdgroene beer, ongeveer twintig centimeter groot. Zijn ogen hingen aan draadjes en de stof was gevlekt en slijmerig. Jo duwde er met de punt van haar schoen tegenaan. Het beertje zag eruit alsof buitenaardse wezens het met hun grondigste gereedschap en smeermiddelen hadden onderzocht.

Ze hoorde de deurbel. Ze liet het beertje achter en liep op een drafje naar binnen om open te doen. In de deuropening keek ze vijftien centimeter omlaag. Amy Tang zag eruit alsof ze in een zure groene appel had gebeten.

Ze gaf Jo een foto. 'Van een beveiligingscamera in de jachthaven.'

Er stond een kleddernatte man op, die het portier van een suv openmaakte.

Jo voelde dat de spieren in haar schouders zich aanspanden. 'Dat is Kanan.'

'Bedankt dat je hem identificeert. Nu kan ik de rechter vragen om een aanhoudingsbevel wegens moord.'

Jo keek abrupt op. 'Kom binnen en vertel.'

'In de jachthaven is het drijvende lichaam van een blanke man gevonden, naast een jacht dat *Somebody's Baby* heet. Een voorbijganger zag een bloederige vlek op het water, dacht dat hij met *Jaws* te maken had en haalde de cavalerie erbij. Het slachtoffer had echter geen haaienbeten, maar een ernstige steekwond in zijn buik.'

Jo nam Tang door de gang mee naar de woonkamer. 'Waarom denk je dat Kanan erbij betrokken is?'

'Erbij betrokken? Als in "heeft het slachtoffer lek gestoken"?'

'Ja.'

'Een getuige zag een man die aan Kanans beschrijving voldoet in kleddernatte kleren van de aanlegplaats weglopen. Kanan stapte in een rode Navigator en scheurde weg of de duivel hem op de hielen zat.'

'Iemand die aan Kanans beschrijving voldoet?' vroeg Jo.

Tang gaf haar een andere foto, waarop Kanan met blote borst bij het openstaande portier van de suv stond en zijn natte shirt in de auto gooide.

'En nee,' zei Tang, 'ik kan niet bewijzen dat Kanan het slachtoffer heeft doodgestoken. Maar als een man na een steekpartij wegloopt, betekent dat meestal dat hij de winnaar is.'

Jo bestudeerde de foto. Kanan zag er sterk en alert uit.

Tang keek de woonkamer rond. 'Je woont leuk.'

'Bedankt. Ik heb het huis geërfd.'

'Bof jij even.'

'Zeg dat maar tegen mijn schoonfamilie. Het huis is honderd jaar eigendom geweest van Daniels familie.'

Tang bestudeerde de kamer en keek naar het rode Egyptische kleed, de Japanse aquarellen en de dvd-boxen van *The Sopranos* op de boekenplank.

'Heb je een maffiafetisj?'

'Psychiaters kijken allemaal naar *The Sopranos*. Het is het droomprogramma van een psych.' Jo bleef de foto's van Kanan bestuderen.

Tang trok een wenkbrauw op. 'Denk jij dat Kanan niet tot een moord in staat is? Wil je het lichaam zien en de afmetingen van de wond vergelijken met het mes waarmee Kanan jou heeft bedreigd?'

'Ik hoef het lichaam niet te zien.'

'Dat is waar ook, jij doet niet in bloed en ingewanden. Jij rukt gewoon het deksel van de psyche en vangt de bibbers op die naar buiten vliegen.'

'Deze heb ik duidelijk niet gevangen.'

Tang nam de foto's van haar aan. 'Niet zo somber. Je bent arts. Je bent opgeleid om hem als patiënt te zien, niet als moordenaar.'

Jo was helemaal niet somber. Ze voelde een vloeibare, zilverkleurige angst die als kwik over haar huid leek te rollen. 'Ik geloof je wel, maar ik wil weten wat erachter zit. Dat zou ons misschien kunnen helpen om zijn doelwitten te lokaliseren en hem tegen te houden.' Ze veegde haar haar van haar voorhoofd. 'Heb je het slachtoffer geïdentificeerd?'

Tang pakte haar notitieboekje. 'Ken Meiring.'

'Wie is dat?'

'We weten niet wat zijn relatie met Kanan is, maar hij heeft een strafblad. Fraude, bezit van gestolen goederen en illegale wapen-verkoop.' Tangs gelaatsuitdrukking was nors. 'Hij was een dief, een misdadige schooier. En hij was Kanans eerste doelwit. Zullen we de puntjes met elkaar verbinden?'

'Was het zijn boot?'

'Dat betwijfel ik. Volgens de boeken van de jachthaven is *Some-body's Baby* eigendom van Chira-Sayf Inc.'

'Wat?'

'Ja. Het verhaal wordt steeds intrigerender. Het is…' Tang keek door het erkerraam naar buiten. 'Is dat jouw buurman niet?'

Op de stoep stond Ferd naar hen te zwaaien.

Jo stak lauwtjes haar hand op om terug te zwaaien. 'Maak geen plotselinge bewegingen. Die vat hij op als uitnodiging om naar de veranda te komen.'

'Zijn aapje is charmanter dan ik had gedacht,' zei Tang.

Meneer Peebles stond naast Ferd, met een piepklein lampenkapje als fez op zijn kop.

'Als ik jou was, ging ik verhuizen. Liet ik alles in huis achter en nam ik de benen,' zei Tang.

'En jij denkt dat er in andere buurten van San Francisco minder excentrieke mensen wonen?'

Ferd wees naar Jo's voordeur en haastte zich ernaartoe.

'Verdorie. Wacht even,' zei ze. Toen Ferd aanklopte, deed ze de deur net ver genoeg open om zijn gezicht te zien. 'Hoi. Sorry, ik heb nu geen tijd om te praten.'

'Ik heb een paar korte vragen over het apenvirus,' zei hij.

'Kan ik je straks bellen?'

Hij wreef over zijn keel. 'Ik maak me zorgen. Zou ik het kunnen krijgen?'

'Ferd, meneer Peebles heeft dat Congolese apenvirus niet. Het antwoord is dus nee.'

Met een kreetje dook de aap tussen Ferds benen door, en hij rende langs Jo naar binnen.

'Ferd, pak hem.'

Jo rende achter het beestje aan naar de keuken, gevolgd door Ferd en Tang. Meneer Peebles sprong op tafel en strooide haar aantekeningen in het rond. Hij maakte haar tas open en begon erin te rommelen.

Tang liep rustig naar de tafel en pakte hem terwijl hij een lippenstift in zijn pootjes had. 'Kleine dief.'

Ferd raapte Jo's aantekeningen van de vloer. 'Zie je hoe nerveus hij is?'

Meneer Peebles draaide aan de lippenstift en begon er wild mee om zijn bek te kladderen. Tang probeerde hem af te pakken. Hij haalde met de lippenstift naar haar uit alsof het een lichtroze stiletto was.

'Moet je hem nu zien – hij is zichzelf niet,' zei Ferd.

'Hij is honderd procent zichzelf,' zei Jo. 'Ferd, er is niets met hem aan de hand. Met jou ook niet.'

Tang wrikte de lippenstift uit zijn vingers en gaf hem aan Jo.

'Nog niet met een tang.' Jo pakte de prullenbak.

Tang gooide de lippenstift erin en stak meneer Peebles uit naar zijn baas, maar Ferd keek een andere kant op. Hij staarde naar Jo's aantekeningen.

'Ben je van plan om in Chira-Sayf te investeren?' vroeg hij.

Jo pakte de aantekeningen uit zijn hand. 'Nee. En het spijt me, daar heb je niets mee te maken.'

'Ben je nieuwsgierig naar de naam van het bedrijf?' Hij duwde zijn bril hoger op zijn neus. 'Chiraliteit verwijst naar de manier waarop koolstof nanobuizen kunnen worden gevouwen.'

'Ah. Juist.'

'Ze laten ze op hoge temperaturen "groeien", en afhankelijk van de manier waarop ze dat doen kunnen koolstof nanobuizen worden gevouwen, gerold of met de punten tegen elkaar worden gebogen. Het is alsof ze een bepaalde rotatie of draaiing hebben.'

'Bedankt.' Ze dacht erover na. 'Weet je iets van het bedrijf?'

'Niet veel. Het voert een mengeling van civiele en militaire projecten uit. Wetenschappelijke dingen.' Hij tikte met zijn vingertop op de uitdraai, als een specht. 'Sayf is een Arabisch woord voor zwaard.'

Tang kwam een stap dichterbij. 'Arabisch? Vreemde keuze voor een bedrijf in Silicon Valley.' Ze keek naar Jo. 'Daar bedoel ik niets mee.'

'Hou maar op,' zei Jo.

Tang vond het leuk om Jo te plagen met haar multiculturele afkomst. Jo's grootvader van vaderskant was een christelijke Egyptenaar. Haar grootmoeder van moederskant was een oorlogsbruid uit Osaka. De rest van de familie was Iers, lawaaierig en twistziek. Je kon iedereen uitnodigen voor het kerstdiner, peper toevoegen en wachten tot het zaakje ontplofte. En al was Jo dol op haar familie, ze had geen zin in een felle woordenwisseling over het Midden-Oosten.

Ze wist maar al te goed dat alles wat Arabisch was – zelfs de taal – in Amerika als verdacht kon worden gezien. Het leek haar niet zinvol om Tang te vertellen dat de kopten in Caïro weliswaar al veertienhonderd jaar Arabisch spraken, maar dat sommige Egyptische kopten zichzelf niet eens als Arabieren zagen. Zij verwezen nog steeds naar de Arabische verovering van Egypte in de zevende eeuw.

Ze ging dus niet in op Amy's plagerijtje. 'Ik heb geen zin in ruzie. Laten we het over iets anders hebben.'

'Alsof ik ooit ruzie met jou zou willen hebben,' zei Tang.

Ferd tikte weer op de uitdraai. 'Het punt is dat sayf hier een woordspeling is.'

'Wat bedoel je?' Tang keek hem fronsend aan, alsof ze wilde vragen: sinds wanneer ben jij een expert? Meneer Peebles greep haar kraag beet en keek in haar trui. Ze gaf hem een tik op zijn handjes.

Ferd hield de uitdraai omhoog. 'Damaststaal. Dat is een heel oude staalsoort. Duizenden jaren oud.'

'Hoe weet je dat?'

'Ik heb een mastersgraad in informatica, maar een bachelorsgraad in civiele techniek. Het punt is dat damaststaal tegenwoordig niet meer wordt gemaakt. Niemand weet namelijk hoe het moet.'

'Wat?' zei Jo.

'Damaststaal is opvallend sterk, licht en soepel. Het is niet ontstaan in Damascus, het werd er alleen gemaakt. Oorspronkelijk komt het uit India. Niemand weet hoe het werd vervaardigd. Waarschijnlijk werd het in met de hand gebouwde ovens gemaakt en daarna door ambachtslieden uitgehamerd. Het heeft een hoog koolstofgehalte.'

'Net als een katana,' zei Jo.

Ferd knikte. 'Maar nu komt het bizarre. Damaststaal bevat koolstof nanobuizen.'

'Echt waar?' vroeg Jo.

Tangs blik was sceptisch. 'Worden koolstof nanobuizen niet onder bijzondere laboratoriumomstandigheden gemaakt?'

'Ja. Maar elektronenmicroscopie toont aan dat zwaarden van damaststaal ze bevatten. Niemand weet waarom. Misschien had het te maken met de houtskool in de ovens. Of de temperatuur waarop het staal werd uitgehamerd toen het afkoelde.'

Tang staarde naar zijn naamplaatje van Compurama. *Hoi, ik ben Ferd.* 'Hoe komt het dat jij zoveel weet?'

Hij spreidde zijn handen. 'Hobby. Internetfora. Discussies met mensen die World of Warcraft spelen. Ik vind dit interessant.' Hij keek naar Jo. 'Het punt is dat chira verband houdt met nanotechnologie. En sayf is duidelijk bedoeld om aan te geven dat hun werk betrouwbaar is. Veilig.'

'Je bedoelt dat de handel van Chira-Sayf met veiligheid te maken heeft,' zei Jo.

Ferd knikte enthousiast.

Jo nam meneer Peebles van Tang over en gaf hem aan Ferd. De aap keek haar vanonder zijn piepkleine fez dreigend aan.

'Bedankt, Ferd. Je hebt een paar puzzelstukjes op hun plaats gelegd,' zei ze.

Hij straalde. 'Graag gedaan.'

Ze werkte hem voorzichtig de deur uit. Toen ze weer in de keuken kwam, had Tang haar wenkbrauwen gefronst.

'Wat zit je nog meer dwars?' vroeg Tang.

'Chira-Sayf doet niet alleen in veiligheid. Ze moeten sayf hebben gekozen omdat ze ook in wapens handelen.'

'Zwaarden?'

'Nee. De sabel van damaststaal en de dolken kunnen best voor de sier zijn, maar misschien zijn ze wel gekocht om te kijken of ze gedeconstrueerd kunnen worden. Het punt is dat Chira-Sayf zojuist een onderzoeksfaciliteit in Zuid-Afrika heeft gesloten. Hun nanotechnologie heeft met wapens te maken, en er is iets mee misgegaan. En misschien is Ian Kanan daarom op pad om mensen te vermoorden.'

'Dus je maakt je zorgen dat Kanan is besmet met experimentele nanotroep.'

'Dat vermoeden staat boven aan mijn lijstje. Wat dat damaststaal betreft, waar het echt om gaat is dat wetenschappers niet alles begrijpen van het gedrag van koolstof nanobuizen.'

'Misschien heeft Kanan experimentele nanotroep uit Chira-Sayfs laboratorium in Zuid-Afrika gestolen. Maar het ging fout met de diefstal, en hij is besmet geraakt.' Tang zweeg even. 'Waar ben je het bangst voor?'

'Dat Kanan nog meer mensen zal vermoorden. Met een mes, met een vuurwapen of misschien zelfs met een aanraking. Ik denk dat we niet veel tijd meer hebben om er een stokje voor te steken.'

Ze keek weer naar de foto van de bewakingscamera, waarop Kanan met blote borst bij het open portier van de Navigator stond. Zijn blik was gespannen. Ze kon de tekst op zijn armen zien.

Er stonden meer woorden op dan in haar herinnering.

'Wacht eens, volgens mij heeft hij nieuwe boodschappen op zijn huid geschreven.'

De foto had een lage resolutie en was klein afgedrukt. Jo pakte een vergrootglas en bestudeerde hem beter.

Haar knagende angst werd groter en dreigender. 'O, nee…'

Tang leunde naar haar toe om mee te kijken. 'Jezus.'

Op Kanans linkerarm was de boodschap waarvan Jo maar een deel had gezien nu helemaal zichtbaar.

*Zaterdag zijn ze dood.*

'Hij telt af,' zei ze.

Ze keek naar de klok aan de muur. Over minder dan twaalf uur was het zaterdag.

# 16

Stef Nivesen hoorde de bel door de luidspreker van de 747. Ze maakte haar vijfpuntsgordel los en stond op.

'Stef?' Charlotte keek stomverbaasd. 'Waar ga je naartoe?'

'Drankjes klaarzetten.'

'Ben je niet goed wijs? We kunnen elk moment opstijgen.'

Stef keek even door het raam van de deur. Ze bevonden zich op de startbaan, in de rij om op te stijgen.

Charlotte legde een hand op Stefs arm. 'Ik weet dat die dronkenlap met de krijtstreep op 12-B op het knopje blijft drukken, maar hij zal op zijn Jim Beam moeten wachten tot we op kruishoogte zijn.'

Stef hoorde de Britse bankier in rij twaalf op luide toon met zijn buurman praten.

'Ga zitten, meid. Laat Allen hem aanpakken.'

Stefs collega Allen zat met zijn gordel om op het klapstoeltje voor in het toestel. Met een nuffige, minachtende blik bekeek hij de beschonken passagier. Hij ving Stefs blik op en hief zijn ogen ten hemel.

Stef ging weer zitten. De hemel met de jupiterlampen zag er zo fel uit dat ze er misselijk van werd. Ze deed de zonwering omlaag en maakte haar gordel weer vast.

De stem van de gezagvoerder klonk door de luidspreker. '*Flight attendants, prepare for takeoff.*'

De motoren gingen op volle sterkte draaien en de grote jet maakte snelheid over de startbaan. De cabine rammelde. Stef deed haar ogen dicht.

Stef hoorde een bel rinkelen. Ze zuchtte en maakte haar gordel los.

Charlotte trok aan haar arm. 'Wat is er aan de hand? We zijn pas tien seconden in de lucht.'

'Ik dacht...'

'12-B heeft weer op de knop gedrukt. We vliegen op duizend voet. Stef, voel je je wel goed?'

12-B? En waarom zei Charlotte 'weer'? De vloer helde sterk en de motoren brulden, omdat ze nog bijna net zoveel stuwkracht hadden als bij het opstijgen. Waarom had ze haar gordel losgemaakt?

Ze had het warm. De airconditioning leek op volle kracht te draaien, maar ze vond het vliegtuig verstikkend. Ze leunde met haar hoofd tegen de scheidingswand.

'Voel je je niet lekker?' vroeg Charlotte.

'Eigenlijk niet, nee.' Ze maakten een plotselinge slingerbeweging. 'Stevige turbulentie.'

Maar doorgaans had ze helemaal geen last van de turbulentie. De passagiers konden er echter heel bang van worden. Soms smeekten ze of ze mochten uitstappen. Soms zelfs tijdens de vlucht.

Die gestoorde passagier op de vlucht vanuit Londen – waarom was hij naar de uitgang gerend? De hitte in het toestel? Het gebrek aan zuurstof? Ze sjorde aan haar sjaal, die elegant om haar hals was geknoopt. Ze had een hekel aan de muffe lucht in vliegtuigen, die vol bacteriën zat. Die woeste man, Kanan, had niets liever gewild dan uitstappen. Ze begreep hoe hij zich had gevoeld.

Ze haalde de sjaal van haar hals. 'Zo verschrikkelijk heet.'

En ze had jeuk. Ze krabde aan haar arm. Haar huid jeukte op de plaats waar Kanan haar tijdens de schermutseling had aangeraakt. Even knaagde de bezorgdheid.

Ze keek de cabine rond, waarvan de wanden een paraboolvormige kromming hadden. Het zonlicht bescheen de passagiers zo scherp dat ze elke draad in de naden van hun kleding zag, elke haar op hun hoofd. Door de turbulentie schudden ze in hun stoelen. De passagier op 12-B leunde het gangpad in en zwaaide naar haar collega Allen als een cafébezoeker die een serveerster wenkt.

Waarom zette niemand de airconditioning aan? De cabine voelde... God, de omgeving was verstikkend. Er was helemaal geen lucht. Er moest iets gebeuren. Een gebrek aan zuurstof kon dodelijk zijn voor de passagiers en de bemanning.

Ze herinnerde zich haar opleiding. Zuurstofgebrek kon mensen geluidloos, vlug en onzichtbaar doden. Op grote hoogte leidde het wegvallen van de druk tot verstikking, en de noodvoorzieningen voor extra zuurstof – die maskers die ze al duizend keer had gedemonstreerd – leverden maar tien minuten lucht. In het geval van een explosieve decompressie moeten de piloten onmiddellijk dalen naar een hoogte onder de vijftienduizend voet. Anders valt iedereen aan boord flauw.

Maar een kapot raam is niet het enige wat de zuurstofvoorziening van het vliegtuig kan afknijpen. De cabine kan zich ook vullen met dodelijke gassen.

De 747 bleef stijgen. De vijfpuntsgordel verpletterde haar longen. Ze kon naast Charlotte echt geen lucht krijgen. Charlotte verbruikte alle zuurstof. Alles in de cabine zag er benauwd en glashelder uit – alsof ze zich in een vacuüm bevonden, zonder lucht om het beeld te vertroebelen. De man op 12-B maakte zijn gordel los en kwam wankel overeind. Hij zag eruit of hij nu al dronken was. Misschien was hij een of andere Britse bankier die zich voor het boarden in de upper class lounge had laten vollopen. Hij strompelde door het gangpad naar de wc.

Ze moest lucht binnenkrijgen. Aan de andere kant van het vliegtuig, bij de andere grote deur, waren de klapstoeltjes leeg. Stef maakte haar gordel los, kwam slingerend overeind en liep door het keukentje om daar plaats te nemen.

'Stef?' vroeg Charlotte.

'Frisse lucht nodig,' zei ze.

Ze duwde haar hand tegen de scheidingswand om haar evenwicht te bewaren en trok het klapstoeltje naar beneden. Het vliegtuig stuiterde. Buiten ging de horizon op en neer. Ze trok de zonwering naar beneden en drukte haar hoofd achterover tegen de dunne wand. De lucht voelde nog steeds verstikkend en heet aan.

Gloeiend heet. Knipperend deed ze haar ogen open. Iedereen zat op zijn plaats, behalve de dronken bankier. Het vliegtuig steeg nog altijd.

Haar arm jeukte op de plaats waar de woesteling haar had gekrabd. Ze keek ernaar.

Tijdens de vlucht had de man voortdurend zijn handen aan zijn spijkerbroek afgeveegd. Opeens zag ze hem weer voor zich. De passagier in rij 39, een ongeschoren, knappe man die een uitgeputte indruk had gemaakt en naar de stoel vóór hem had gestaard alsof hij er gaatjes in wilde branden. Die ogen, zo licht van kleur dat ze blauwe sterren leken.

Hij had lange, diepe krassen op zijn linkerarm gehad. Tijdens het handgemeen met de andere passagiers waren de krassen opengegaan. Ze hadden gebloed.

Had ze dat aan iemand verteld? Ze dacht van niet. Ze had het tegen die dokter moeten zeggen.

De vliegtuigromp kraakte.

God, wat had ze het warm. Alsof ze in een oven zat. Het was alsof ze in de cabine werden geroosterd. Ze kon nauwelijks ademhalen.

Blauwoog in rij 39. Misschien had hij ook niet kunnen ademhalen.

Het vliegtuig stuiterde. Misschien zou Blauwoog haar begrijpen. In een noodgeval moest je meteen actie ondernemen. Dan moest je dit monsterachtige toestel in negentig seconden evacueren. Driehonderdvijftig mensen die er veertig minuten over hadden gedaan om te boarden, moesten binnen anderhalve minuut buiten staan.

Blauwoog had de nooduitgang willen openmaken.

Ze had het gevoel dat het vijftig graden in de cabine was. Misschien nog warmer. En er was gewoon geen lucht.

Nee, het was geen vijftig graden. Zestig. Misschien wel vijfenzestig. Nog warmer. Het was de intense hitte van een sauna.

De bankier probeerde de wc-deur open te trekken. Allen kwam door het gangpad aanlopen om hem weer naar zijn plaats te begeleiden. Maar waarschijnlijk wilde de bankier alleen maar wat koud water over zijn gezicht wrijven omdat hij het net zo heet had als zij.

Ze rukte aan de kraag van haar bloes. Twee knopen braken af en stuiterden met een tik tegen de deur. De hitte in de cabine kon maar door één ding komen.

Als het vliegtuig in een noodgeval op lage hoogte vliegt, en als… Jezus. Hitte. Als het zo heet was, moest er ergens brand zijn. Brand betekende rook. Daarom had ze het zo warm en kon ze niet ademhalen. Ze kon geen brand zien, al zag ze verder zo scherp dat alles door een laser leek te zijn geëtst. Vuur betekende rook – of beter gezegd, brandbare gassen. En gassen konden onzichtbaar zijn.

In zo'n noodgeval, als passagiers en bemanning niet kunnen ademhalen en de zuurstofnoodvoorzieningen niet in werking zijn getreden, is het van levensbelang om de rook uit de cabine te verwijderen.

Haar ogen werden groter. Er was maar één manier om dat te doen. En het moest worden gedaan voordat ze op grote hoogte waren, want boven de tienduizend voet werd de druk in het toestel te groot en zou het niet meer lukken.

'O mijn god,' zei ze.

Blauwoog had het ook gevoeld. De hitte, het gebrek aan zuurstof. Hij wist wat er gedaan moest worden. Hij had geprobeerd het te doen.

Je moest het snel doen. Voordat het vliegtuig de kritieke hoogte bereikte.

Ze dreigde te stikken. De temperatuur liep op naar het kookpunt. Naar de temperatuur van een oven. Hoe warm moest het worden voordat ze ontploften?

Die twee andere passagiers hadden Blauwoog tegen de grond gewerkt. Blauwoog bleef schreeuwen dat ze gek waren, maar ze wilden niet naar hem luisteren. Hij wrong zich in honderd bochten en gooide hen van zich af, maar tegen die tijd was zijn weg al versperd.

De neus van de 747 wees omhoog. Hij raakte een luchtzak en

viel, een geluidloze duikvlucht door de stuiterende atmosfeer. Ze greep krampachtig haar knieën beet. Ze had geen signalen uit de cockpit gehoord. Niemand van het cabinepersoneel leek het in de gaten te hebben. Allen was in discussie met de dronken bankier, en Charlotte keek naar hun ruzie.

Haar omgeving schitterde feller dan verse sneeuw. Als ze nú niets deed, zouden ze het niet overleven. Zelfs als de piloten hun zuurstofmaskers droegen, was de hitte onverdraaglijk. En ze hadden er ook niets aan om het vliegtuig veilig aan de grond te zetten en te ontdekken dat verder iedereen in het toestel dood was. Koolstofmonoxide was kleurloos. En een bijproduct van een incomplete verbranding.

Die klote-747 stond in brand. Blauwoog had het gezien en had geprobeerd iedereen te waarschuwen. Hij had zijn best gedaan om het vliegtuig te redden, maar zij had hem genegeerd, en die twee bullebakken uit de economyclass, die twee halvegaren, hadden voorkomen dat Blauwoog hen kon redden.

Ze probeerde lucht naar binnen te zuigen, maar haar longen wilden niet opzwellen. De lucht om haar heen was helder en schroeiend. Tranen van paniek vulden haar ogen.

Niemand had het in de gaten. Het gas had hen al aangetast. Blauwoog kon niets meer doen. Zij moest iets doen.

Ze was doodsbang, maar ze was hiervoor opgeleid. Ze kon het.

Ze stond op en ontgrendelde de deur.

Vanaf de andere kant van het toestel riep Charlotte: 'Stef? Wat doe je?'

Ze moest het doen voordat de 747 op tienduizend voet kwam, want anders zou de druk in de cabine de deur vastklemmen.

'Stef, néé!'

Ze trok aan de hendel om de deur te openen.

Met een enorm kabaal en een wind als een Bijbelse straf ging de deur open. Twee centimeter, vijf, vijftien. De lucht in de cabine veranderde in bevroren mist en terwijl Charlotte schreeuwde, vloog alles wat niet was vastgespijkerd naar buiten alsof het door een magneet werd aangetrokken, alsof het uit de hel ontsnapte. De deur bewoog met een krachtige vastberadenheid naar binnen en naar boven. Het werd ijskoud in het toestel. Buiten was er niets anders dan lucht. Prachtige, frisse, overvloedige hoeveelheden lucht. Stef ademde in. Twintig centimeter. Vijfentwintig. Vijftig. De bankier krijste en werd opgetild. Koffiepotten en tijdschriften en zonnebrillen en een colbertje vlogen met huilend geraas langs Stef door de steeds groter wordende opening.

Stef vloog erachteraan.

# 17

Nadat Tang was weggegaan, probeerde Jo Misty Kanan te bereiken. Ze liet boodschappen achter op Misty's mobiele nummer en het vaste nummer van de Kanans.

Ze begon zich steeds gefrustreerder te voelen en belde Chira-Sayf, waar ze nieuwe berichten voor Alec Shepard en Riva Calder achterliet. Ze kreeg de indruk dat alle betrokkenen bij deze zaak verstoppertje speelden. En zij was degene die de rest geblinddoekt en struikelend moest zoeken.

In de achtertuin leken de wuivende groene bladeren van de magnoliaboom wel op de wapperende handen bij de pinksterbeweging. Ze legde haar mobieltje op de keukentafel. Het ging over.

De beltoon schetterde door het vertrek: Incubus met 'Sick Sad Little World'. Ze sprong erop af als een soldaat die op een ontgrendelde granaat duikt.

'Ik heb nog wat informatie over Kanan,' zei Gabe.

'Geweldig, laat maar horen. Zet mijn wereld op zijn kop.'

'Dat klinkt alsof je vandaag een goede dag hebt.'

'Zo goed als een parajumper die bij een reddingsmissie zijn parachute is vergeten.'

'Ik vind dat je de informatie persoonlijk moet horen. Ik ben onderweg naar Noe Valley – heb jij al geluncht?'

'Ik zie je bij Ti Couz.' Ze pakte haar sleutels en liep naar de deur.
'Vat het even samen. Vijf woorden of minder.'

'Over Ian Kanan? Piefpafpoef.'

Een minuutje later jogde ze over het trottoir naar de pick-up, die
om de hoek en aan de andere kant van het tramspoor op parkeerplaats *numero quince* stond. Haar telefoon ging weer over.

'Dokter Beckett? Alec Shepard.'

De stem van de president-directeur van Chira-Sayf klonk ver-
weerd en droog, als een splinterende houten staak. Jo's hart ging
sneller slaan.

'Fijn dat u terugbelt,' zei ze.

'U hebt er wel voor gezorgd dat dat gebeurde. Mijn piloot vertelde dat Ian me wil vermoorden.'

'Kunnen we ergens afspreken?'

'Dat lijkt me wel verstandig. Ik kom net van de luchthaven in
San José. Ik rij over de 101 naar de stad.'

'Kent u de Mission? Op Sixteenth is een restaurant. Ti Couz.'

'Ik vind het wel.'


Murdock en Vance sleepten haar weer door de deuropening naar
de koude garage, maar deze keer leken ze een zenuwinzinking nabij. Murdock duwde haar hard in de richting van de stoel die onder het kale peertje op het beton stond.

'Ga zitten.'

Ze liet zich langzaam op de stoel zakken en gooide haar haar over
haar schouder. Lichamelijk waren ze haar volledig de baas, maar zij
kon haar best doen om de baas te blijven over haar emoties, of in
elk geval over haar zelfrespect. Murdock trok het loodgieterstape
van haar mond. Hij kwam voor haar staan, boog zich voorover en
zette zijn handen op zijn knieën, waardoor zijn natte tandvlees en
glimmende kale hoofd voor haar op ooghoogte kwamen.

'Waar is Ian?' vroeg hij.

'Dat weet ik niet.'

'Hij vertelt je alles wat er in het bedrijf gebeurt. Hij vertelt je dus
ook waar hij naartoe gaat.'

'Nee.'

Vance kwam met een hanig loopje naar haar toe. 'Moet ik soms aan de zwaardere ondervragingstechnieken beginnen, trut?'

Hij greep in zijn kruis. Het speeksel bleef in haar keel steken. Murdock sloeg hem weg alsof hij een vlieg was, en Vance sjorde zijn lubberende spijkerbroek op en trok zich met een sneer terug aan de andere kant van de garage.

'Naar wie is Ian op zoek?' vroeg Murdock.

'Dat weet ik niet.'

'Hoe vinden we hem?'

Murdock was vlak bij haar gezicht, waardoor ze zijn adem kon voelen toen hij sprak. Maar ze hoorde ook wat hij niet zei: *Hoe vinden we Ian voordat hij ons vindt?*

Ze waren bang en begonnen wanhopig te worden. Er was iets gebeurd. De derde man, degene die onder de puisten zat, was er niet meer. Hun plannen waren gedwarsboomd. Misschien had Ian dat wel gedaan.

'*Word jij er tegen je zin bij betrokken?*' had ze aan hem gevraagd.

'*Als ze dat doen, krijgen ze er spijt van. Want dan regel ik het op mijn manier.*'

Nu zag het ernaar uit dat zijn tegenstanders zich inderdaad maar beter konden bergen. Een klein, vals kantje van haar karakter was daar blij om.

Murdock kwam nog dichterbij en streek met zijn neus over haar haar. Zijn woorden klonken vochtig. 'Gedraag je, denk erom.'

Anders zouden ze haar dwingen zich te verkleden in de warme kleren die ze hadden meegenomen, de kleren die zouden uitschreeuwen dat ze Riva Calder heette. Hoe ging die tekst van Dave Grohl ook weer? Over het gezicht dat je ziet en dat je starende blik weerspiegelt?

'Waar is Ian?' vroeg Murdock.

Er zat nog een regel in dat liedje. *I'm the enemy* – ik ben de vijand. Degene die een tegenstander op de knieën dwingt.

Ze stopte haar angst weg en keek hem recht in de ogen. 'Wat krijg ik van jou als ik het vertel?'

Murdocks blik werd effen. 'Verkeerde vraag. Wat krijg je van mij als je het niet vertelt?'

Door de ramen aan de voorkant van Ti Couz had Jo een goed uitzicht over Sixteenth Street. Het sfeervolle, eenvoudig ingerichte restaurant had hoge plafonds, glanzend geverfde muren en gammele tafeltjes. Het eten was er geweldig. Borden kletterden en kelners riepen opgewekt naar de koks in de keuken. Aan het tafeltje naast haar zat een potig, bebaard stel hand in hand. Ze zagen eruit als een paar grizzlyberen in nette overhemden.

Terwijl Jo op Shepard wachtte, bladerde ze afwezig door een exemplaar van de *Bay Guardian*. De toon van het weekblad leek nooit te veranderen. Natuurlijk was de regering er weer op uit om het volk te onderdrukken.

Haar telefoon begon te sjirpen door een sms'je van Gabe. *Ben er over tien minuten.*

Door de grote ruit zag ze Alec Shepard over het trottoir aankomen. Hij was de enige man op straat die een pak droeg. Niet zomaar een pak, maar een pak in de kleur van een bommenwerper, gesoigneerd en op maat gemaakt, met een hagelwit overhemd en een felblauwe das die als een slagzwaard op zijn borst hing. Hij was stevig gebouwd en had het brede hoofd en de borstkas van een bizon. Zijn grijze haar en koper-en-zoutkleurige baard waren kortgeknipt. Hij liep met zelfverzekerde passen. Hij kwam binnen, zette zijn zonnebril af en keek rond met de peilloze blik waarmee Ian Kanan haar in de 747 had aangekeken. Misschien was het een gepatenteerde blik van Chira-Sayf.

Ze zwaaide. Hij kwam naar de tafel en gaf haar een hand.

'Ik kan maar een paar minuten blijven. De politie heeft me gebeld. Blijkbaar heeft iemand vanochtend mijn nieuwe Navigator van mijn oprit gestolen.' Hij ging tegenover haar zitten. 'Het is me het dagje wel.'

Shepard had er geen problemen mee om met zijn rug naar het raam te gaan zitten. Jo had hem gewaarschuwd dat Kanan hem iets wilde aandoen, maar kennelijk kon hij zich bij die doodsbedreiging niets voorstellen.

'Vertel alstublieft waarom u die melodramatische boodschap bij mijn secretaresse hebt achtergelaten,' zei hij.

'Het kan zijn dat Ian Kanan van plan is u te vermoorden.'

'Absurd.'

Jo bleef hem aankijken en probeerde zijn toon en houding te beoordelen, te kijken of hij nerveus of bang was. Hij gaf niets prijs.

'Waarom denkt u dat dat absurd is?' vroeg ze.

Hij legde zijn zonnebril op de tafel. 'Gezien de omstandigheden denk ik dat u mij een verklaring schuldig bent.'

'Hebt u de politie niet gesproken?'

'Jawel, over die autodiefstal. Ik ben naar Montreal geweest, mijn vliegtuig is net geland. Als er nog meer aan de hand is, heeft de piloot dat in elk geval niet te horen gekregen.'

Jo leunde achterover. 'Hebt u de afgelopen dertig uur überhaupt iets gehoord? Kanan heeft hersenletsel opgelopen, waardoor hij zijn kortetermijngeheugen kwijt is.'

Zijn mond vertrok, alsof er een vishaak in zijn lip zat. 'Ik heb het gehoord. Daar wil ik het graag met de neuroloog over hebben. Ik wil dat u zich beperkt tot het beoordelen van Ians geestelijke toestand. Vertel me eens waarom u tot de bizarre conclusie bent gekomen dat hij een moordzuchtige maniak is.'

'Meneer Shepard...'

'Alec.'

'Dank je, noem mij dan maar Jo. Alec, er gebeuren vreemde dingen bij Chira-Sayf. Een van je werknemers wordt vermist. Een andere gaf zich twee uur geleden uit voor iemand anders. Gisteren heeft Ian me aangevallen. Hij denkt dat hij vergiftigd is. Hij heeft een lijst met namen op zijn arm geschreven, de jouwe bovenaan, en een verklarende zin die eindigt met het woord "dood". En ik denk dat zijn hersenletsel teruggevoerd kan worden op de diefstal van materialen uit je nanotechnologielab in Johannesburg.'

Shepards ogen hadden de lichtgrijze tint van kwartsiet. Hij keek haar een paar tellen aan om haar in te schatten, net zoals zij hem had ingeschat.

Jo voelde haar wangen warm worden. Dit was geen psychoanalyse. Ze kon het zich niet veroorloven om hier te zitten als een therapeute die wachtte tot er afweermechanismen verbrokkelden, verbanden werden gelegd en nieuwe inzichten doorbraken. Doorgaans zette ze mensen niet onder druk om haar vragen te beantwoorden.

Als ze hun herinneringen en indrukken ongevraagd naar voren brachten, waren hun antwoorden eerlijker. Maar Shepard werkte niet mee.

'Wie heeft Ian naar Afrika gestuurd?' vroeg ze.

'Wanneer?'

'Vorige week. Zuid-Afrika, Zimbabwe, Zambia. Daar kwam hij vandaan toen hij gisteren thuiskwam.'

'Ik wist niet dat hij in Afrika was geweest.'

'Niet?' Jo legde haar handen plat op de tafel. 'Waarom heeft Chira-Sayf het lab in Johannesburg gesloten?'

'Dat hoef ik je niet te vertellen.'

'Aan welke nanotechnologieprojecten werkte het lab?'

'Ik dacht dat je het over Ian wilde hebben.'

'Dat is ook zo. Vertel me eens over je relatie met hem. Begin bij het begin en laat niets weg. Ik wil weten of hij betrokken kan zijn geweest bij een diefstal uit het lab, of je nanoproject hem kan hebben vergiftigd en waarom getuigen in de jachthaven hem vanochtend hebben zien weglopen van een plaats waar een moord was gepleegd.'

Bij die opmerking liet hij het masker heel even zakken. Zijn blik was geschokt. 'Moord?'

'Alec, rechercheurs van de SFPD zijn naar je op zoek. Naast *Somebody's Baby* is het drijvende lichaam van een dode man gevonden. Hij was doodgestoken. Meteen daarna zagen getuigen Ian de jachthaven verlaten.'

'Dat is...' Hij sloot zijn ogen.

'Alec?'

Hij negeerde haar. Hij pakte zijn telefoon, toetste een nummer in en hield het toestel tegen zijn oor. 'Jenny? Verbind me door met de juridische afdeling.'

Shepard wreef over zijn voorhoofd. Zijn gezicht was zo rood als een radijs geworden. Achter hem, op straat, schitterde het zonlicht fel op de passerende voertuigen. Jo merkte dat ze haar kaken op elkaar klemde.

'Bill? Alec. We hebben een gigantisch probleem. Waarom heb je me niet gebeld?'

Achter de voorbijrijdende auto's op Sixteenth Street zag Jo de glans van roodbruine lak. Ze keek wat beter. Tegenover het restaurant stond een rode suv geparkeerd. Ze dacht terug aan de foto die de bewakingscamera in de jachthaven van Kanan had gemaakt.

'Alec – die auto die van je oprit was gestolen. Een Navigator?'

Hij keek op, geïrriteerd door haar onderbreking.

Ze leunde naar voren. 'Is het een rode Navigator?'

'Ja.'

Met een knikje gebaarde ze naar buiten. 'Die, misschien?'

Ian Kanan staarde door de getinte voorruit van de Navigator naar het restaurantje op Sixteenth. Hij zag Alec binnen aan een tafeltje zitten. Tegenover hem, op de plaats met het beste uitzicht, zat een vrouw. Jong, donker en knap, en ze leunde met een ingespannen blik naar Alec toe.

Hij liet zijn blik over het dashboard dwalen. Naast een aantal zelfklevende memobriefjes was een legitimatiepasje aan een ventilatierooster geklemd. DR. JOHANNA BECKETT. Dezelfde vrouw.

Dus er was een verband met Beckett, zij was er ook bij betrokken. Hij hield zijn telefoon omhoog en maakte een foto van hen.

Hij keek naar Alec en kreeg een hol gevoel in zijn maag. Zijn hoofd, de heldere luchtbel van het heden waarin hij leefde, vulde zich met het woord *verraad*.

Hij haalde het pistool achter uit zijn broekband. Het was een halfautomatische HK. Hij controleerde het magazijn en laadde door om de kamer van een patroon te voorzien.

Met zijn telefoon aan zijn oor strekte Shepard zijn hals uit naar het raam. Zijn ergernis veranderde in verwarring en daarna in verbazing.

Hij beëindigde het gesprek. 'Dat is mijn Californië-sticker op de achterruit. Wel heb je ooit. Sodeju – hoe bestaat het!'

Hij schoof zijn stoel naar achteren. Jo reikte over de tafel en legde een hand op zijn arm.

De ruiten van de Navigator waren getint. De winterzon bleekte het glas tot een koude gele tint. Ze konden de bestuurder niet zien.

'Ian kan hem gestolen hebben,' zei hij.

'Hoe dan? Heeft hij een sleutel?'

Hij fronste zijn wenkbrauwen. 'Nee. Maar hij weet hoe hij het alarm moet uitschakelen en waar ik een reservesleutel bewaar. Hij heeft de beveiliging van al onze bedrijfsauto's geregeld.'

Hij wilde weer gaan staan. Jo greep zijn arm nog steviger beet.

'Waarom komt hij niet binnen? Alec? Wat gebeurt er als we naar buiten lopen?'

'Iets vervelends.' Hij staarde uit het raam. Zijn splinterige stem leek de lucht te bekrassen. 'Bel je de politie?'

Hij dacht dus ook dat Kanan gevaarlijk was. 'Ja. Zodra we uit zijn gezichtsveld verdwenen zijn.'

Ze wachtte tot er een kelner met een paar stevige witte borden voorbijkwam. Hij stopte bij het tafeltje van het potige homostel en zette de borden neer, waardoor hij het uitzicht blokkeerde. Jo greep haar tas en schoof van haar stoel, terwijl ze Alecs arm vasthield.

'Kom mee. Kijk niet om. Probeer geen aandacht te trekken.'

Hij stond op. Ze leidde hem door het restaurant en duwde de deur naar de keuken open. De koks keken op, maar ze rende iedereen voorbij en trok Shepard via de achterdeur mee naar een steegje.

Ze keek om zich heen. 'We moeten hier zo snel mogelijk weg. Waar staat je auto?'

'Tegenover het restaurant.'

'Waar de Navigator hem kan zien?'

'Helaas wel.'

Jo kende de buurt, maar niet goed. Het politiebureau in de Mission was een paar straten verderop, en om er te komen zouden ze Sixteenth moeten oversteken. Het steegje was even lang als het huizenblok, wat betekende dat de Navigator hen kon zien als ze Sixteenth overstaken.

Ze haalde haar telefoon uit haar tas en belde Gabe.

Hij nam opgewekt op. 'Ik ben er bijna.'

'Zit je in de 4Runner?'

'Nee, ik loop naar je toe.'

'Verdomme.'

Een straat verderop liep Gabe over het drukke trottoir. 'Wat is er aan de hand?'

'Ian Kanan zit in een rode Navigator tegenover het restaurant. Ik ben net door de achterdeur naar buiten gegaan. Waar staat je auto?'

Meteen werd Gabes radar ingeschakeld. 'Op Guerrero.'

Hij speurde de straat af. Tachtig meter verderop zag hij de rode Navigator, die met zijn achterkant naar hem toe stond.

'Jo, ik zie hem. Op twaalf uur.'

Het portier aan de bestuurderskant ging open en er stapte een man uit. Hij was mager, had roestkleurig haar en bewoog zich zo soepel als een slang. Hij keek naar links en naar rechts en stak over naar het restaurant. Bij de grote glazen ramen stond hij stil en tuurde naar binnen. Een paar tellen lang bleef hij doodstil staan, maar toen tikte hij op zijn onderrug. Hij trok zijn grijze flanellen overhemd over de band van zijn broek.

Gabes pingende radar ging over op een gestage, gonzende toon. Hij zag niets anders meer dan Kanan. 'Hij is gewapend.'

'Jezus. Gabe...'

'Blijf aan de lijn.'

Kanan draaide zich abrupt om en rende de straat over naar de suv.

'Hij weet dat je via de achterkant bent ontsnapt,' zei Gabe.

Kanan sprong in de Navigator, startte de motor en reed met hoge snelheid weg.

'Jo, hij komt eraan.'

'Welke kant op?'

'Rond de oostelijke kant van het huizenblok. Loop naar het westen.' Gabe draaide zich om en rende terug naar Guerrero Street. 'Hou vol. Ik kom je halen.'

Terwijl hij zo hard rende als hij kon, beëindigde hij het gesprek en belde hij het alarmnummer.

Met de telefoon in haar hand geklemd knikte Jo in de richting van Albion Street. 'Lopen.'

Shepard keek om zich heen. Jo pakte hem weer bij de arm.

'Kom mee.'

Ze trok hem mee door het steegje. Shepard liep vlak achter haar en ging over op een log drafje.

'Waarom wil Kanan je iets aandoen?' vroeg ze.

'Dat weet ik niet.'

Ze keek hem scherp aan. 'Hou op, Alec. Nu ben ik erbij betrokken. Vertel op.'

In het smalle steegje stond een rij vuilnisbakken en containers. De betonnen goot in het midden was nat van de regen van de vorige dag. Geluiden van andere restaurants zwollen aan en stierven weg toen ze voorbij renden. Keukengeluiden, potten en pannen en bestek, en mensen die in het Spaans en Kantonees naar elkaar riepen.

Shepard schudde zijn hoofd. 'Ik begrijp het niet. Het moet door dat hoofdletsel komen.'

'Koestert hij geen wrok tegen je?'

'Nee.'

'Is hij geen ontevreden werknemer? Of een dief?'

Shepard bewoog zich als een sjokkende buffel. Zijn adem kwam fluitend uit zijn longen. 'O god, nee.'

Haar telefoon ging. *Sick sad little world...* Ze hield hem aan haar oor. 'Gabe?'

'De politie is onderweg. Ik haal de 4Runner. Blijf in westelijke richting lopen en kijk uit naar Kanan.'

'Alec Shepard is bij me. Hij...'

Achter haar reden banden krakend over gebroken glas. Ze keek over haar schouder.

De rode Navigator reed het steegje in.

Haar hart ging als een razende tekeer. 'Rennen.'

Shepard keek aarzelend over zijn schouder. Ze drukte haar nagels in zijn arm.

'Nú.'

De Navigator brulde en kwam steeds sneller op hen af. Achter de auto wervelden vuilnis en oude kranten omhoog. Jo zette een sprint in.

Pas een seconde daarna volgde Shepard haar voorbeeld, alsof hij nog steeds niet begreep dat hij zich in een situatie bevond waarin fracties van seconden telden.

'Gabe...'

'Ik ben nog twee straten van mijn auto verwijderd. Rennen.'

'Doe ik al.'

Jo's Doc Martens voelden als cement aan haar voeten. Haar tas zwaaide als een stoeptegel aan haar schouder heen en weer. Achter hen werd het gebrul van de motor steeds luider. Metaal kletterde toen de Navigator tegen vuilnisbakken aan reed en met de domme willoosheid van een bowlingbal bleef doorgaan. Recht vooruit lag het punt waar het steegje op Albion uitkwam. Nog honderd meter...

Als ze recht vooruit bleven lopen, haalde hij hen in.

Achter een groepje uitpuilende vuilnisbakken zag Jo een openstaande deur. 'Deze kant op.'

Achter zich hoorde ze Shepards zware ademhaling en de hakken van zijn dure veterschoenen, die over het beton schuurden. En de motor, waarvan het toerental opliep.

Ze rende met volle vaart door de deuropening en merkte dat ze achter in een kledingzaak was beland. Ze bleef rennen en hoorde de Navigator met piepende banden tot stilstand komen. Daarna hoorde ze de deur van de winkel dichtslaan. Ze keek om. Shepard had hem dichtgedaan en worstelde met een grendel.

Hij keek naar haar. 'Loop door.'

Buiten werd de Navigator weer gestart. De banden piepten toen de auto wegreed. Shepard schoof de grendel op de deur en sjokte naar haar toe. Ze stak haar handen uit.

'Nee. Hij verwacht dat we de voordeur uit rennen en het op een lopen zetten naar jouw auto. Hij rijdt om het huizenblok heen. We moeten aan de achterkant naar buiten.'

Shepard kwam slippend tot stilstand op de gladde tegelvloer. 'Dat gok je maar.'

'We moeten wel gokken. Ik denk dat hij ervan uitgaat dat we zo in paniek zijn dat we niet teruglopen.'

'Wat doen we als hij ons tien meter verderop in het steegje opwacht?' Hij keek naar de achterdeur en daarna door de ramen aan de voorkant. 'We kunnen ook hier blijven. Gewoon afwachten.'

'Achter die grote ramen? Dan vormen we een schietschijf. Hij is gewapend. We moeten hem afschudden.'

Ze rende naar de achteruitgang en legde haar oor tegen de deur. Ze hoorde geen motor.

Ze dacht: *kan ik goed gokken?* Als dit een heel smal randje op een rots was, vijfenzestig meter boven een vallei, en ze moest beslissen of ze haar gewicht zijwaarts zou verplaatsen naar het volgende treetje of moest afdalen, wat zou ze dan doen? Haar hart rinkelde, cimbalen, kookwekkers, koekoeksklok.

*Gewoon ademhalen.* Ze deed haar ogen dicht, stond stil en luisterde. Ze hoorde klanten in de winkel en een kassa, maar geen zware motor.

'Kom mee.'

Ze ontgrendelde de deur, maakte hem open en stak haar hoofd naar buiten. Het steegje was leeg.

Ze rende naar buiten. Aan de andere kant van het steegje, achter een platgereden vuilnisbak die zijn inhoud als een ontweide vis had uitgespuugd, werd de achterdeur van een andere winkel met een baksteen opengehouden.

'Deze kant op.' Ze hield haar telefoon tegen haar oor. 'Gabe – ben je daar?'

'Ik ben bijna bij de 4Runner,' zei hij hijgend.

'We gaan een winkel op Fifteenth Street binnen. Ik luister of ik sirenes hoor.'

Shepard stak een arm uit. 'Geen politie.'

Abrupt draaide ze haar hoofd. 'Wat?'

'Bel ze af.'

Angst en woede striemden een streep over haar rug. 'Ik peins er niet over.'

Ze rende door de openstaande deur en door een schemerige gang. Shepards zwoegende ademhaling weerkaatste tegen de wanden toen hij achter haar aan sjokte.

'Bel de politie af,' zei Shepard. 'Je begrijpt het niet.'

'Wat begrijp ik niet? Kanan is gevaarlijk, hij is gewapend en hij zit achter ons aan.'

Vanuit het gangetje kwam ze achter in een stomerij. Kleren hingen in plastic zakken aan een gemechaniseerde rail aan het plafond. Het stonk er verschrikkelijk naar chemische reinigingsmiddelen. Aan de andere kant van een scheidingswand zat een verveelde winkelbediende een tijdschrift te lezen.

De ruit aan de voorkant was bedekt met rode letters. Het was rustig op straat, een paar geparkeerde auto's, een rijtje motorfietsen dat aan de overkant haaks op het trottoir stond.

Ze ging zachter praten. 'Kanan zit achter jou aan, maar ik maak jacht op hém. Hij moet weer worden opgepakt, en reken maar dat ik dat aan de politie overlaat.'

Shepard haalde piepend adem. Het zweet glinsterde op zijn voorhoofd en maakte natte plekken op zijn overhemd. Zijn grijze ogen stonden vol pijn en verwarring, die ze niet kon plaatsen.

'Klopt het dat hij over vijf minuten is vergeten dat hij ons heeft gezien?' vroeg hij.

'Ja, maar dat betekent nog niet dat hij zijn zoektocht naar jou staakt. Misschien rijdt hij wel uren rondjes door de straat. Misschien verstopt hij de suv en gaat hij op de loer liggen. Ga er niet van uit dat hij afdwaalt, want dat doet hij niet,' zei ze. 'Hij heeft een missie. Een missie die voor hem nooit zal eindigen, zelfs niet als hij hem succesvol voltooit.'

Er ging geen rilling door Shepard heen, maar hij zag eruit alsof een onzichtbare hand hem hard in het gezicht had geslagen.

'Ik kan hem niet bij de politie aangeven,' zei hij hees.

'Waarom niet? Vertel me waarom je de politie er niet bij wilt hebben.'

Shepards kaak en schouders waren gespannen. Hij zag eruit alsof al zijn energie door een onzichtbare stroomdraad werd weggezogen.

'Ik kan hem niet aangeven. Hij is mijn broer.'

# 18

Kanan reed in zuidelijke richting over Albion en greep het stuur beet alsof hij het wilde wurgen. Het lampje van de richtingaanwijzer knipperde en hij kwam op het kruispunt met Sixteenth. Hij volgde de instructies van Alecs auto op en ging linksaf. De grote suv zwoegde de hoek om.

Zijn hart roffelde in zijn borstkas. Hij reed gewoon midden op de dag tussen het andere verkeer, maar hij ademde snel. Er was iets aan de hand. Iets belangrijks. Hij keek naar het memobriefje op het dashboard.

*Alec in Mercedes.*

Hij speurde de weg af terwijl hij over Sixteenth reed. Het daglicht leek uitzonderlijk fel. Het zonlicht gaf de wolken de helderheid van een prisma. De stroomdraden boven zijn hoofd waren zo scherp afgetekend dat hij dacht dat hij de elektriciteit zou zien stromen als hij zich concentreerde. Hij zag het verkeer op straat en had het gevoel dat hij alle auto's, vrachtwagens en bussen kon tellen, de verhoudingen kon bepalen en kon zeggen hoe hard ze allemaal reden, gewoon door te kijken hoe vlug ze van de ene telefoonpaal naar de andere reden. Vergeleken met de snelheid waarmee zijn hersens werkten, leek het verkeer in slow motion voorbij te glijden.

Hij keek weer naar het dashboard. Naast het memobriefje over

Alec hing er nog een. *Dokter – blauwe Tacoma*. Met een kenteken eronder geschreven. Hij wist niet waar het over ging, dus daarom bleef hij uitkijken naar Alec, die hier ergens in de buurt moest zijn. De zoektocht naar zijn broer was immers zijn enige reden om naar het Mission District te komen.

Hij trapte op de rem. Daar, bij het trottoir, stond de Mercedes. Er zat niemand in. Hij tuurde de straat rond – Alec was nergens te bekennen.

De auto achter hem toeterde. Kanan gaf weer gas en reed naar de hoek. Hij zou de omgeving straalsgewijs afspeuren naar Alec, met de Mercedes als middelpunt. Hij ging langzamer rijden en ging linksaf op de dwarsstraat.

Jo staarde naar Alec Shepard. Ineens begreep ze de pijn en verwarring in Shepards ogen.

'Je broer,' zei ze.

'Ja. En ik weiger hem te laten arresteren.' Hij nam haar bij de elleboog. 'Laten we hier weggaan.'

Ze trok zich los en ging achter de hangende tuin van gestoomde kleding staan. 'Oké, grote broer – wat acht je het waarschijnlijkst? Rijdt hij in een rechte lijn weg van de plaats waar hij ons is kwijtgeraakt, of rijdt hij rondjes door de straat?'

'Je zei dat hij zou vergeten dat hij ons hier had gezien.'

'Dat klopt. Hij kan nieuwe herinneringen niet blijvend opslaan. Maar hij kan beslist vertrouwen op zijn opleiding, instinct en de vaardigheden waarmee hij problemen oplost – vaardigheden die hij in de loop van zijn leven heeft aangescherpt. Hij is erin geslaagd om je te vinden, dus hij moet een of ander systeem hebben bedacht. Vertel me dus maar eens hoe hij in elkaar zit, meneer Shepard.'

Ze sprak de achternaam scherp uit.

'Ik zal alles uitleggen.' Hij pakte haar weer bij de elleboog.

Jo wilde niet dat hij de leiding nam en trok zich los uit zijn greep. 'Waarom heb je niet meteen gezegd dat hij je broer was? Als je nu niet meteen open kaart speelt, loop ik niet achter je aan de winkel uit.'

'Ik wist niet of ik je kon vertrouwen. En omdat je kennelijk nog niet wist dat we broers waren, wilde ik je liever niet in vertrouwen nemen.'

En verdomme nog aan toe, dacht Jo, waarom heeft Misty Kanan me dat niet verteld? Waarom heeft ze dat achtergehouden?

'Hoe zit het? Halfbroer? Stiefbroer? Pleegkind?' vroeg ze.

'We zijn volle broers van elkaar. Onze vader is gestorven toen Ian nog een baby was. Onze moeder is hertrouwd toen hij zes was en ik in een van de hoogste klassen van de middelbare school zat. Haar man heeft Ian geadopteerd en hem zijn achternaam gegeven.'

Ze tuurde om het woud van in plastic gehulde kleren naar de winkelruit. Het was nog steeds rustig op straat. 'Denk even na. Onderbuikgevoel. Magische band tussen twee broers. Aan welke kant is de kans het kleinst dat we hem tegen het lijf lopen?'

'Hij is onvoorspelbaar. Dat maakt hem zo geniaal en zo lastig.'

Een harde, nasale stem sneed door de winkel. 'Wat moeten jullie daarachter?'

In de gang stond de eigenaar van de stomerij. Hij was klein, opgeblazen en gerimpeld, als een beige donzen dekbed dat door de centrifuge van een wasmachine in elkaar was gedrukt.

'We worden achtervolgd door een auto. We zijn hier ondergedoken tot de politie komt,' zei Jo.

'Gelul. Wegwezen.'

Shepard stak zijn hand op. 'Als u me de kans geeft om het uit te leggen...'

De man reikte achter zich en haalde een honkbalknuppel tevoorschijn.

Jo hief sussend haar handen op en liep achteruit naar de toonbank. 'Twee minuten.'

'Ga mijn winkel uit.' Hij hief de knuppel op als Mickey Mantle die bij de thuisplaat ging staan. 'En hou je handen op een plaats waar ik ze kan zien.'

Jo dook om de toonbank heen en keek vlug door het raam aan de voorkant. De rode Navigator reed door de straat naar hen toe.

'Alec,' zei ze.

De eigenaar dook op Shepard af en hief de knuppel op om hem te slaan. 'Eruit, zei ik.'

184

Shepard liep achteruit van hem weg. 'Ik geef je vijftig dollar als we mogen blijven.'

Hij achtervolgde Shepard rond de toonbank. 'Eruit, goddomme.'

Shepard stak zijn hand uit naar zijn portefeuille. 'Honderd dollar.'

De rode Navigator kwam steeds dichterbij. Shepard denderde op Jo af. Vlak achter hem zwaaide de gerimpelde kleine eigenaar met de knuppel, die een zoevend geluid door de lucht maakte. *Shit*. Hij haalde nogmaals uit. Slag twee ging rakelings langs Shepards hoofd.

De eigenaar maakte weer aanstalten om te slaan en keek naar Jo alsof ze een honkbal was. Ze deed de deur open.

De winkelbel rinkelde. Zonder uit zijn exemplaar van *Guitar Player* op te kijken, zei de winkelbediende achter de kassa: 'Prettige dag verder.'

Jo liep struikelend het trottoir op, op de voet gevolgd door Shepard. Precies op dat moment kwam de Navigator voorbij. Ze wendde haar hoofd van de straat af, maar ze hoorde op het asfalt remmende, piepende banden.

'Rennen,' zei ze.

Ze gingen ervandoor. Jo zocht naar een schuilplaats, maar het gebouw naast de stomerij was dichtgetimmerd en de deur zat op slot. Het appartementengebouw op de hoek was door een veiligheidshek van de straat afgescheiden. Ze kreeg het gevoel dat haar keel werd dichtgeknepen. Ze rende de hoek naar Valencia om en keek over haar schouder. Shepards das en jasje wapperden terwijl hij zwoegend achter haar aan kwam. Achter hem liet Kanan de Navigator midden op straat slippend een U-bocht maken. De voorwielen waren geblokkeerd, de achterkant draaide rond, grijze rook steeg op van de banden. Hij draaide honderdtachtig graden, stuurde bij en gaf gas in hun richting.

'Sneller. Sixteenth Street,' zei ze. 'Jouw auto.'

Het zweet droop van Shepards gezicht in zijn koper-en-zoutkleurige baard. 'Dan zijn we weer terug bij af.'

Maar dan wel omringd door een stevig Duits frame en 400 pk. Haar voetstappen dreunden over het trottoir. In deze straat waren geen schuilplaatsen, alleen maar afgesloten appartementengebouwen, winkels met glazen etalages en uitlopende bomen op de stoep-rand. In de verte stond het verkeerslicht op de kruising met Six-teenth op groen. Achter hen werd geclaxonneerd.

Jo keek om. De Navigator zat vast op de hoek, gehinderd door verkeer uit de straat waar hij in wilde.

Ze zette nog een tandje bij. Bij het kruispunt ging het licht op oranje. Voetgangers op de zebra liepen op een drafje naar het trot-toir.

'We proberen nog over te steken,' zei ze.

Op het moment dat het licht op rood sprong, renden ze de ze-bra op. Er klonk weer een claxon, hard, vlak bij haar oor, en Shep-ard danste weg voor de neus van een roestige Honda Civic.

Jo stoof over de straat naar de stoep. Verderop in de straat reed de Navigator tussen het verkeer door naar het rode licht. Zij en Shepard hadden ongeveer dertig seconden de tijd om uit zijn ge-zichtsveld te verdwijnen.

'Waar staat je auto?' vroeg ze.

Shepard schudde zijn hoofd. 'Nee. Verspreiden.'

'Alec...'

'Hij zal mij volgen.'

De blik waarmee hij haar aankeek was verhit, vastberaden en op een of andere manier meedogenloos. Daarna rende hij naar het mid-den van Valencia Street. Hij bleef op de zebra stilstaan en draaide zijn gezicht naar de Navigator.

Hij spreidde zijn armen. Was het een teken van overgave? Jo wist het niet. Was het een 'kijk maar of je me kunt pakken', of een 'waag het eens, man'? De motor van de Navigator brulde. Shepard draai-de zich om en vluchtte naar de andere kant van de straat.

Jo stond aan het trottoir genageld. De Navigator naderde het ro-de licht. Kanan aarzelde niet, gaf gas en trok op naar het kruispunt – in de richting van het verkeer uit de andere straat, recht op haar af.

# 19

Het geluid van de Navigator zwol aan in Jo's oren. De rode lak blonk in het felle zonlicht toen de SUV op haar afkwam. Auto's op het kruispunt en mensen op het trottoir schoten weg als doodsbange vissen die voor een haai vluchtten. Ze draaide zich om en zette het op een lopen.

Ze liep tegen een groep vuilnisbakken bij de stoeprand aan. Terwijl de bakken als kletterende steeldrums omvielen, verloor ze haar evenwicht en viel ze met haar handen voor zich uit op de stoep.

'Kijk uit,' schreeuwde een vrouw.

Over de glanzende ronding van een vuilnisbak zag Jo de Navigator op zich afkomen.

*Zorg verdomme dat je van het trottoir af komt, Beckett.* Ze krabbelde overeind en rende naar de deur van een Chinees restaurant. Overal om zich heen zag ze ruggen van wegrennende mensen. In de verte hoorde ze sirenes. Door de ruit van het restaurant staarden mensen haar geschrokken en met grote ogen aan, hun eetstokjes halverwege hun mond.

Er ontsnapte een kreet aan haar keel. Als ze het restaurant in rende, zou de Navigator de ruit rammen.

Ze dook naar links en slingerde met een gelijkmatige, moordende sprint over het trottoir. Haar vuisten waren gebald, haar krullen vielen uit haar haarklem over haar gezicht. Achter haar gierde de motor. De straat flitste voorbij, bomen en auto's en winkels leken een pulserende muurschildering in regenwoudkleuren.

Kon ze nu nergens over een cementen muurtje duiken? Anders moest ze een bank met een openstaande kluisdeur zien te vinden. Een scheur. Een scherpe rand, een brandtrap, een regenpijp waar ze in kon klimmen. Haar voeten roffelden over het trottoir.

In de verte zag ze een parkeergarage. Ze fixeerde haar blik erop. Gewapend beton, krappe bochten en honderd zware auto's die ze tussen zichzelf en de Navigator kon plaatsen – ze rende op de ingang af.

Vanuit haar ooghoek zag ze in de verte een zwarte auto naderen, die met volle vaart naar haar toe kwam. Ze hoorde de Navigator, die zich recht tussen haar schouders leek te bevinden. Ze boog af naar de ingang van de parkeergarage en rende in de richting van de betaalautomaat.

Op straat klonken piepende banden. Ze hoorde dat Kanan vol op de rem ging staan. Ze keek even om.

Gabes zwarte 4Runner was slippend tot stilstand gekomen, stond schuin op de weg en blokkeerde nu de ingang van de garage. Achter hem stond de Navigator stil. Kanan toeterde, een ononderbroken, dwingend geluid. De 4Runner kwam niet van zijn plaats. De sirenes werden luider.

Kanan draaide aan het stuur. Terwijl het zonlicht op zijn getinte ruiten schitterde, scheurde hij weg.

Jo bleef heel even staan. Ze leek zich niet te kunnen bewegen en kon nauwelijks ademhalen. De wereld pulseerde in het ritme van haar hartslag.

Gabe stapte uit de 4Runner en liep naar haar toe. Ze rende op hem af en vloog hem om de hals. Zonder vaart te minderen sloeg hij een arm om haar schouder, en hij leidde haar mee naar de 4Runner.

'Gaat het?' vroeg hij.

Ze knikte gespannen.

Terwijl zijn ogen de straat afspeurden, leidde hij haar naar de passagierskant, en hij maakte het portier voor haar open. Ze stapte vlug in. Hij liep op een drafje naar de andere kant, sprong achter het stuur en reed met een scherpe bocht het verkeer weer in.

'Hoe heb...' Ze greep zijn schouder beet. 'Dank je.' Haar hand trilde. 'Hoe heb je me gevonden?'

'Je mobieltje. Je hebt niet opgehangen. Ik hoorde je tegen Shepard zeggen dat hij naar Sixteenth Street moest lopen.' Hij keek in zijn spiegels en liet zijn blik over de straat dwalen. Zijn gezicht was grimmig. 'Ben je gewond?'

Ze prutste haar autogordel vast en veegde haar krullen van haar voorhoofd. 'Niets aan de hand, sergeant.'

Hij keek naar haar handpalmen. Door haar val over de vuilnisbakken waren ze geschaafd en zwart van het vuil. Terwijl ze ernaar staarde, breidde de trilling in haar handen zich uit naar haar armen en schouders. Daarna begon haar hele lichaam te beven.

'Man, wat was ik bang.'

Hij pakte haar hand en hield hem stevig vast. Achter haar ogen voelde ze een hete, prikkende angst opwellen. Nee, geen angst – het waren tranen. Toen ze met haar ogen knipperde, vielen ze op haar wangen. Ruw veegde ze ze weg.

Ze begreep zelf niet dat ze hem over haar angst had verteld. Ze kon zich maar drie momenten herinneren waarop ze had toegegeven dat ze bang was: een keer aan haar ouders, toen ze vijf was, een keer aan Daniel, toen ze in Yosemite honderddertig meter boven de vallei hingen, en een keer aan haar zus Tina, op een wanhopige, eenzame avond na Daniels dood. Maar nu had ze het er zomaar uitgeflapt. Toch schaamde ze zich er niet voor en voelde ze zich geen zwakkeling. Misschien was ze in shock.

Ze keek de straat rond. 'Heb je gezien waar Kanan naartoe is gereden?'

'Naar het zuiden, maar ik zie hem niet meer. En ik peins er niet over om achter hem aan te gaan.' Hij greep het stuur stevig beet. 'Mijn voornaamste doel is jou beschermen. Mijn andere voornaamste doel is Sophie beschermen – ze heeft een vader nodig, geen held.'

Hij remde af voor het verkeerslicht op Sixteenth en gaf richting aan naar links.

'Ik ben ongewapend en op dit moment niet in staat een gevecht met Kanan aan te gaan. We praten met de politie en zorgen dat je veilig thuiskomt,' zei hij.

De zon helde over naar het westen. Langer wordende schaduwen etsten een patroon op de weg. Ze hoorde woede in zijn stem. Hij wilde niet dat ze dacht dat hij een confrontatie uit de weg ging.

Alsof hij dat ooit zou doen. Ze streelde zijn gezicht. Het verkeerslicht sprong op groen en hij draaide Sixteenth op. Verderop, bij Ti Couz, stond een zwart-witte auto van de sfpd. Gabe reed in de richting van de draaiende zwaailichten.

Ze hoorde ook een glazen ondertoon in haar eigen stem toen ze vroeg: 'Wat heb je over Kanan ontdekt?'

Weer een blik opzij. Gabe zei niets, maar legde alleen een hand op haar arm, deels om haar gerust te stellen, deels om te controleren of ze klam was en op het punt stond om te gaan hyperventileren. Parajumpers. Altijd hetzelfde.

'Was hij geen particuliere beveiliger?' vroeg ze.

'Erger.'

# 20

Seth Kanan was bang. Hij was ook moe en voelde zich alleen, omdat niemand hem iets vertelde, maar hij was vooral bang.

Het leek of iedereen hem met opzet in het duister liet tasten –
zo'n inktzwarte duisternis dat hij niet eens meer wist of zijn ogen
het nog deden. Hij kon niet slapen. Hij kon niet met zijn ouders
praten. Ook al was hij helemaal alleen, hij voelde heel goed dat ze
hem volledig in hun macht hadden. Hij kon niets doen, alleen maar
piekeren.

Hij bleef wachten tot zijn vader door de voordeur zou komen,
maar Ian kwam niet. Er was weer een nacht zonder hem voorbijgegaan. En de mannen zaten aan de andere kant van de deur.

Seth duwde het plakband rond de kapotte brug van zijn bril-
montuur steviger aan. Hij had de mannen vandaag gezien. Hij probeerde zo min mogelijk aan hen te denken en hen als kakkerlakken
in de verste hoekjes van zijn geheugen te duwen, maar ze drongen
zijn hoofd weer binnen en namen zijn gedachten over. Ze sneer-
den, maakten vochtige geluiden, zeiden hatelijke dingen en be-
dreigden hem. Hij had het gevoel dat er vandaag iets was gebeurd.
Vance, de jongen die zo graag een rapper wilde zijn, was achter
hem aan gelopen. Hij was nerveus geweest, alsof er bijen om hem
heen zwermden.

'Je bent veilig,' had Vance gezegd. 'Als je dat zo wilt houden, moet je je netjes gedragen. Dan moet je "alstublieft" en "dank u, meneer" zeggen.'

Veilig. Wat hield dat in? Dat hij werd beschermd? Dat de rest van de wereld gevaarlijk was? Seth had het gevoel dat er vandaag nare dingen in Vance' wereld waren gebeurd. En Vance keek naar hem alsof hij dacht dat Seths vader overal achter zat en Seth in gevaar bracht. Daar snapte Seth niets van. Daarvan kreeg hij pijn in zijn maag.

En achter Vance had Murdock gestaan, die met priemende ogen over Vance' schouders naar Seth had gestaard alsof Ian Kanan daardoor ter plekke zou verschijnen.

'Gedraag je,' had Vance gezegd. 'Hou je stil, zodat je mammie geen klachten van je hoort. Anders zouden zij en je hond hier in klein-Guantánamo wel eens gemarteld kunnen worden.' Hij deed een zielig blaffende en jankende hond na.

Seth had hem de rug toegekeerd.

Ja, er was iets fout gelopen voor Vance en Murdock. Ze hadden opeens haast gekregen. En hij was een pion die ze met alle plezier zouden opofferen om hun doel te bereiken, wat dat dan ook mocht zijn.

Hij had een wapen nodig.

Iets uitgekookts, iets onverwachts. Hij draaide zich om naar het bed. Hij schoof de matras aan de kant en begon een springveer heen en weer te buigen.

Hij wist niet hoe lang het zou duren voordat de veer afbrak, maar hij wist wel dat het ene metaal het andere niet was. Dat wist hij van handenarbeid en de scheikundelessen. En van zijn vader en oom Alec, die hem hadden verteld over zwaarden maken, metallurgie, kromzwaarden en dolken. En over damaststaal.

Hij bleef sjorren, heen en weer. Deze springveer was niet van damaststaal, maar hij was gegalvaniseerd, en als hij afbrak zou hij broos en scherp zijn.

Jo deed haar voordeur achter zich op slot en volgde Gabe door de gang naar de woonkamer. Hij liep heel ontspannen, alsof hij volkomen zorgeloos was, maar zijn blik speurde de woonkamer, de gang, de trap, de keuken en het uitzicht over de achtertuin af. Ze knipte een tafellamp aan, liep naar het erkerraam en deed de luiken dicht.

Ze hadden met de politieagenten gepraat die naar Ti Couz waren gekomen. Maar Kanan was verdwenen, en Alec Shepard ook. Zijn Mercedes stond nog bij het restaurant en hij reageerde niet op haar boodschappen.

En Gabe had tijdens de rit naar huis zijn mond gehouden. Ze draaide zich om en keek naar hem.

'Voor de draad ermee. Als je niets wilt zeggen, geef me dan een kus, maar doe in elk geval je mond open, Quintana.'

Zijn blik had de langzame rondgang door het huis afgerond. Hij keek naar haar, indringend en kalm, zo onderkoeld en evenwichtig als een steen in het midden van een stromende rivier.

'Ian Kanan heeft tien jaar in het leger gediend. Ik heb geen officiële bevestiging gehad, maar mijn contactpersoon bij de luchtmacht vertelde een paar dingen die overeenstemmen met mijn eigen indruk. Kanan zat bij de Special Forces.'

'"Indruk?" Heb je het dan over geruchten of harde feiten?' vroeg ze.

'Een niet-officiële staving. Plus jouw beschrijving van Kanan. Mager en pezig, zo hebben de Special Forces ze graag.'

Als Kanan bijzondere operaties had uitgevoerd, zou zijn militaire dossier heel goed zijn opgeborgen. 'Is hij eervol ontslagen?'

'Voor zover ik weet wel. Probeer zijn legerdossier te pakken te krijgen – misschien kan Amy Tang het verzoek doordrukken. Het kan zijn dat je dan over een paar weken wat informatie krijgt.'

Ze stopte haar handen in de achterzakken van haar spijkerbroek. 'En na zijn vertrek uit het leger?'

'Toen is hij gaan werken voor een particuliere beveiliger.'

'Blackwater?'

'Ander bedrijf, soortgelijk werk. Cobra.'

'Omdat een bedrijf met een naam als "Daisy Hill Security" niet de ware korpsgeest ademt.'

'Of niet genoeg angst inboezemt,' zei Gabe. 'Kanan heeft daar vier jaar gewerkt. Bagdad, Ramadi en twee uitzendingen naar Afghanistan.'

'Dus hij is een avonturier.'

'Particuliere beveiligers doen hun werk, daarom is het leger dol op hen. Ze houden zich bezig met beveiliging en logistiek, vangen de klappen op en verminderen de druk op het leger.'

'Ze zijn huurlingen die ook dienstdoen als chauffeurs en organisatoren van evenementen.'

'En lijfwachten, sheriffs en een particuliere inlichtingendienst. Ze zijn zelfs verantwoordelijk voor de veiligheid van het Iraakse parlement.'

'Dus achter de schermen hebben ze de touwtjes in handen,' zei ze.

'En tot voor kort konden ze niet vervolgd worden. Er is echt geen enkele manier om hen ter verantwoording te roepen voor hun misstappen.'

'Wat deed Kanan voor Cobra?' vroeg Jo.

'Hij zorgde dat bezoekers van Kabul in leven bleven. Vanaf het moment waarop hun vliegtuig landde tot het moment waarop ze opstegen, was hij verantwoordelijk voor hun veiligheid. In hun hotels, onderweg, tijdens besprekingen met de regering en niet-gouvernementele organisaties – zijn werk is heel anders dan dat van een babysitter voor een bedrijf.'

'Waarom is het erger dan je dacht?'

'Een kennis van mij zat in het leger, was uitgezonden naar Afghanistan en herinnert zich een ruzie met Cobra in Kabul.'

'Tussen de Amerikaanse luchtmacht en particuliere beveiligers?'

'Het ging echt nergens over. Een verkeersopstopping. Bij een of ander chaotisch kruispunt in het centrum stond iedereen te toeteren. De mensen van Cobra richtten hun wapens op de militairen van de luchtmacht.'

'Kanan ook? Heeft jouw kennis hem gezien?'

'Nee, maar de mensen van Cobra waren mannen van Kanan. Als hij zelf niet aanwezig was, volgden ze de regels die hij bij schermutselingen hanteerde.'

'Dus Kanan heeft waarschijnlijk een opvliegend karakter en een zwakke zelfbeheersing.'

'Jo, hij is een huurling. Hij is een echte professional. Hij heeft op zijn minst een mes bij zich. Als hij thuis geen vuurwapens heeft, kent hij talloze mensen in de Bay Area die ze kunnen leveren.'

'Als hij zich herinnert dat hij contact met hen moet opnemen.'

'Als hij een groep om zich heen verzamelt, hoeft dat niet meer. Dan onthouden zij het wel voor hem.'

Het verkeerslicht sprong op groen. Kanans rechter richtingaanwijzer knipperde. Op het straatnaambord dat aan de paal van het verkeerslicht heen en weer zwaaide, stond DOLORES. Hij zette zijn voet op het gaspedaal en ging rechtsaf. Hij was in het Mission District in San Francisco. De radio stond aan. De zon zakte in het westen weg. Een tegenligger knipperde met zijn lichten naar hem, en hij zette zijn koplampen aan.

Wat deed hij hier?

Het was druk op straat. Op de radio zei een opgewekte dj: 'Het is vrijdag en spitsuur, fijn dat u naar ons luistert.'

Kanan stak zijn hand uit om de radio harder te zetten, maar toen hij zich uitstrekte, zag hij letters op zijn arm staan. De adem stokte hem in de keel.

Hij knipperde met zijn ogen en probeerde normaal te ademen. *Sodeju.* Was hij hier werkelijk mee bezig?

Ja. Hij was alleen, en dit was de Navigator van Alec. Het was vrijdag en het was inmiddels bijna avond.

Hij zette zijn auto aan de kant. Het hele dashboard zat onder de memobriefjes. *Bekijk foto's telefoon.* Hij pakte zijn mobieltje en scrolde door de foto's die hij waarschijnlijk zelf had gemaakt. Ze waren genomen in deze buurt, maar dan vroeger op de dag – de zon stond hoog aan de hemel. Een restaurant, Ti Couz.

Hij keek uit het raam. Het restaurant lag recht tegenover hem, aan de andere kant van de straat. Toen hij door de ramen naar binnen tuurde, deed een kelner met een wit schort de deur open. De man kwam naar buiten en staarde hem aan.

Zijn huid verkilde. Hij kon geen enkele manier bedenken waarom de kelner dat deed, tenzij hij al een poosje rondjes door de straat reed of al vaker voor het restaurant was gestopt. Misschien deed hij het al de hele middag. Zo niet, dan waren er mensen naar hem op zoek.

De tijd begon te dringen. Er stroomde paniek door hem heen, een gevoel dat alles vervaagde en uit zijn handen glipte. Op zijn rechterarm zag hij het woord *geheugenverlies.*

Hij had hulp nodig.

Hij dacht even na en toetste een zoekopdracht in op het navigatiesysteem. Binnen een paar seconden stond het antwoord in beeld. Goddank.

Hij pakte een memobriefje, schreef er *Diaz* op en plakte het op het dashboard.

Nico Diaz had in zijn eenheid gezeten. Hij was degene die hem had voorgesteld aan de mensen die Cobra runden.

Diaz had inmiddels een sportzaak. Vrienden van Diaz wisten dat zijn inventaris meer omvatte dan de basketballen en vishengels in zijn winkel. In het leger was hij verkenner-sluipschutter geweest, en hij was een nuttige vriend.

Het navigatiesysteem liet een ping horen. Een pijl wees recht vooruit en er verscheen een adres in Potrero Hill in beeld. De winkel van Diaz.

Kanan zette koers naar de sportzaak. Haal Diaz erbij – Diaz kan alles onthouden. Diaz zou niet vergeten wat er aan de hand was.

Diaz zou naast hem zitten als hij achter Alec aan ging.

# 21

Terwijl Jo Gabe aankeek, steeg de spanning in haar lichaam alsof er een veer in een uurwerk werd aangedraaid. 'Ik moet Amy Tang bellen. Zij kan op zoek gaan naar de namen van Kanans contactpersonen in de Bay Area.'

'Gaat het?'

'Ja hoor.'

'Niet, dus.'

Ze stonden ruim een meter van elkaar af. Ze dacht dat ze als een duveltje-uit-een-doosje omhoog zou springen en het plafond zou raken als ze zich bewoog.

'Ik word gek van deze zaak. Ik krijg de puzzelstukjes niet op hun plaats. Kanan. Het hersenletsel. Waarmee is hij vergiftigd? Was het een nanodeeltje? Heeft hij het gestolen van Chira-Sayf? Is Ron Gingrich er ook mee besmet? En wat is er aan de hand met zijn gezin en dat verschrikkelijk gestreste bedrijf?'

Gabe schudde zijn hoofd. 'Niet over piekeren. Probeer er op een andere manier naar te kijken. Dan komen de antwoorden vanzelf.'

'Dat gaat niet. Kanan heeft een hitlist en een deadline op zijn arm geschreven. En er ontbreekt een enorm stuk van de puzzel. Kanan wordt ergens door verscheurd.'

'Ja. Hebzucht. En wraaklust.'

'Nee. Iets wat dieper zit.' Ze haalde haar handen door haar haar.

Ze pakte haar telefoon, belde Tang en liet een boodschap achter. Terwijl ze een rondje door de kamer liep, belde ze Alec Shepard en kreeg diens voicemail aan de lijn.

'Hij neemt niet op.' Ze pakte de afstandsbediening van de televisie. 'Misschien is er iets op het nieuws.'

Ze zette de tv aan. Op het scherm verscheen een tekenfilm, gele zeewezens met uitpuilende ogen op steeltjes. Ze zette een ander kanaal op. Gabe kwam achter haar staan, sloeg zijn armen om haar middel en trok haar tegen zich aan, terwijl hij zijn hoofd naar haar oor boog.

'Niet piekeren,' zei hij.

Ze leunde met haar hoofd tegen zijn wang. Hij nam de afstandsbediening uit haar hand en legde hem op de salontafel. Ze stond nog een paar tellen stijf van de spanning, maar toen zakten haar schouders centimeter voor centimeter naar beneden. Ze vlijde zich tegen hem aan en probeerde zich te ontspannen.

'Meestal ben ik niet zo,' zei ze.

'Definieer "meestal",' zei hij. 'En "zo".'

'Bedoel je dat ik grillig ben?'

'Nee, dat ik nog steeds bezig ben om je te leren kennen.'

'Dan kunnen we elkaar de hand schudden.'

'Meen je dat?' Zijn stem klonk oprecht verbaasd. 'Ik ben een eenvoudige jongen met een zwak voor kinderen en parachutespringen. En voor een bepaalde forensisch psychiater.'

'Eenvoudige jongen? Ha. Vijfentwintig parachutemissies voor de Air National Guard? "Morele theologie, een eigentijdse katholieke benadering"? En god mag weten wat die jezuïeten op de USF je over vrouwen hebben wijsgemaakt.'

'Wil je me van mijn verkeerde ideeën afhelpen?'

Ondanks alles voelde ze haar mondhoeken omhooggaan. 'Misschien is dat wel nodig.'

Haar schouders zakten nog een paar centimeter. Aan de blauwe hemel etste de goudkleurige, scherpe zon koele schaduwen in haar tuin.

Ze draaide zich om en verstrengelde haar vingers met de zijne. 'Je was geweldig vanmiddag.'

Het was schemerig in de woonkamer. Zijn ogen waren donker en gloeiden als een smeulend vuurtje. Ze wist niet hoe ze zijn blik moest interpreteren.

Hij draaide haar hand om en bestudeerde de schaafplekken op haar handpalm. 'Laten we dit maar eens gaan schoonmaken. Waar staat de verbandtrommel?'

Een rode lijn van hitte rolde over haar borst naar beneden. 'Boven.'

Terwijl ze zijn hand losjes vasthield, nam ze hem mee naar boven.

Ze hadden het rustig aan gedaan. Ze dacht dat hij haar tijd gaf om aan het idee van een nieuwe relatie te wennen, haar eerste sinds ze Daniel had begraven. Maar Gabe was een parajumper. Hij zag eruit als een koele kikker, maar reddingswerkers en parachutespringers als hij waren adrenalinejunkies – net als bergbeklimmers. Ze vonden het vreselijk om in de eerste versnelling te blijven hangen. Als hij zich inhield, beteugelde hij zijn natuurlijke instincten voor háár.

Maar ze twijfelde nog steeds. Hij was raadselachtig. Ze vroeg zich af wat er werkelijk in zijn hart omging, en ze kon zich niet aan de indruk onttrekken dat er iets aan hem knaagde. Ze vroeg zich af wat hij voor haar verborgen hield, en waarom.

Zijn hand voelde koel aan tegen haar handpalm. Boven aan de trap liep ze naar haar slaapkamer, en ze nam hem mee naar de badkamer en pakte de verbandtrommel uit het kastje.

'Ik kan het zelf ook wel, hoor,' zei ze.

Hij nam de doos van haar over. 'Maar je weet wat ze zeggen.'

'Ja. Slimme dokters laten zich door een ander behandelen.'

Ze stonden naast elkaar bij de wastafel. Hij maakte de schaafplekken schoon en verbond zorgvuldig haar hand. Zijn werk was grondig en doelmatig.

Hij legde de leukoplast weg. 'Dat blijft wel een paar dagen zitten.'

Ze sloeg haar armen om zijn schouders. 'Dank je wel.'

Hij liet zijn handen om haar middel glijden en boog zich voorover om haar te kussen.

Vervolgens kuste hij haar nog een keer. Hij trok haar dicht tegen zich aan en hield haar vast, met een zelfverzekerdheid en ongedwongenheid die de hoop ontstegen en haar het gevoel gaven dat hij in haar armen thuishoorde. Ze bleef hem een paar tellen aankijken en pakte hem bij de hand om hem mee naar de slaapkamer te nemen.

Buiten schoof het zonlicht over de daken. Ze legde een hand op zijn borst. Zijn hartslag was onder haar hand te voelen, sterk en regelmatig en snel.

Dit was nieuw, en toch ook weer niet. Haar eerste keer, maar toch ook weer niet. Tegelijkertijd vertrouwd en onbekend. Een man naar wie ze verlangde, maar niet de man met wie ze in dit huis, in deze slaapkamer had gewoond.

*Gewoon blijven ademhalen.*

Ze liet haar vingers onder zijn loshangende werkhemd glijden en schoof het langzaam van zijn schouders. Hij liet haar los en trok het kledingstuk vlug uit. Daarna trok hij haar trui over haar hoofd. Ze kroop in zijn armen, streelde met haar vingers door zijn haar en kuste hem indringend. Vervolgens sloeg ze haar armen om zijn nek, en ze voelde dat zijn handen haar T-shirt uit haar spijkerbroek trokken.

Met haar lippen vlak bij de zijne zei ze ademloos: 'Schoenen. Wacht even.'

Ze probeerde haar linkerschoen uit te trekken door met de rechterschoen op haar hak te trappen, maar ze verloor haar evenwicht. Gabe trok het T-shirt omhoog tot haar schouders. Ze draaide zich om, boog zich en prutste aan haar schoenveter. Haar arm zat vast in haar mouw. Gabe tilde haar op en draaide haar in de richting van het bed. Ze sloeg haar benen om zijn middel en ze vielen gezamenlijk op het dikke rode donzen dekbed.

Hij rolde zich boven op haar en kuste haar mond, haar wang, haar hals, het kuiltje onder aan haar keel waar een adertje klopte. Ze graaide naar zijn T-shirt, maar hij lag tegen haar aan gedrukt. Ze voelde de lijnen van zijn rug en schouders, sterk en glad en zonder een spoortje vet. Zijn handen waren warm. Haar huid voelde nog heter aan.

Ze voelde zich als een gong waar tegenaan was geslagen. Ze hield hem vast, maar gaf zich nog niet helemaal. Ze was bang dat ze zich als een zweep zou ontrollen en zou gaan schreeuwen, zingen of bijten als ze zich volledig liet gaan.

Zulke dingen gebeurden als het te lang geleden was. Tranen prikten in haar ogen. Ze kneep haar ogen stijf dicht om ze voor hem te verbergen. Ze wilde niet nadenken, terugblikken of zien. Ze wilde alleen maar voelen.

Ze zei tegen zichzelf: *kop dicht, brein.*

Ze bracht haar handen naar zijn middel en wrikte aan de bovenste knoop van zijn spijkerbroek. Hij ging op zijn knieën zitten en trok zijn T-shirt over zijn hoofd. Hij worstelde haar T-shirt van haar lichaam en dook weer boven op haar. Ze streelden elkaars huid terwijl ze zich op het bed aan elkaar vastklemden. Voor haar gevoel liep er zoveel elektrische lading door haar lijf dat er kortsluiting zou kunnen ontstaan.

Hij had een wasbordje en hij was zeer geconcentreerd, hij had alleen maar oog voor haar. De enige geluiden in het vertrek waren afkomstig van hun ademhaling en haar hart, dat in haar oren dreunde.

Ze prutsten aan knopen. Van zijn spijkerbroek, haar spijkerbroek. Hun vingers waren vlug en onhandig en als dit een smalle rotswand boven een vallei was geweest, of een triagegeval dat bedrevenheid vereiste, zouden ze diep in de problemen zitten.

Diep in de problemen... 'Gabe, heb je...'

Hij haalde zijn portemonnee uit zijn achterzak. Toen hij zijn hand erin stak, vielen er een briefje van twintig en een kassabon van de supermarkt uit, en daarna haalde hij een folieverpakking tevoorschijn. Jo rukte haar sokken van haar voeten alsof ze in brand stonden. Ze keek op en wachtte tot hij het pakje zou openscheuren. En toen zag ze zijn littekens.

Ze liepen over de kromming van zijn heup, wit en glad. Oude littekens, minstens vijf. Het waren tekenen van geweld. Iets scherps of explosiefs had hem opengereten.

Ze stak haar hand uit om ze aan te raken, maar bedacht zich. Gabe scheurde de folieverpakking van het condoom met zijn tanden open. Ze keek naar hem op. Met een verlangende blik keek hij terug.

Hij glimlachte niet, maar op een verhitte manier was hij gelukkig. Toch verdween die blik binnen een fractie van een seconde. Hij zag iets op haar gezicht. Haar verraste reactie. De rem op haar gevoelens, de *wat-is-dat-in-godsnaam*-blik.

Haar vingers bleven boven zijn heup hangen. Haar ogen stelden de vraag.

'Afgesloten hoofdstuk,' zei hij.

'Gabe?'

'Ik ben hersteld.'

Die littekens waren niet afkomstig van een val over een vuilnisbak. Ze waren niet oppervlakkig en ook niet het gevolg van een operatie. Het waren akelige, diepe wonden geweest. Hij moest verschrikkelijk veel pijn hebben gehad.

'Wat is er gebeurd?' vroeg ze.

Af en toe had Jo het idee dat ze uit haar lichaam kon stappen en een situatie vanaf een afstandje kon bekijken.

Dit was zo'n moment. Ze zag zichzelf, geschokt, bezorgd en daardoor ook nieuwsgierig. Ze zag Gabe, die verhit en verschrikkelijk geïrriteerd was. De blik in zijn ogen zei: *in godsnaam, niet nu.*

Ze knipperde met haar ogen. 'Sorry.'

Ze greep hem bij de tailleband van zijn spijkerbroek en trok hem weer boven op zich. De blik waarmee hij haar bekeek, was half... ja, wat? Boos? Omdat hij werd onderbroken? Omdat hij werd afgeleid? Omdat hij eraan werd *herinnerd?*

Er was pijn in zijn ogen verschenen, een hitte als van een brandende sigaret, rood en geconcentreerd. Hij kuste haar niet. Hij lag boven op haar en ademde zwaar.

Misschien wachtte hij af of ze over de wond zou blijven zeuren. Ze schudde haar hoofd. Ze legde haar vingers op haar lippen en gebaarde dat ze haar mond zou houden. Daarna raakte ze zijn lippen aan, en ze streek met haar duim over zijn mond en zei: 'Kom hier.'

Hij hield zich een seconde in.

Dat was lang genoeg om gestoord te worden door de telefoon.

Jo bleef hem aankijken, keek niet naar de telefoon, stak haar hand niet uit om op te nemen. De telefoon bleef overgaan.

'Ze bellen wel terug,' zei ze.

Alsof er een warme bries door de kamer had gewaaid, werden zijn ogen helderder. Hij liet zich weer op haar zakken en kuste haar. De telefoon bleef overgaan. Ze pakte het condoom van hem aan en trok de folieverpakking helemaal open.

De telefoon ging met een klik over op de voicemail. Vanuit de gang bij de voordeur sneed Amy Tangs stem luid en duidelijk door het geluid van hun ademhaling.

'Beckett, ik weet dat je thuis bent, dus neem op.'

Jo negeerde haar.

'Je hebt me een kwartier geleden gebeld. Ik bel op jouw verzoek terug.' Luid: '*Beckett.*'

Gabe keek even door de deuropening van de slaapkamer, alsof Tang in huis was en op het punt stond om hen in flagrante delicto te betrappen. Jo draaide zijn gezicht naar haar toe.

'Er komt ook nog wel stoom uit haar oren over...'

'Drie minuten?' vroeg hij.

Er gleed een verdwaasde glimlach over haar gezicht. 'Wedstrijdje doen wie het eerst klaar is?'

Eindelijk glimlachte hij terug. 'Klaar, af.'

Ze graaiden naar de kledingstukken die de ander nog aanhad en probeerden alles uit te trekken.

'Beckett,' zei Tang. 'Neem op. Vandaag heeft een vliegtuig op SFO een noodlanding gemaakt. Een van de stewardessen had op tienduizend voet een deur opengemaakt.'

Jo en Gabe hielden tegelijkertijd hun handen op de haakjes en knopen stil. Ze keken in de richting van het antwoordapparaat.

'Het was de jonge vrouw die jij hebt gesproken toen je aan boord van Ian Kanans vliegtuig kwam – Stef Nivesen. Ze werd linea recta de deur uit gezogen,' vertelde Tang. 'Beckett, de mensen die bij Kanan in het vliegtuig zaten, worden gek.'

Jo was al op een holletje onderweg om op te nemen.

Op de deur van de sportzaak hing een bordje GESLOTEN. Vanuit de Navigator zag Kanan Nico Diaz, die na een werkdag de winkel afsloot. Kanan reed een stukje verder, vond een parkeerplaats en liep terug.

Toen hij op de deur klopte, keek Diaz vriendelijk op. Hij bleef roerloos staan toen hij Kanan herkende.

Nikita Diaz was een Venezolaanse immigrant van de tweede generatie met een voorliefde voor honkbal, vrouwen en de Verenigde Staten. Hij was een meter zeventig en droeg dreadlocks in een paardenstaart die lang genoeg was om als vliegerstaart te dienen. Als je hem aan een touwtje zou binden en op een stevige wind zou wachten, zou je hem kunnen zien opstijgen, dacht Kanan. En elke centimeter van de man was pezig en gespierd. Hij had snelle reflexen, een uiterst kalm karakter en kon perfect richten. Zijn blik bleef zich twee volle seconden in die van Kanan boren. Hij schoof de kassa dicht, stopte de sleutel in zijn zak en wandelde naar de deur.

Toen hij opendeed, was zijn gezicht emotieloos, maar zijn blik was helder. Gretig, vond Kanan.

'Sergeant,' zei hij. 'Wat brengt jou hier?'

'Ik heb je hulp nodig,' zei Kanan.

De gretigheid groeide. Diaz trok de deur verder open. 'Laten we achterin verder praten.'

'Twee doden,' zei Tang. 'Het had veel erger kunnen zijn. Er waren tweehonderdzevenenveertig mensen aan boord.'

Naast de telefoon bij de voordeur probeerde Jo met één hand haar spijkerbroek dicht te ritsen. Een arm stak in de mouw van een bloes. Een behabandje hing van haar schouder. Gabe rende op zijn blote voeten de trap af, en zijn riem rammelde toen hij hem dichtgespte. Achter hem stond de televisie in de woonkamer nog steeds aan. Het scherm schitterde. HET LAATSTE NIEUWS.

Op tv zag Jo een landingsbaan van SFO waarop een 747 stond, omringd door brandweerauto's. De deuren aan de voor- en achterkant van het toestel stonden open. Een deur in het midden van de romp ook. Noodglijbanen hingen als enorme gele tongen naar buiten. Gabe pakte de afstandsbediening en zette het geluid harder.

Jo trok haar behabandje omhoog. 'Kan het echt geen ongeluk zijn geweest?'

'Nee. Een andere stewardess zag Nivesen opstaan en op drie kilometer hoogte een van de hoofddeuren openmaken. En toen, *zoef* – zonder pardon de lucht in, zonder parachute.'

Bij de gedachte werd Jo misselijk. Ze veegde haar haar achter haar oor. 'Heeft de politie al met de passagiers en het personeel gepraat?'

'De politie van de luchthaven is bezig mensen te ondervragen. De vervoersveiligheidsraad heeft een team naar de luchthaven gestuurd.'

'Heeft Nivesen iets gezegd voordat ze de deur opendeed?'

'Heb ik niets over gehoord.'

'Wat weet je van haar? Drugs- of alcoholproblemen? Een verleden met psychiatrische stoornissen?'

'Je voert in je hoofd een psychologische autopsie op haar uit. We weten helemaal niets – alleen dat ze het doelbewust deed.'

Een dun straaltje bezorgdheid liep als een ijskoud waterstroompje over Jo's rug. 'Na de elektrocutie in het zwembad nu een...'

'Eerst gefrituurde gameontwerpers. Nu stewardessen die zichzelf in hemelhoge confetti veranderen.'

'Je moet contact opnemen met iedereen die met Kanan in dat vliegtuig uit Londen heeft gezeten.'

'Ben ik mee bezig. Ik zie je over tien minuten.'

Jo hing op en bleef zwijgend in de gang staan. Haar blote voeten voelden koud aan op de hardhouten vloer.

'Ga je naar de luchthaven?' vroeg Gabe.

'Tang komt me zo halen.' Ze legde een hand op zijn borst. 'Mag ik het te goed houden?'

'Ik pik je om acht uur op om met je uit eten te gaan. Ik weet niet of het er daarna nog van komt.' Zijn toon was luchtig, maar zijn blik werd ernstig. 'Vind je het wel een goed idee om naar sfo te gaan en je met een vliegongeluk bezig te houden?'

'Een uitstekend idee.'

'Dat is de ware geest.'

Ze vond zijn bezorgdheid ontroerend. Zijn vertrouwen in haar kracht ontroerde haar nog meer. Maar wat onuitgesproken, onzeker en verborgen bleef, baarde haar vreselijke zorgen.

# 22

In het wegstervende maartse licht glipten Jo en Tang ongemerkt een vertrek in een afgelegen gebouw op de luchthaven binnen. Functionarissen van de luchtvaartmaatschappij en politiemensen stonden achter in het vertrek. Het team van de vervoersveiligheidsraad, drie onderzoekers in poloshirts en kakikleurige broeken, zat aan een tafel met stewardess Charlotte Thorne te praten.

Thornes haar was verwaaid en slordig. Het jasje van haar uniform was gescheurd en ze had een blauwe plek op haar wang.

Er stond een geschokte blik in haar ogen. 'Stef maakte een gedesoriënteerde indruk. Ja.'

'Wat deed ze dan? Kunt u haar gedrag omschrijven?' vroeg een van de onderzoekers.

'Ze stond twee keer op om voor drankjes te gaan zorgen. De eerste keer terwijl het vliegtuig nog over de startbaan taxiede, de tweede keer toen we nog maar tien seconden van de grond waren. Beide keren leek ze danig in de war te zijn toen ik haar vroeg te gaan zitten.'

Jo keek over het tarmac naar de baai. De 747 was naar een hangar aan de andere kant van de landingsbaan gesleept en stond nu leeg in de zonsondergang. Het gestroomlijnde, krachtige toestel zag er op een vreemde manier angstaanjagend uit.

Tang boog zich naar haar toe en fluisterde: 'Dat ding komt heus niet achter je aan, hoor.'

Jo keek haar vernietigend aan.

Tang dacht dat ze vliegangst had. Dat was niet zo. Ze had gewoon een hekel aan vliegen. Ze wilde niet eens een dvd van *Top Gun* in huis hebben.

*Goed idee, Beckett.* Gabe begreep waarom ze er zo'n hekel aan had. Hij was een van de reddingswerkers geweest na het vliegongeluk waarbij Daniel was omgekomen.

Thorne depte haar ogen met een papieren zakdoekje. 'Toen zei Stef dat ze het vreselijk warm had en dat ze frisse lucht moest hebben. Ze rukte haar veiligheidsriem los en rende naar de andere kant van het toestel. Het was alsof ze geen adem kon halen. Alsof ze zich gevangen voelde.' Thornes stem haperde. 'Toen de deur openging, was ze in een flits verdwenen. De passagier van 12-B, meneer Pankhurst, vloog vrijwel meteen achter haar aan.'

Jo en Tang luisterden terwijl het team van de vervoersveiligheidsraad Thorne een paar minuten ondervroeg. Jo wist dat ze misschien nog wel uren doorgingen. Ze stak haar hand op, stelde zich voor en zei: 'Twee vragen.'

Thorne zei: 'Dag dokter Beckett. Ik weet nog wie u bent.'

'U zei dat mevrouw Nivesen een gedesoriënteerde indruk maakte. Bedoelt u dat ze in de war was, dat ze haar gedachten niet kon ordenen? Of leek ze wel coherent, maar vergat ze alles?'

Thorne zuchtte. 'Ze vergat alles. Ze leek niet te kunnen onthouden waar we waren. Ze kwam al te laat op haar werk – ik had haar een paar keer gebeld, en elke keer reageerde ze verbaasd. Ze bleef volhouden dat ik haar nog niet eerder had gesproken.'

'Tweede vraag.' Jo keek door het raam naar de 747. 'Is mevrouw Nivesen gisteren tijdens die vlucht uit Londen in aanraking gekomen met Ian Kanan?'

De politie, de mensen van de luchtvaartmaatschappij en de onderzoekers keken naar haar.

Thornes stem klonk onvast. 'Ja. Stef heeft geholpen hem in bedwang te houden, en na afloop had ze krassen en bloed op haar handen.'

'Dank u,' zei Jo.

Ze nam Tang mee naar buiten en liep door de hal. 'Neem contact op met volksgezondheid. Iedereen die gisteren tijdens de vlucht met Kanan in aanraking is geweest, moet zo snel mogelijk worden onderzocht.'

'Jij hebt hem ook aangeraakt.'

'Mijn huid was niet kapot. Geen contact tussen lichaamsvloeistoffen.'

Ze keek even naar Tang en zag bezorgdheid in haar ogen. Ze zoog haar longen vol lucht en merkte dat ze moest slikken.

'Ik weet het. We hebben totaal geen idee wat er zo besmettelijk is en hoe het wordt overgedragen,' zei ze.

'We gaan Alec Shepard en al het personeel van Chira-Sayf verhoren. Desnoods doen we een inval in het bedrijf.'

Toen ze langs een raam liepen, keek Jo weer even naar de 747, die in het licht van de zonsondergang glanzend rood was. 'Doe dat. Maar ik denk dat het kalf al verdronken is. Er is iets uit het lab van Chira-Sayf ontsnapt en het staat op het punt om onbeheersbaar te worden.'


In het vertrek achter de sportzaak leunde Nico Diaz tegen een stellingkast. Hij had zijn armen over elkaar gevouwen en leek nog niet te weten of hij boos of ongelovig moest reageren.

'Je beweegt je normaal en je zegt geen rare dingen. Weet je wel zeker dat er iets met je geheugen is?' vroeg hij.

'Vraag me over vijf minuten maar eens of ik me dit gesprek herinner.'

'Hoe lang blijft dat zo?'

'Ik denk niet dat het overgaat.'

Het oranje licht van de zonsondergang filterde door het matglas aan de achterkant van de voorraadkamer. Diaz maakte zich zorgen. Kanan had die blik eerder op zijn gezicht gezien, als een missie opeens in een hinderlaag of de dood uitliep.

Diaz was een man van weinig woorden en lange stiltes. Hij was ook een man die zelden stoer deed. Hij liep niet hanig rond en kleedde zich niet als een macho. Zichtbare tekenen van macht interesseerden hem niet. Hij liep rustig, bleef rustig, zorgde dat hij nooit opviel. Hij zag eruit als een relaxte kerel met dreads, en soms maakten mensen de fout om te denken dat hij loom was, of zelfs lui. Maar Kanan wist dat Diaz vanbinnen helemaal niet zo onderkoeld was en onder de juiste omstandigheden heel opvliegend kon zijn. Mensen die Nico Diaz onderschatten, maakten vaak een fatale fout.

Kanan legde zijn telefoon, portemonnee en een stapeltje memobriefjes op het bureau. Diaz kuierde naar hem toe.

'Wat is dit allemaal?'

'Mijn herinneringen. Mijn verzameling,' zei Kanan. 'Neem ze door. Leg ze in chronologische volgorde. Help me een plan te maken.'

Diaz bladerde door het stapeltje. Kanan trok zijn spijkerjack en flanellen overhemd uit en trok zijn t-shirt over zijn hoofd.

Diaz keek op. En staarde. 'Baas. Jezus.'

Kanans armen en borst waren helemaal volgeschreven. Hij tilde zijn linkerarm op en maakte een vuist. De woorden op zijn huid werden beter leesbaar. Diaz kreeg een hardere blik in zijn ogen.

Hij liet zijn blik over Kanans lichaam dwalen. *Zoek Alec. Haal slim.*

*Ik kan geen nieuwe herinneringen aanmaken. Schrijf het op.*

'Wat er is gebeurd?' vroeg Diaz.

'Ik ben naar Afrika gegaan om het product te halen. Het liep fout. Iemand van het bedrijf probeerde het achter onze rug om te stelen. Nu ben ik thuis en heb ik het niet meer. De enige manier waarop ik het nu nog kan krijgen, is via mijn broer.'

'Baas, deze hele zaak... Heb je Misty...'

'Nee. Bid maar dat ze begrijpt waarom ik dit doe.'

Diaz knikte.

'Alec heeft toegang tot het allerlaatste slim-monster. Hij zal het nooit aan me geven. En als hij ontdekt dat ik het wil hebben, zal hij het vernietigen. We moeten er eerder bij zijn dan hij.'

'Hoeveel tijd hebben we?

Kanan tilde zijn linkerarm op en maakte een vuist. *Zaterdag zijn ze dood.*

'Begrepen.' Diaz rangschikte de memobriefjes. 'Denk je dat je weer naar het ziekenhuis moet terwijl ik dit organiseer?'

Kanan herinnerde zich niet dat hij naar een ziekenhuis was geweest. 'Geen tijd.'

'Oké. Heb je iemand hierover verteld?'

'Weet ik niet.'

Diaz hield de telefoon omhoog. 'De namen hierin? Info? Doelwitten? Tegenstanders?'

'Dat moet ik van jou horen.'

'Heeft dit ding de hele tijd aangestaan?'

'Dat weet ik niet. Diaz, sinds mijn aankomst op SFO weet ik niet meer waar ik ben geweest. Controleer nog maar eens of ik de telefoon op vliegtuigmodus heb gezet, want ik wil geen signalen uitzenden of ontvangen.' Hij wreef met zijn handen over zijn gezicht. Hij was verschrikkelijk moe. 'Als ik mijn eigen procedures heb gevolgd, heb ik de telefoon zo geprogrammeerd dat hij op een bepaald tijdstip wordt geactiveerd, niet eerder. Dat is het systeem dat ik heb opgezet voor Chira-Sayf. Als leidinggevenden naar het buitenland gaan, kan niemand hun gesprekken hacken of traceren waar ze zijn.'

Diaz drukte een aantal toetsen in. 'Hij staat zo ingesteld dat hij vanavond om tien uur wordt geactiveerd. Verwacht je dat ze bellen?'

'Dat zal dan wel.'

'Wie is er naar je op zoek?'

'Waarschijnlijk iedereen. Politie, de doelwitten. Chira-Sayf.'

Diaz hield een gelamineerd legitimatiepasje met een foto omhoog. 'Johanna Beckett?'

Kanan keek er nieuwsgierig naar. Heel even leek hij het parfum van een vrouw te ruiken, als een vleugje wierook. Het leek of hij zijn hand rond het gevest van een mes had.

Wat was er toch verdomme met hem aan de hand?

Diaz scrolde door de foto's op de telefoon. Hij liet er een aan Kanan zien, die door de ruit van een restaurant was genomen. De vrouw van het ziekenhuispasje zat met zijn broer aan een tafeltje. Hij had er de tekst 'doc en Alec' bij gezet.

'Ze is erbij betrokken,' zei Kanan.

'Hoe dan?'

'Dat weet ik niet.' De bekentenis voelde alsof er afbijtmiddel over hem heen werd gegooid. 'Misschien zit ze achter me aan. Misschien zit ik achter haar aan. Ik weet niet aan welke kant ze staat.'

'Maar denk je dat zij je bij Alec kan brengen?'

'Kennelijk.'

'En kun je Alec niet vinden op de plaatsen waar hij gewoonlijk komt?'

'Nee.'

Diaz zweeg even. 'Dit is geen vergelding. Dat besef je toch, hè?'

Kanan gaf geen antwoord. 'Heb je hier spullen die we kunnen gebruiken?'

'Wat zoek je precies?'

Kanan reikte naar zijn rug en haalde het HK-pistool uit de band van zijn spijkerbroek.

'Wat voor munitie, en hoeveel magazijnen heb je nodig?' vroeg Diaz.

'Hoeveel heb je er?'


De patrouillewagen van de SFPD reed langs de basisschool en het stadsparkje. Het was een drukke vrijdagmiddagspits. De zon ging onder en er werden koplampen aangezet. Agent Frank Liu was de rode Navigator al half voorbij toen hij hem aan de kant van de weg zag staan.

Hij keerde op de hoek van de straat, reed terug en zette zijn auto achter het voertuig.

Hij controleerde de opdracht die hij had gekregen. Kijk uit naar een rode Navigator, recent model, vanochtend gestolen. Hij controleerde het kenteken en pakte de microfoon van zijn mobilofoon.


Tang liet de burgerauto voor Jo's huis tot stilstand komen. In het wegstervende licht leken de beboste heuvels van het Presidio wel zwart.

Jo maakte het portier open en stapte uit. Tang leunde naar haar toe.

'Beckett, dit loopt snel uit de hand. En er zaten gisteren twee-honderddrieëntachtig mensen bij Kanan in het toestel.'

Jo hield het portier vast. 'Ik weet het. We kunnen niet voor-spellen wanneer het volgende incident zich aandient, maar we moe-ten ervan uitgaan dat er elk moment iets kan gebeuren.'

'Spoor hem op. Graaf diep in Kanans aangevreten psyche en be-denk waar hij kan zijn voordat er nog meer doden vallen.' Ze keek Jo strak aan. 'En ga zelf ook even naar een dokter.'

Jo knikte, voelde de dikke keel weer opkomen en wilde het por-tier sluiten. Tang ging zachter praten.

'En je hebt je bloes scheef dichtgeknoopt.'

Jo keek naar beneden en werd vuurrood. Ze gooide het auto-portier dicht en liep op een drafje de traptreden naar de voordeur op, ondertussen frummelend aan haar knopen.

Toen ze de voordeur opendeed, stak Tina haar hoofd om de keu-kendeur.

'Hallo, zus. Kleed je om, anders komen we te laat.'

Tina glimlachte breeduit en had een overgebleven donut in haar hand. Ze droeg een zwarte fitnessbroek en een rood hemdje. Ze propte de donut in haar mond en likte suiker van haar duim.

Jo gaf haar een kus op haar wang. 'Ik weet het, ons meidenavondje uit. Ik kan niet.'

Tina liet haar schouders hangen. 'Dat meen je niet.'

'Een noodgeval. Het spijt me.' Jo gaf Tina haar telefoon en liep langs haar heen naar de keuken. 'En haal alsjeblieft die beltoon van "Sick Sad Little World" eraf.'

'Prima, dan geef ik je iets vrolijks van The Killers. En ik zal je vertellen wat we vanavond gaan doen.' Tina legde de telefoon neer en pakte haar rugzak. Ze haalde er een ragdunne, turkooiskleurige sjaal uit, waarop een stuk of vijftig goedkope zilveren munten wa-ren genaaid. Ze schudde ermee. De munten rammelden en glin-sterden in het licht.

'Ben jij wel goed bij je hoofd?' vroeg Jo. 'Buikdansen?'

Tina bond de sjaal om haar heupen. 'Ik zei toch dat het iets cul-tureels was.'

'Onze cultuur? Jij en ik en Nefertiti? Liefje, vergeet het maar. Ik ga niet met die sjaal om mijn lijf heupwiegend de dansvloer op. Ik heb geen heupen om mee te wiegen.'

'Je had het beloofd,' zei ze.

'Dat weet ik, maar ik kan niet.' Jo schudde haar hoofd. Ze vond haar zusters passies verbijsterend, maar ook amusant. 'Jij houdt van glimmende dingen, Tina. Discoballen, goedkope munten...'

Tina draaide zich naar de terrasdeuren. 'Wat was dat?'

In de achtertuin was in het schemerige licht iets kleins en donkers op de grond gevallen.

'Geen idee,' zei Jo.

Ze liep naar de deuren. Terwijl ze naar het gras stond te kijken, kwam er weer iets omlaag, als een pijltje dat naar een denkbeeldige dartschijf in het gras werd gegooid. Ze keek naar de onverlichte eerste verdieping van Ferds gehuurde landhuis.

'Dit bevalt me helemaal niet.'

Ze maakte de terrasdeuren open en liep naar buiten. Op het gras lagen een pluchen speelgoedinktvis en een slap tijgertje. Ze waren gerafeld en zagen er zielig uit.

Tina kwam naast haar staan. 'Beanie Baby's.' Ze bukte zich. 'Ze zien er... O, gadver. Waarom verminkt jouw buurman knuffelbeesten en gooit hij ze bij jou op het gras?'

Als reactie stortte er weer een als een parachutist zonder valscherm voor Jo's voeten neer.

'Dat doet hij niet,' zei Jo. 'Ze komen niet van Ferd, maar van zijn alter ego, meneer Peebles.'

'Is zijn huisdier een knuffelkiller?' Tina tuurde naar het donkere huis. 'Wat ga je nu doen?'

'Niets. Ferd kan zijn spullen komen halen als hij thuiskomt.'

'Moet je er niets aan doen?'

Jo liep terug naar het huis. 'Ik ben niet van de apenpolitie. En helaas heb ik grotere kopzorgen.'

Tina keek weer naar het slappe knuffelkonijn. 'De labels zitten er nog aan, compleet met beschermhoesjes. Jo, dit zijn verzamelobjecten in perfecte conditie.'

'Nu niet meer.'

'O jee.' Tina ging op haar hurken zitten. 'Hij is verschroeid.'

'Laat nou maar. Dit moet Ferd maar oplossen.'

'Nee, de schroeiplekken zijn vers. Ik ruik het.' Ze keek even naar Jo en daarna naar het donkere raam. Voorzichtig raakte ze met haar vingertop het vieze snuitje van de knuffel aan. 'Hij is nog warm.'

Jo kwam terug en raapte het gerafelde konijn op, dat naar verbrand polyester rook. Zelfs in de schemering kon ze een verschroeide plek tussen de oren zien zitten. In haar binnenste laaide een bezorgd vlammetje op. Ze keek omhoog naar het raam en zag in de zwarte omlijsting iets geels oplichten.

'O, shit.'

Het licht verdween. Daarna laaide het weer knipperend op. Vervolgens verdween het weer.

'Hij heeft een aansteker,' zei ze.

Ze rende naar binnen, op de voet gevolgd door Tina. Ze deed een kast open en graaide een sleutelbos van een rekje.

'Ferd werkt bij Compurama op Geary. Bel hem en zeg dat hij naar huis moet komen.'

De kortste weg naar Ferds huis was over de schutting. Jo rende de keukendeur uit, stak het grasveld over en nam een aanloop naar de schutting. Ze greep de dwarslat beet en krabbelde naar de andere kant. Nadat ze met een plof op Ferds grasveld was beland, rende ze naar zijn achterdeur, zoekend naar de juiste sleutel. Terwijl ze de trap op stoof, werd er boven nog een knuffel uit het raam gelanceerd. Het was een felgekleurde vogel met een heldere glans in zijn ogen. Of vergiste ze zich en stond hij in brand?

Verdomme. Een molotovkaketoe.

Jo draaide de sleutel in het slot en rende door Ferds schemerig verlichte keuken naar de trap. Met twee treden tegelijk holde ze naar boven.

Boven was het donker. Ze bleef boven aan de trap staan en zocht op de muur naar een lichtknopje. Recht voor zich uit zag ze de gedeeltelijk geopende deur naar de lanceerplaats van de Beany Baby's.

Uit ervaring – beter bekend als schade en schande – wist ze dat ze bij een confrontatie met een behendige tegenstander met piepkleine hersentjes en opponeerbare duimen eerst moest zorgen dat hij niet kon ontsnappen. Dat betekende dat ze hem in een kamer moest opsluiten, met de deuren en ramen dicht.

Maar ze kon niet zomaar de deur van de kamer dichtdoen, want dan kon meneer Peebles nog steeds het hele huis in brand zetten. Ze moest binnen zien te komen en de aansteker afpakken voordat hij uit het raam klom en wegrende om bij haar buren brandende Beany's door de brievenbus te duwen.

Misschien had Ferd gelijk. Misschien bestond er toch een apen-virus.

Dat háár knettergek maakte.

Rustig liep ze naar de deur. In het donker erachter hoorde ze zachte keelgeluidjes en het geluid van het wieltje van een aanste-ker. In het slot van de deur zat een haarspeldje. De kleine socio-paat was erin geslaagd het slot open te krijgen.

Ze glipte de kamer binnen en deed de deur achter zich dicht.

Meneer Peebles zat ineengedoken op een bureau voor het open raam. Met zijn kleine vingertjes draaide hij aan het wieltje van een aansteker. Zijn volgende offerdier, een slappe jachthond, lag lang-uit op het bureau. Toen de deur dichtklikte, hield hij zijn koorts-achtig bewegende handjes stil en draaide zijn kop. Zijn ogen, die in het donker onvriendelijk naar Jo keken, reflecteerden de glans van de straatlantaarns in de verte.

Hij zat zo stil als een standbeeld. Een piepklein, harig, manisch standbeeld waarvan ze niet wist of het tegen rabiës was ingeënt. Jo sloop naar hem toe.

Met een krijs gooide hij de aansteker uit het raam, als een be-trapte dealer die zijn drugs weggooit. Hij greep de slappe hond en sprong op een staande lamp. Jo liep door de kamer en deed het raam met een klap dicht. Meneer Peebles sprong op een boeken-plank en klemde de pup tegen zich aan.

In een hoek van de kamer lag een omgegooide plastic opberg-doos. Het deksel was eraf gepeuterd en tientallen Beany Baby's la-gen op de grond. Sommige waren kapot gescheurd. Andere wa-ren...

'Wat ben jij een vies aapje.'

Ze waren... doodgeknuffeld. In haar hoofd weerklonk een afschuwelijk geluid. Barry White, met het liedje 'Can't get enough of your love, babe'.

Op een fauteuil lag een groter verzamelobject, waaraan hij zich volledig te buiten was gegaan. En als Tickle Me Elmo als feestelijke afsluiting van zijn nacht met meneer Peebles een sigaret wilde, had hij pech. De aansteker was verdwenen.

'Kon je niet gewoon in zijn schoenen plassen, als een normaal huisdier?' vroeg ze.

Het kon zijn dat Ferd het niet wílde zien, maar het was ook mogelijk dat hij niet in de gaten had dat zijn hulpaapje geen virale, maar hormonale aandoening had. Ze keek de kamer rond. Ze zag nergens stickers van World of Warcraft of een Klingon-woordenboek. Op de boekenplank stonden salontafelboeken over Italië. Deze werkkamer was niet van Ferd, maar van de eigenaars van het huis. De verzamelobjecten waarschijnlijk ook.

Meneer Peebles maakte een puffend geluid en keek onvriendelijk naar haar. Toen ze haar hand naar hem uitstak, vloog hij bijna letterlijk in haar armen. Hij krulde zich op tegen haar schouder en klemde zich met drie grijpvingertjes aan haar trui vast. Met de vierde hield hij de speelgoedhond vast.

'Waar is je kooi?'

De kooi waarin rondslingerende exemplaren van het maandblad *Het pluchen knuffeldier* en de *Apen-Playboy* lagen.

Terwijl ze hem stevig vasthield, liep ze door de gang. Twee deuren verder, in de werkkamer van Ferd, stond een kooi van bijna twee bij twee meter met een klimpaal en een comfortabele slaapplaats. Ze peuterde de vingers en tenen van meneer Peebles van haar shirt, draaide hem behendig om en zette hem in de kooi. Ze deed het deurtje dicht en draaide zich naar het bureau, zoekend naar iets waarmee ze het op slot kon doen. Haar hand tikte tegen de computermuis, waardoor Ferds scherm tot leven kwam.

Geschrokken ademde ze in. Op haar slaap begon een adertje te kloppen.

Op het scherm stond een afbeelding in kleur, gedownload uit een aflevering van *Star Trek*. Ze herkende de sexy Borg-vrouw, gekleed in een zilveren bodysuit die als verf op haar huid leek te zijn gespoten. Ze had haar heup naar voren gestoken en droeg een wapen ter grootte van een walvisharpoen.

Jo's hoofd was op haar lichaam gefotoshopt.

In de kooi sprong meneer Peebles krijsend tegen de spijlen. Met open mond staarde ze naar het scherm.

Zevenmaal Jo. Ze wist niet of ze de ingewanden van de computer eruit moest rukken of hysterisch moest lachen.

Door het raam zag ze in haar eigen huis opeens iets bewegen. Over de schutting keek ze naar haar helder verlichte keuken. En verstijfde.

Er stond een man binnen.

Er schoot een bliksemschicht van angst door haar heen. Vanaf de plaats waar ze stond, kon ze alleen maar zijn benen zien. Hij was klein, lichtvoetig en uit de achterzak van zijn spijkerbroek stak een blauwe bandana. Hij liep door de keuken, draaide zich langzaam om en keek om zich heen.

Waar was Tina?

Ze stak haar hand in de zak van haar spijkerbroek om haar telefoon te pakken. Hij zat er niet in.

*Shit*. Haar telefoon lag op de keukentafel. Ze pakte de telefoon op Ferds bureau en toetste het alarmnummer in.

Ze zag Tina nergens. De woonkamer zag er leeg uit. Boven brandde geen licht. De man draaide zich om naar de keukentafel en klapte haar laptop open.

'Alarmdienst. Zegt u het maar.'

'Er is een indringer in mijn huis.' Ze gaf de telefoniste het adres door. Haar stem klonk of er barstjes in zaten. 'Mijn zus is daarbinnen. Vlug.'

'Blijf aan de lijn, mevrouw,' zei de telefoniste. 'Ik stuur een politieauto.'

Terwijl de handen van de man op haar toetsenbord tikten, kwamen er nog twee mannenbenen de keuken binnen, met haar tas. De tweede man liet de tas op de keukentafel vallen.

Ze probeerde op adem te komen, maar dat lukte niet. 'Er is nog een tweede indringer.'

*Waar was Tina?*

De tweede man, steviger gebouwd dan de eerste, pakte Jo's notitieboekje en sloeg het open.

Wat stond erin?

Wat niet? De naam Ruth Fischer en haar telefoonnummer. Bitse opmerkingen over Riva Calder. Een aantekening dat Alec Shepard de broer van Ian Kanan was.

Misty Kanans adres en vaste telefoonnummer.

'Zorg dat de politie opschiet. De indringers neuzen in mijn computer en mijn aantekeningen over een moordonderzoek en een vermissingszaak. Straks vinden ze het adres van de vrouw en de zoon van de vermiste man. Stuur ook iemand naar haar huis.' Ze gaf de telefoniste Misty Kanans naam en adres door.

Het geluid van vingers op toetsen en gepraat op de achtergrond. 'De politie is onderweg, mevrouw. Blijf aan de lijn.'

*Onderweg* was niet goed genoeg. 'Mijn zus is daarbinnen. Ik ga een paar buren zoeken en haar halen.'

De stem van de telefoniste werd een halve octaaf hoger. 'Mevrouw, blijf waar u bent. Vermijd een confrontatie met de indringers. Blijf aan de telefoon...'

Jo liet de telefoon op het bureau vallen en rende naar de trap. Ze wilde een wapen. Ze wilde haar katana.

In Ferds keuken trok ze een la open. Bestek rammelde. Ze liep naar de volgende. Messen. Ze greep een gekarteld broodmes met een lemmet van dertig centimeter. Ze woog het in haar hand. Het was zwaar, goed uitgebalanceerd en zag er gevaarlijk uit. Het roestvrijstalen lemmet glinsterde toen ze het draaide.

Ze keek door de achterdeur van Ferds huis. Er waren twee indringers in haar huis. Waren er buiten nog meer, wachtend in een auto of verstopt in het park aan de overkant?

Met tintelende handpalmen rende ze zachtjes de achterdeur uit, het trappetje af. Wat wilden die mannen? Was het Kanan met zijn hulptroepen? Ze dook in elkaar en zorgde dat haar hoofd onder de rand van de schutting bleef. Met het mes naast haar been rende ze naar de hoek van het huis. Ze tuurde eromheen naar het donkere pad dat van de zijkant van het huis naar de straat liep.

Schaduwen vervaagden tot duisternis. Ze kon niet zien of iemand zich schuilhield. Met ingehouden adem liep ze op haar tenen over het pad.

Aan de andere kant van de schutting klonk een mannenstem. 'De achterdeur staat open. Wat is hierachter?'

Voeten stapten haar patio op. 'Wat is dat voor rotzooi op het gras?'

Ze hoorde iets rinkelen en ging langzamer lopen. Ze ving een fluisterend stemgeluid op, en een hand greep haar schouder beet.

Ze draaide zich om, bracht het mes omhoog en staarde recht in de grote, bange ogen van Tina. Tina's mond viel open en ze haalde adem om te gillen. Jo drukte haar hand op Tina's mond en duwde haar tegen de schutting. De muntjes op Tina's heupsjaal rinkelden als kwartjes die uit een fruitautomaat vielen.

'Hoorde je dat?' vroeg een van de mannen.

Jo drukte Tina hard tegen schutting. Tina's ogen flitsen heen en weer. Ze stond te trillen als een chihuahua.

'Laat maar zitten. Naar binnen,' zei de tweede man.

Jo pakte Tina bij de elleboog en samen renden ze via het trappetje naar Ferds schemerige keuken.

'Wat is er aan de hand?' siste Tina.

Jo greep haar zus trillend beet, en ze wist dat ze op het punt stond om in tranen uit te barsten. 'Wat doe jij hier? Hoe ben je naar buiten gekomen?'

'Ik heb de computerwinkel gebeld en een boodschap voor Ferd achtergelaten, en toen vroeg ik me af of je de aap al had gevangen,' fluisterde Tina bijtend. 'Daarom liep ik door de achterdeur achter je aan en toen hoorde ik mannen in huis, en dat vond ik doodeng en dus klom ik over de schutting, net als jij, en... en...' Ze keek naar beneden. 'Een mes? Wie? Jo...'

'Heb je een mobieltje?'

Toen Tina knikte, haalde Jo het visitekaartje van Alec Shepard uit de zak van haar spijkerbroek. 'Bel hem.'

Tina toetste het nummer in, wachtte en zei: 'Voicemail.' Ze gaf de telefoon aan Jo.

'Alec, kijk uit. Twee mannen hebben in mijn huis ingebroken. Ik ben bang dat ze ook op bezoek gaan bij je schoonzus en neefje. Als ze een vendetta uitvoeren, doodt de ene partij iemand van de andere partij. Zelfs als het om een familielid gaat. Bel me.'

Op het aanrecht vond ze een mandje met sleutels. Ze pakte het en trok Tina mee naar de deur die naar de garage leidde.

'Waar ga je naartoe?' vroeg Tina.

'We gaan weg.' Ze deed de deur open en knipte het licht aan. Een paar tl-buizen zoemden, flikkerden en verlichtten de garage. In de hoek stond een motor met een zeil eroverheen.

'Kom mee.'

Ze trokken het zeil eraf. De motorfiets was een Ducati, gestroomlijnd en glanzend.

Jo knikte naar een geperforeerd bord aan de muur. 'Pak die helmen.'

Ze legde het mes op een werkbank en zocht onhandig tussen de sleutels. Haar handen trilden nog steeds. Tina gaf haar een helm. Ze zette hem op, sloeg een been over de motor en stak het sleuteltje in het contact. Ze trapte op de kickstarter.

'Druk op de knop om de garagedeur te openen. En bid dat die klootzakken geen vriendjes bij zich hebben.'

Terwijl Tina een helm opzette, rende ze naar de knop om erop te drukken. De deur rolde ratelend omhoog. Jo startte de motor.

Het grommende geluid van de motorfiets zwol aan. Er kwamen wolken uit de uitlaten. De deur ging open, waardoor de oprit zichtbaar werd.

Tina sprong achterop en sloeg haar armen om Jo's middel. 'Ik wist niet dat jij kon motorrijden.'

'Ik ook niet.'

Ze gaf gas en de motorfiets stoof de garage uit.

# 23

Er daalde een kille mist over de wijk van de Kanans neer. Jo's handen klemden verkleumd het stuur van de motor vast. In de mist leken de brandende straatlantaarns wel paardenbloempluizen. De zwaailichten van de politieauto bij Kanans huis trouwens ook.

De rode en blauwe lichten draaiden loom rond en beschenen de politieagente die op de voordeur klopte. Jo reed de oprit op, zette de motor af en stapte af.

De agente kwam naar haar toe. 'Mevrouw Kanan?'

Ze zette haar helm af. 'Jo Beckett. Ik heb het alarmnummer gebeld.'

Tina zette haar helm af en begon meteen iemand te bellen. Jo's benen waren wankel na de razendsnelle rit op de motor.

'Er is niemand thuis. Het huis ziet er veilig uit,' zei de agente.

Enigszins opgelucht haalde Jo adem. 'Ik heb mijn mobieltje en het nummer van mevrouw Kanan niet bij me. Laten we een briefje voor haar achterlaten met de boodschap dat ze contact moet opnemen.'

De agente gaf haar een notitieblokje. Jo krabbelde een briefje aan Misty en propte het als een dwangbevel tussen de deur en de deurpost.

Terwijl ze zich naar de agente draaide, zei ze: 'Twee mannen

hebben bij mij ingebroken. Kunt u navragen of ze zijn opgepakt?'
'Natuurlijk.'

De politievrouw liep naar de patrouillewagen en pakte de microfoon van de mobilofoon. Tina stapte van de Ducati en liep naar haar toe.

'Dokie is onderweg,' zei ze. 'Hij is hier over twee minuten.'

Dokie was het vriendje van deze week. Tina verzamelde mannen als bedeltjes aan een armband.

Huiverend wreef ze zich over haar bovenarmen. 'Ik ben een ijspegel.'

Jo sloeg een arm om haar heen en wreef haar schouder.

De agente keek op. 'Nog geen nieuws, dokter Beckett.'

'Ik ga niet naar huis tot die mannen achter slot en grendel zitten,' zei Jo.

De vrouw spreidde haar handen. Ze kon Jo geen zekerheid bieden. Jo zuchtte.

Bij het rotsklimmen was de onzekerheid juist een kick. Op een moeilijke rotswand was de onzekerheid of je de volgende greep kon bereiken of een uitsteeksel kon bedwingen inspirerend. Zoiets noemde je een uitdaging. Maar onzekerheid over de vraag of er twee indringers waren opgepakt, bezorgde haar alleen maar kramp in haar maag.

'Kunt u ergens naartoe?' vroeg de politieagente. 'Ik zal zorgen dat het bureau u belt.'

Jo gaf haar Tina's nummer. De agente stapte weer in de patrouillewagen, zette de zwaailichten af en reed weg in de steeds dikker wordende mist. Terwijl haar achterlichten vervaagden, naderde er een roestige Nissan met koplampen die in de nevel wazig leken. Tina zwaaide en ging op het trottoir staan. Dokie parkeerde de auto en stapte uit, een en al hertenogen, zilveren gezichtspiercings en glanzende ritsen op zijn leren jack. Hij was Tina's nieuwste glimmende speeltje. Hij kuste haar.

Tina keek naar Jo. 'Ga mee koffiedrinken, dan gaan we daarna naar mijn huis.'

Vanaf Fulton kwam er nog een auto de straat inrijden. Het geluid van de motor en de hoogte van de koplampen vertelden hun

dat het om een suv ging. Jo voelde de angst weer in haar oren sui-
zen en ze probeerde te zien of het de rode Navigator was. Uit de
mist verscheen de Chevy Tahoe van Misty Kanan.

Jo keek naar Tina. 'Ik zie jullie straks wel. Ik moet eerst even met
deze dame praten.'

'Zeker weten?'

'Heel zeker. Twintig minuten, hooguit.'

Tina wilde weglopen, maar draaide zich weer om. 'Bij het huis
van Ferd...' Ze liet een kort lachje horen en knipperde haar tranen
weg. 'Wilde je me echt met dat gigantische mes komen redden?
Gaaf.'

Jo gaf haar een kneepje in haar hand. Ze merkte dat ze glimlachte.

Tina omhelsde haar alsof ze haar nooit meer wilde loslaten. 'Ik
was zo bang.'

'Ik ook.'

'Bedankt.'

Jo glimlachte. 'Ik hou ook van jou.'

Tina liet haar een innemende glimlach zien en rende naar de auto. In een wolk van witte uitlaatgassen reed Dokie weg.

De ronkende Chevy Tahoe ging langzamer rijden en draaide de
oprit op. Het raampje aan de bestuurderskant ging omlaag.

Met grote, bedachtzame ogen keek Misty Kanan haar aan. 'Is er
nieuws over Ian? Hebben jullie hem gevonden?'

'Helaas niet. Ik kom je waarschuwen. Twee mannen hebben in
mijn huis ingebroken en mijn dossiers doorzocht. Het kan zijn dat
ze jouw naam en adres te pakken hebben gekregen.'

Misty zette de motor af en stapte uit. Haar gezicht was gespannen.
'Bedoel je dat ze informatie hebben die je over Ian had verzameld?'

'Zou kunnen. En ik weet niet of ze zijn opgepakt.'

Misty keek haar strak aan, zonder met haar ogen te knipperen.
'Je denkt zeker dat die inbraak iets met Ian te maken heeft. Met
mij. Ons.'

'Ik kan geen enkele andere reden bedenken waarom twee mannen mijn huis binnendringen en mijn computerbestanden en aantekeningen over deze zaak doorzoeken.'

Misty stormde de veranda op. Ze maakte de deur open, ging vóór Jo naar binnen en deed het licht aan.

'Waarom heb jij het toch op ons voorzien?' vroeg ze.

Meteen ging er bij Jo een alarmbelletje rinkelen. Dit was duidelijk een paranoïde vraag.

'Ik ben hier om je te waarschuwen, niet om je te ondervragen. Het kan zijn dat een paar gevaarlijke mensen jouw naam en adres in hun bezit hebben. Ik denk dat je weg moet. Neem Seth mee en ga naar een veilige plaats tot die kerels gearresteerd zijn.'

Het was koud in huis. Alleen de lamp in de gang was aan. Misty stond tussen Jo en de rest van haar huis in, haar armen over elkaar, haar sleutels in haar vuist geklemd. Misschien kroop ze in haar schulp om haar geest tegen chaos en angst te beschermen, maar Jo werd met de seconde achterdochtiger.

'Ik weet dat je je vreselijk zorgen maakt om Ian, maar er gaan mensen dood.'

'Dood? Wie?'

'Twee mensen die gisteren met hem in het vliegtuig zaten, en minstens één andere passagier heeft dezelfde hersenbeschadiging als Ian. Het spul dat jouw man heeft aangetast zou besmettelijk kunnen zijn.'

Misty deinsde met een ongelovige frons achteruit. 'Nee.'

'En in de jachthaven is vanochtend een man doodgestoken. Ze hebben hem drijvend naast *Somebody's Baby* gevonden.'

'Wat?'

'De politie heeft een arrestatiebevel voor Ian uitgevaardigd.'

'Denken ze dat Ian iemand heeft gedood? Nee – dat is… Maar hij is ziek. Hij kan niet voor zijn daden verantwoordelijk worden gehouden.'

*Wauw*, dacht Jo. Misty ontkende niet dat haar echtgenoot iemand doodgestoken kon hebben. Ze probeerde de mogelijkheid niet eens te ontkennen.

'Als hij het heeft gedaan,' zei Jo.

'Ja. Als hij het heeft gedaan.'

Vanuit de keuken dreef de geur van zure melk naar hen toe. Aan Misty's houding kleefde ook een luchtje.

'Wie was het slachtoffer?' vroeg Misty.

'Ene Ken Meiring. Komt die naam je bekend voor?'

Misty keek even wezenloos voor zich uit. Ze knipperde met haar ogen en hield haar hoofd naar één kant, alsof ze een weerbarstige nekwervel probeerde te kraken. 'Geen idee wie dat is.'

'Echt niet?' vroeg Jo. 'Weet je dat zeker? Ian heeft vanochtend de Navigator van zijn broer gestolen. Die werd daarna in de jachthaven gezien, en hij heeft me er vanmiddag mee achtervolgd.'

Misty's houding veranderde. Even dacht Jo dat ze haar zou aanvliegen.

'Heb je Ian vanmiddag gezien?' vroeg ze.

'Ik heb de auto gezien die hij heeft gestolen, want die kwam op Valencia Street recht op me af. Daarna ging hij achter Alec aan.'

In Misty's ogen vlamde iets op. 'Wat moet hij van jou?'

'Dat weet ik niet. Misty, de situatie is kritisch en wordt steeds ernstiger. Er zouden nog meer mensen kunnen sterven. Help me alsjeblieft. Vertel me alles wat je weet.'

'Waar is Ian naartoe gegaan? Waarom heb je me dit niet meteen verteld?'

'Ik vertel het je nu.'

'Waar is Alec?' wilde Misty weten.

'Dat weet ik niet – we zijn elkaar kwijtgeraakt. Ik kan hem thuis, op zijn mobieltje en op kantoor niet bereiken. Heb jij nog een ander nummer van hem?'

'Nee. Wacht.' Ze hief haar hand op. 'Laat me even nadenken.'

Jo wist niet wat Misty verborg, maar ze deed het niet erg overtuigend. De kou in huis drong door Jo's kleren heen.

'Waarom heb je me niet verteld dat Alec Ians broer is?'

'Je had me moeten vertellen dat je Ian hebt gezien. Je had moeten bellen.' Misty's toon was ijzig.

'Dat heb ik gedaan. Beluister je voicemail maar.'

Buiten het keukenraam ging de nevel over in dichte mist. De straatlantaarns waren speldenprikken geworden. Jo's zenuwen schokten nog na van de angstaanjagende aanblik van twee indringers in haar huis. Als een adviseur van de politie haar was komen waarschuwen dat zij en haar kind als de wiedeweerga een veilig onderkomen moesten zoeken, zou ze in de gang niet staan mopperen over het bezoek. Dan zou ze meteen in actie komen.

'Misty, je bent op van de zenuwen. Er knaagt iets aan je. Vertel me wat er aan de hand is.'

Misty speelde met een hanger aan een gouden ketting om haar hals. Twee gouden dolfijnen die rond een blauwe saffier sprongen.

Vanaf het begin had Jo Misty's reacties al heel raar gevonden. Op de spoedeisende hulp was het nieuws van haar mans toestand als een mokerslag aangekomen, maar ze was niet bij hem gebleven. In plaats daarvan was ze in paniek weggegaan. Jo had gedacht dat ze voor het slechte nieuws vluchtte, dat ze letterlijk wilde wegrennen voor Kanans diagnose. Maar nu dacht ze dat Misty door iets heel anders op de vlucht was geslagen. Ze wist niet wat – ze wist alleen dat alles aan Misty Kanan vreemd was.

'Ik wil gewoon dat hij thuiskomt. Hij betekent alles voor me,' zei Misty.

'Dat begrijp ik,' zei Jo.

Terwijl Misty met het dolfijnenhangertje bleef spelen, draaide ze zich om. Ze liep naar de woonkamer, en Jo liep achter haar aan.

'Waarom maakt Ian jacht op zijn eigen broer?' vroeg Jo.

'Dat weet ik niet.'

'Ik denk eigenlijk dat je dat wel weet.'

Misty knipte een tafellamp aan. In het spaarzame licht zag het IKEA-meubilair er verloren uit. Het wasgoed lag verkreukeld in de mand naast de fauteuil. Het strijkijzer stond nog steeds geduldig te wachten op de strijkplank in de hoek. Door de zorgen om haar man was Misty helemaal op tilt gegaan, maar de rest van haar leven was abrupt tot stilstand gekomen.

Misty raapte een geel kussen op. Ze klopte het op en gooide het op de bank.

'Zet iemand je onder druk?' vroeg Jo.

'Nee.'

'Chira-Sayf?'

Misty keek haar minachtend aan. 'Doe niet zo raar.'

Ze begon de woonkamer op te ruimen. Ze raapte de kranten van de afgelopen week op en legde ze op een stapel op de salontafel.

Jo probeerde haar met opgeheven handen te kalmeren. 'Blijf nu eens even staan.'

Misty pakte de afstandsbediening van de televisie en gooide hem op de kranten. De afstandsbediening gleed over de bovenste krant en de hele stapel viel weer op de grond.

Jo stak haar hand uit. 'Ga zitten.'

Misty pakte haar trouwring beet en begon hem te draaien. 'Niemand zet me onder druk. En ik weet niet wat er aan de hand is.' Haar stem klonk kribbig. 'Alec en Ian hebben een moeizame relatie, maar dat betekent nog niet dat Ian zijn broer wil doden.'

De trouwring paste bij de ketting. Dolfijnen rond een saffier.

Zodra Misty zag dat Jo ernaar keek, liet ze de ring los. Uit de wasmand pakte ze een grijs T-shirt. Russell Athletic, een mannenshirt. Ze streek het glad en staarde ernaar, zo te zien met genegenheid.

'Misty?' vroeg Jo. 'Waar is Seth?'

Even fronste Misty verward haar wenkbrauwen. Ze hield het shirt tegen haar borst, alsof ze het wilde beschermen. 'Bij een vriendje.'

'Weet hij wat er aan de hand is?'

'Sorry hoor, maar dat gaat je niets aan.'

Jo probeerde haar blik neutraal te houden. Misty's kaak verstrakte en haar schouders gingen een paar centimeter omhoog.

Ze liet het shirt weer in de wasmand vallen. 'Excuseer me even.'

Ze liep naar de keuken. Jo hoorde haar een keukenkastje openmaken en een glas pakken. Even later werd de kraan opengedraaid.

Jo luisterde naar het tikken van de klok. Drie minuten geleden had ze Misty gewaarschuwd dat zij en haar zoon moesten vluchten. Was Misty te dom om bang te zijn? Of was ze bij deze zaak betrokken?

Jo zou van Misty geen nuttige informatie meer krijgen. Amy Tang moest maar eens de strenge politievrouw gaan spelen. Ze stond op.

Verspreid over de grond lagen katernen van kranten. Er waren folders uit gevallen, glanzende advertenties en kortingsbonnen die half onder de bank waren beland. Een van de glanzende vellen papier kwam echter niet uit de krant. Het was de hoek van een foto van twintig bij dertig centimeter. Jo bukte zich en raapte hem op.

Het was een trouwfoto, die onderaan was bedrukt met het zinnetje *Misty en Ian, voor altijd samen.* Waarschijnlijk was die van de boekenplank gevallen en onder de bank gegleden.

De Kanans waren in een park getrouwd. Ian zag er jong, fit en knap uit in zijn blauwe pak. Zijn ijsblauwe blik was wereldwijs. Zelfs op zijn twintigste had hij al een buitengewoon talent gehad om dwars door mensen heen te kijken. Hij zag er bijna uitdagend ontspannen uit en had zijn arm om Misty heen geslagen.

Ze glimlachte, leunde tegen hem aan en hield een boeketje gardenia's vast. Ze droeg een ragfijne bruidsjurk en stond op haar blote voeten. Er zat gipskruid in haar haren. Ze zag eruit of ze een jaar of achttien was.

Ze was niet de vrouw die nu in de keuken stond.

Met bonkend hart bestudeerde Jo de foto. Ze zag het vast verkeerd.

Nee, ze zag het niet verkeerd.

De vrouw op de trouwfoto leek veel op de vrouw die zichzelf Misty noemde. Opvallend veel, zelfs. Hetzelfde elegante figuur, dezelfde roomblanke huid en hetzelfde sluike, karamelkleurige haar. Ze had dezelfde hanger om haar hals: twee dolfijnen die rond een saffier sprongen. Maar de vrouw op de foto had warme ogen en een lach die leek te zeggen dat ze het heerlijk vond om mensen om zich heen te hebben. De vrouw met wie Jo had gepraat, was kil en wrokkig. En op de foto had Misty een Keltische tatoeage op haar rechterarm.

Buiten was de mist nog dikker geworden. Jo's gedachten kwamen samen in één enkel woord: *bedriegster.*

Opeens zag ze het allemaal helder – het feit dat het altijd koud en donker in het huis was en dat ze Misty zelden thuis trof. Haar aarzeling om details over hun gezinsleven te vertellen. Het feit dat ze niet geïnteresseerd was in de vraag hoe Seth hiermee moest omgaan.

De vrouw gaf helemaal niets om Seth.

Jo ging sneller ademen. De politie was weg. Tina en haar vriend waren vertrokken. Ze was helemaal alleen.

Ze vouwde de foto stilletjes dubbel, liet hem onder haar trui glijden en stopte hem in de band van haar spijkerbroek. Ze stond op en draaide zich om.

De bedriegster stond twee meter van haar af. Ze had het strijkijzer in haar handen.

Er ontsnapte sissend stoom uit. De vrouw hief haar arm op en kwam met een kreet op Jo af.

*Heet.* Het ding was gloeiend heet. Jo stapte vlug op de salontafel en sprong vervolgens op de fauteuil. De vrouw stond tussen haar en de voordeur, en *shit*, een heet strijkijzer zou haar brandmerken, haar gezicht wegsmelten. De vrouw draaide zich om en zwaaide met het ijzer in haar hand alsof het een bowlingbal was. Het lange, geïsoleerde snoer gleed met een zoevend geluid achter haar aan en de zware stekker stuiterde trillend als de staart van een ratelslang over de vloer.

Jo sprong achteruit. Achter haar bevonden zich een boekenplank en de muur. Ze had een schild nodig. Iets groots of – *kolere!* Het strijkijzer zwaaide rakelings langs haar gezicht. Het verbrijzelde de lampenkap, die met een klap op de vloer viel. Het licht in de kamer werd schel en onvriendelijk.

Jo pakte een boek van de plank, een atlas. Het strijkijzer kwam op haar af. Ze hield de atlas voor haar gezicht en ving de aanval ermee op. Ze hoorde een sissend geluid en rook een brandlucht. Haar vingertoppen, die de randen van het boek vasthielden, voelden een droge, afschuwelijke hitte.

De vrouw viel aan als een beest, ze dacht niet goed na, maar er zou een moment komen waarop het kwartje viel – ze hoefde Jo niet meteen te verbranden. Als ze haar met het strijkijzer een klap tegen het hoofd gaf, kon ze haar buiten westen slaan, plat op de grond leggen en haar hele huid verbranden tot Jo geperst en rimpelig en dood was.

Met een kreet duwde Jo het boek in haar richting. De vrouw verloor haar evenwicht en stapte achteruit. Jo haalde woest uit en ramde haar hard op haar kin. Wankelend en hevig verrast liep de vrouw achteruit. Jo dook opzij en probeerde om haar heen te lopen, maar de vrouw ging weer in de aanval. *Shit.* Ze zag de ogen van de vrouw, doods maar wild, en het strijkijzer, dat dreigend dichterbij kwam.

Uit pure wanhoop greep ze de arm van de vrouw. Ze liet zich achterovervallen en rolde op de grond, alsof ze van een rotswand loskwam en met een achterwaartse salto landde.

De vrouw maaide met haar armen, viel met haar hoofd recht vooruit en raakte met haar gezicht de deuropening naar de gang. Jo hoorde de harde bonk. Het hoofd van de vrouw klapte achterover en ze plofte met haar volle gewicht op Jo. Het strijkijzer viel.

*Nee – jezus, heet...* Jo deinsde achteruit, voelde het tegen de mouw van haar shirt sissen en onderdrukte een gil. Met een doffe klap belandde het strijkijzer op de hardhouten vloer.

Het voorhoofd van de vrouw viel ertegenaan. Met een krijs kwam ze weer bij haar positieven.

Jo schoof haar opzij, krabbelde half overeind en probeerde weg te kruipen. Een hand greep haar enkel beet.

Jo probeerde zich los te trekken, en de vrouw probeerde het strijkijzer te pakken. Jo greep het snoer en liet het als een zweep knallen. Stuiterend vloog het strijkijzer over de vloer. De vrouw sloeg met haar vrije hand op de grond om het tegen te houden, maar ze sloeg mis.

Jo schopte zich los en kwam wankelend overeind. Terwijl ze het snoer vasthield, rende ze door de woonkamer naar de keuken. Achter zich hoorde ze een laag gegrom. Met haar vrije arm maaide ze borden op de vloer, evenals een fles met twee liter olijfolie. Hij viel op de vloer kapot en ze hoorde een klokkend geluid.

Recht voor zich uit zag ze de voordeur, en ze hoorde voetstappen achter zich. Het snoer kwam strak te staan toen de vrouw het weer beetgreep.

Daarna hoorde ze de lange, knarsende veeg van een schoen die over olijfolie en glasscherven gleed. Met een bonk viel de vrouw op de grond. Jo keek over haar schouder.

De vrouw lag met een vertrokken gezicht op haar rug. Terwijl ze overeind probeerde te komen, zochten haar handen naar de keukenkastjes en het aanrecht. Ze was versuft, maar niet uitgeschakeld. En ze was omringd door scherp keukengerei.

Jo schatte dat ze ongeveer dertig seconden had. Ze rende naar de deur.

# 24

Jo stormde door de voordeur naar buiten, waar ze werd opgewacht door een mistbank die de kleur van beton had. Ze sprintte naar de Ducati en probeerde ondertussen de sleutels uit haar zak te halen.

Wat was er in vredesnaam aan de hand?

Goddomme – de vrouw in dat huis was Misty Kanan niet. Jo sprong op de Ducati en ramde met een trillende hand de sleutel in het contact. Over haar schouder keek ze om naar de wijd open-staande voordeur.

De vrouw kwam struikelend in zicht. Ze liep tegen de deurpost aan en strompelde naar buiten. Jo trapte de motor aan. Ze had geen helm op, maar dat kon haar niet schelen. De vrouw wankelde naar de Tahoe, maakte het portier open en haalde iets uit de auto. Jo zag dat ze ergens aan stond te prutsen.

Een vuurwapen. *Shit.* Ze worstelde met de veiligheidspal.

Alsof Jo een wild paard aanspoorde, ramde ze haar voeten tegen de pedalen. Ze stuurde de motor in de richting van de straat en ging ervandoor.

Ze sloeg lukraak naar de knoppen voor haar neus tot ze de kop-lamp had gevonden. Het licht veranderde de lucht vóór haar in een witte muur van glasvezel.

Ze moest de hoek zien te bereiken. Als ze Fulton op kon rijden, zou de vrouw haar niet meer kunnen zien. Als ze Fulton bereikte, kon ze stoppen, rondrennen, zich helemaal uitkleden en heel hard gillen. Daar had ze zin in, in elk geval in dat laatste.

De mist beet aan haar handen en gezicht en smoorde de lucht, waardoor andere geluiden gedempt werden. Haar ogen traanden. Waar was de hoek? Ze moest Amy Tang bellen. Wie was dat mens in godsnaam?

Vóór haar doemde een zwarte vorm op, laag, gestroomlijnd, groot – *auto*.

Ze kneep in haar remmen. Het voertuig kwam in zicht, met parkeerlichten als gele hoektanden en een motor waarvan het geluid door de mist werd afgezwakt. Haar achterwiel blokkeerde. De auto reed langzaam, maar hij kwam *steeds dichterbij...*

Het werd een bijna-frontale botsing en ze werd over het stuur gelanceerd. *Rol je op tot een bal*, zei ze tegen zichzelf. Ze hoorde de dreun op het metaal toen ze op de motorkap belandde en tegen de voorruit gleed.

De auto kwam met piepende banden tot stilstand. Ze rolde en lag stil.

De motorkap was warm. De motor dreunde. Adrenaline flitste als een bliksemschicht door haar heen. Ze was te zeer in shock om al pijn te voelen. Ze tilde haar hoofd op en keek door de voorruit naar het ontzette gezicht van Alec Shepard.

Shepard sprong uit de Mercedes. 'Jo Beckett?'

Ze hoorde een zoemtoon in haar hoofd, rolde zich om en zag hem door de mist. Zijn overhemd, blauwe das en koper-en-zoutkleurige baard leken te pulseren.

Hij haastte zich naar haar toe. 'Jezus, je kwam zomaar uit het niets.'

Ze gleed van de motorkap. 'We moeten weg.'

Haar voeten raakten de grond, en gelukkig zakte ze niet door haar benen. De Ducati lag met draaiende motor aan de kant van de weg. De felle koplamp scheen blindelings in de mist en verlichtte hun benen. De mist at hun schaduwen op.

Hij legde een hand onder haar elleboog. 'Ik zet de knipperlichten even aan.'

'Nee, we moeten hier weg.'

'Je kunt in jouw toestand nergens naartoe. We moeten hier blijven, de politie bellen en een schadeformulier invullen.'

'Een vrouw in Ians huis heeft een vuurwapen. *Kom mee.*'

Er verscheen een rimpel op zijn voorhoofd. 'Ben je op je hoofd gevallen?'

Haar vechten-of-vluchtenreflex snorde als de motor van de Ducati. Ze legde haar handen op zijn borstkas en duwde hem naar de bestuurderskant.

'Ze wil me vermoorden. *Vlug.*'

Zijn aarzeling duurde nog maar een seconde. Ze strompelde naar de auto en stapte in. Hij sprong weer achter het stuur en zette de auto in de versnelling.

Jo zag niets anders dan mist. 'Keer de auto en rij deze straat uit. Vlug, rij snel weg zodat ik de politie kan bellen.'

Het laatste stuk van de zin rolde zo fel uit haar mond dat ze net zo goed 'of ik ruk je ballen eraf' had kunnen zeggen. Haar toon had het gewenste effect. Hij keerde de auto en gaf vol gas naar Fulton.

Ze zocht onhandig naar haar autogordel. Haar lichaam trilde, en ze voelde dat haar ribben de hardste klap hadden opgevangen.

'Wat doe jij hier?' vroeg ze.

'Ik kreeg je bericht over de inbraak in je huis. Ik wilde even bij Misty en Seth gaan kijken. Ik heb naar je mobieltje gebeld.'

'Dat ligt thuis.' Ze stak haar bevende hand uit. 'Geef me het jouwe eens.'

Hij haalde het uit zijn jasje en gaf het aan haar. Ze toetste het mobiele nummer van Amy Tang in. Shepard stopte op de hoek, gaf richting aan en draaide Fulton op. Jo keek over haar schouder om te kijken of de bedriegster hen achtervolgde, maar de avond was een blinde witte muur.

'Waar ben je geweest sinds Ian ons vanmiddag achtervolgde?' vroeg ze.

'Ik heb me schuilgehouden.' Hij keek opzij naar haar. 'Ik wist niet of hij me had gevonden door jou naar het restaurant te volgen.'

'Dat weet ik ook niet.'

Amy nam op, zakelijk en gejaagd. 'Tang.'

'Met Jo. Stuur weer een auto naar Ian Kanans huis.'

'Wat is er gebeurd?'

'De vrouw die wij voor Misty Kanan aanzagen, is een bedriegster. Ze wilde me daarnet vermoorden.'

'Beckett!'

'Ik zet je op de luidspreker.'

Jo zette de telefoon op de houder, en terwijl ze weer rustig probeerde te worden, vertelde ze Tang en Shepard de korte versie van het verhaal. De Mercedes reed in oostelijke richting over Fulton. Rechts van hen schoof Golden Gate Park voorbij. De bomen vormden een peilloze duisternis die zelfs de mist absorbeerde.

'Ben je ongedeerd?' vroeg Tang.

'Ja, maar vraag me alsjeblieft nooit om deel te nemen aan een wedstrijd waarin met strijkijzers wordt gestunt.'

'Begrepen.' Tangs stem was scherp als een diamant. 'Waarom doet een andere vrouw of ze Kanans echtgenote is?'

Shepard keek naar haar. Achter de koper-en-zoutkleurige baard was zijn gezicht gespannen.

'Werkt ze met Kanan samen?' vroeg Tang.

'Misschien. Misschien is ze juist zijn tegenstandster en werkt ze voor de mensen op wie hij jacht maakt. En...' Opeens was het of er in haar hoofd een wolk voor de zon wegschoof. 'Kanan kent haar.'

Shepard keek abrupt opzij. 'Wat?'

'Je broer kent de bedriegster. Op de spoedeisende hulp van het San Francisco General liep ze rechtstreeks op hem af.'

Jo wist het nog precies – de houding van de vrouw, de familiaire manier waarmee ze met Kanan was omgegaan... Ze was zelfs érg familiair geweest. 'Hij legde zijn hand op haar schouder. Hij kent haar goed.'

'Dan zit ze dus in zijn team,' zei Tang.

'Misschien.' Jo veegde haar haar uit haar gezicht en dacht erover na. 'Maar daar wringt iets.'

Wat was er op de spoedeisende hulp tussen Kanan en de bedriegster voorgevallen?

Ze wendde zich tot Shepard. 'Waar is Misty?'

'Dat weet ik niet.'

'Wanneer heb je haar voor het laatst gezien?'

Hij haalde zijn schouders op. 'Misschien zes weken geleden.'

'Hebben Ian en Misty een goed huwelijk?'

'Uitstekend. Geen problemen.'

'Draagt Misty een wit jasje? Een rok met een Schotse ruit en ste-vige laarzen?'

'Ja.'

'Rijdt ze in een Chevy Tahoe?'

Bezorgd fronste hij zijn wenkbrauwen. 'Ja.'

'De bedriegster heeft haar auto, haar kleren, haar sleutels, haar húís. Dus waar is Misty?' Ze ging harder praten, om er zeker van te zijn dat Tang haar hoorde. 'Het huis was afgesloten. Er is dagen niemand geweest. Waar is de hond? Waar is Seth?'

De Mercedes bromde door de straat, gesmoord door de mist.

'Jo?' vroeg Tang.

'Jezus.'

Ze herinnerde zich dat Kanan haar in de lift tegen de wand had geduwd en had gezegd dat ze goed moest luisteren. Ze herinnerde zich elk woord, al zijn bedreigingen. Alleen waren het geen be-dreigingen geweest.

'Amy, er is iets ergs gebeurd met Kanans vrouw en zoon. Ze zijn weg.'

# 25

'Zijn de Kanans weg? Waarnaartoe?' vroeg Tang.

Shepard staarde door de voorruit naar de mist. In de flauw verlichte auto beschenen de ijsblauwe klokken op het dashboard zijn gezicht. Zijn ogen reflecteerden een rode streep.

'Er is iets met hen gebeurd,' zei Jo. 'Verdomme, we hebben het vanaf het begin bij het verkeerde eind gehad.'

'Leg uit,' zei Tang.

'Voordat Kanan het ziekenhuis ontvluchtte, toen hij me in de lift in een hoek dreef, ondervroeg hij me. Hij zei: "Voor wie werk je?" en: "Heb je het bij je?"'

Vanuit zijn ooghoek keek Shepard naar haar.

'Hij ging door het lint bij het zien van Misty's sjaal. Hij duwde me tegen de wand en wilde weten hoe ik er aankwam. Ik zei dat ze op de spoedeisende hulp was geweest. Hij werd kwaad en zei: "Gelul."'

'Hij is zijn geheugen kwijt. Waarom vond je dat zo vreemd?' vroeg Tang.

'Als een gelukkig getrouwde man op de spoedeisende hulp belandt en hoort dat zijn vrouw in de buurt is, zal hij vragen: "Welke kant ging ze op?" en zich haasten om haar in te halen. Dat deed Kanan niet. Omdat hij dacht dat Misty onmogelijk in het ziekenhuis kon zijn.'

'Wat bedoel je?'

De kou, die in de auto op afstand werd gehouden, kroop nu weer over haar huid. 'Goddomme. Hij heeft het gezegd. Hij heeft het letterlijk gezegd, en ik begreep hem niet. Hij zei: "Ik zal ze uiteindelijk vinden."'

'De mensen die hem hebben vergiftigd.'

'Nee.' In gedachten zag Jo het verdriet op Kanans gezicht, zijn vastberadenheid, zijn wanhoop. '"Ik zal ze uiteindelijk vinden." Hij had het niet over wraak op de daders. Hij bedoelde dat hij zijn gezin zou vinden. Hij bedoelde dat hij zijn vrouw en zoon zou opsporen.'

'Seth en Misty…'

'Ze zijn ontvoerd. Ze worden gegijzeld.'

Misty Kanan duwde haar oor tegen de afgesloten slaapkamerdeur. Door het goedkope laminaat hoorde ze echo's uit de rest van het huis.

De televisie. Een losgeraakte hor die in de wind tegen de muur klapperde. Ze ademde uit en spitste haar oren. Dertig seconden bleef ze doodstil en met gesloten ogen staan, vechtend tegen haar hoop en angst.

Ze hoorde de mannen niet.

Meestal klosten Vance en Murdock door het huis en hoorde ze hen praten, de wc doorspoelen, flessen in de vuilnisbak gooien. Maar het afgelopen uur was het doodstil geweest.

Ze konden elk moment terugkomen. Het was een risico. Ze haalde diep adem: wie niet waagt, die niet wint.

Ze trok haar trui over haar hoofd.

Toen de mannen haar hadden beetgegrepen en haar in dit huis hadden gedumpt, hadden ze haar alles afgepakt, van haar mobieltje tot de ketting met de dolfijn en haar trouwring. Ze hadden haar gefouilleerd, met hun handen over haar hele lichaam gestreken. Ze hadden haar opgesloten in een kamer met niets anders dan vier muren en een vuile matras.

De ontvoerders hadden haar bijna alles afgepakt. Maar ze had haar lingerie mogen houden.

Ze trok de metalen beugel uit haar beha. De afgelopen dag had ze een gaatje in het stiksel van de beha gebeten en de beugel uit de stof gewurmd. Het metaal was dun, maar stevig. Ze hoopte dat het zo stevig was dat ze het kon gebruiken als schroevendraaier en gereedschap om een slot te forceren.

Misty vond zichzelf een goede moeder en een goede verpleegkundige. Ze was een vrouw die het leuk vond om op school boekjes voor te lezen aan koortsige eersteklassers die op hun ouders wachtten, maar ze was ook de echtgenote van een voormalige Special Forces-militair. Ze luisterde als hij iets te vertellen had en geloofde hem als hij zei: 'Je weet maar nooit wanneer je dit kunstje nodig hebt om je uit een penibele situatie te redden.'

Nu had ze het nodig.

Ze was ontvoerd vanwege Ians werk. Ze wilde niets liever dan ontsnappen – voor hem, voor Seth. En ze wist dat Seth gek zou worden van bezorgdheid, en dat Ian koortsachtig naar haar op zoek zou gaan. Maar ze kon hier niet blijven wachten tot hij de deur intrapte en haar kwam redden.

Gebruik de middelen die tot je beschikking staan, zou Ian zeggen. Kijk of je iets als instrument of wapen kunt gebruiken.

In het schaarse licht ging Misty aan het werk. Voorzichtig boog ze de beugel in tweeën en liet ze de lus in de schroevengaatjes van het deurbeslag glijden. De deur was oud en goedkoop. Als ze het beslag kon losschroeven en toegang kon krijgen tot het mechanisme in de deur, kon ze de beugel misschien als peilstift gebruiken en het slot openmaken.

Maar ze moest snel te werk gaan. De ontvoerders stonden op het punt om haar weer te dumpen – niet in een andere kamer, maar op een plek onder de grond. Ze gaven haar geen eten meer. Ze stonden op het punt haar te dumpen op een plaats waar dode lichamen werden gevonden.

'Gegijzeld?' vroeg Tang. 'Beckett, heb je iets gesnoven?'

'Nee, en ik kan het ook niet bewijzen. Maar jezus, Amy, ik durf mijn hand ervoor in het vuur te steken.' Ze slikte. 'We kunnen het ons niet veroorloven om van een ander scenario uit te gaan.'

Terwijl Shepards Mercedes door de mistige nacht over Fulton

Street reed, deed Jo haar ogen dicht en dacht ze terug aan dat moment. De lift in het ziekenhuis. Kanan die haar rug tegen de wand duwde. Het glanzende lemmet van de dolk bij haar gezicht.

'Hij vroeg voor wie ik werkte. Hij vroeg: "Heb je het bij je?"'

'Wat bedoelde hij met "het"?' wilde Tang weten.

Naast haar hield Shepard zijn adem in.

'Ian zei: "Ik regel alles. Ik ben ermee bezig." En hij zei: "Waar zijn ze?"'

'Zijn vrouw en zoon.'

'"Ik zal ze uiteindelijk vinden." Het was geen dreigement. Het was een belofte.' Haar stem haperde. 'Het was een plechtige belofte.'

'Maar waarom zijn ze ontvoerd?' vroeg Tang.

Jo wendde zich tot Shepard. 'Alec, wat is er aan de hand?'

Hij hield het stuur nog een paar seconden recht. In de mist doemde langzaam een verkeerslicht op, wazig groen. Er kwam een kruispunt in zicht. Hij draaide aan het stuur en reed de hoek om, Golden Gate Park in. Jo hing scheef tegen haar autogordel. De verkeerslichten vervaagden in de mist en om hen heen torenden de bomen spookachtig boven hen uit. Hij zette de auto aan de kant.

Hij liet zijn handen van het stuur vallen. 'Christus.'

'Ian maakt geen jacht op jou omdat hij denkt dat je hem hebt bedrogen of vergiftigd, hè?' vroeg ze.

'Nee.'

'Hij is ook niet bezig aan een vendetta of een moordpartij. Hij wordt ergens toe gedwongen. Hij moet iets te pakken zien te krijgen om zijn gezin te redden.' Ze draaide zich opzij naar hem. 'Hij probeert het losgeld bij elkaar te krijgen.'

Shepard staarde naar de mist. Zijn mond verstrakte, alsof hij zijn best moest doen om zijn emoties te beheersen.

Opeens zag Jo in gedachten de geschreven woorden op Kanans onderarm voor zich. En ze begreep waarom Kanan niet alleen kwaad en verward had geleken, maar ook gek van angst en haast.

'Zaterdag zijn ze dood,' zei ze.

'Jezus,' zei Tang.

'Het is geen hitlist – het is een deadline.'

Shepard zag er diep getroffen uit. 'Als ze zijn meegenomen, hebben de ontvoerders Ian waarschijnlijk tot zaterdag de tijd gegeven. Als het hem niet lukt...'

Hij maakte zijn zin niet af.

'Dan doden ze Misty en Seth. Wat willen de ontvoerders hebben?' vroeg Jo.

Hij keek bezorgd naar de telefoon en Jo, maar hij zei niets.

Haar gezicht begon te gloeien. 'Toen Ian me beetgreep, zei hij dat hij in Afrika vergiftigd was. Hij vroeg of ik wilde weten waarom. En hij zei: "Slim. Echt waar. Slim." Zegt dat je iets?'

Hij zei niets. Buiten vouwde de mist zich om de auto heen.

Tang verbrak de stilte. 'Ik moet hiermee aan het werk. Ik zal een patrouillewagen en een paar forensische specialisten naar Kanans huis sturen. We weten hoe de bedriegster eruitziet. En Jo, jij hebt met haar gevochten.'

'Ja. Het huis ligt vol forensisch bewijs. Vingerafdrukken, gezichtsafdrukken, DNA van bloed en speeksel – ik heb mijn steentje aan het onderzoek bijgedragen.'

'Ze is erbij, dat lijdt geen twijfel. Het huis is een schatkamer vol bewijsmateriaal. We identificeren haar en dan gaan we achter haar aan.'

Shepard boog zich naar de telefoon. 'Inspecteur, ik weet niet of ik iets kan doen, maar...'

'Hebt u enig idee wie uw schoonzus en neefje kan hebben ontvoerd?'

'Nee, maar ik zal erover nadenken.'

Het was een zwak antwoord, en Tang liet een paar tellen lang een beschuldigende stilte in de lucht hangen. 'Doet u dat. Denk diep na. Jo, alles goed met jou?'

Shepard keek naar haar. 'Zal ik je naar huis brengen? Of naar de spoedeisende hulp?'

'Ik ben ontzettend geschrokken, maar verder gaat het wel.'

Dat was niet zo, maar dat wilde ze niet zeggen. Op dit moment liep ze op adrenaline, maar die zou uiteindelijk opraken, net als benzine.

'We moeten dit oplossen. Aan de slag. Ik kan later altijd nog flauwvallen,' zei ze.

'Waar kan ik je bereiken?' vroeg Tang.

Jo was bijna twee dagen bezig geweest om Alec Shepard te bereiken en informatie van hem te krijgen. Hij kon vertellen wat er aan de hand was en waar ze Kanan moesten zoeken. Nu ze Shepard had gevonden, wilde ze hem niet meer uit het oog verliezen.

'Ik ben bij meneer Shepard. Op dit nummer.' Haar blik vond de zijne. 'Jij en andere mensen van Chira-Sayf weten meer over Ian dan ik ooit zal weten. Jullie hebben de kennis en de middelen om hem op te sporen.'

'Prima,' zei hij.

Tang nam weer het woord. 'Jo, als het klopt dat Kanans gezin is ontvoerd om hem te dwingen iets illegaals te doen, heeft de ontmaskering van de bedriegster net een streep door hun plannen getrokken.'

'Bedoel je dat de situatie gevaarlijker is geworden?'

'Daar twijfel ik niet aan.'

Jo haalde haar handen door haar haren. De motor van de Mercedes dreunde met de verdovende gestaagheid van een boor.

'Goed, ik ga het een en ander in werking zetten. Ik bel je terug,' zei Tang.

Shepard verbrak de verbinding en stopte de telefoon in zijn zak.

'Nu kun je me vertellen wat je niet tegen de politie wilde zeggen,' zei Jo rustig. 'Wat willen de ontvoerders? En waarom is Ian degene van wie ze het willen hebben?'

Shepard staarde met een wezenloze blik naar het dashboard. Uiteindelijk deed hij zijn ogen dicht en liet hij zijn hoofd zakken. 'SLIM.'

'Dat is zeker het nanotechnologieproject van Chira-Sayf.'

'Ja. En ze kunnen het niet krijgen.'

'Waarom niet?'

'Omdat ik het heb laten vernietigen.'

# 26

In de Mercedes van Alec Shepard, die als een verwarmde cocon om hen heen zat, probeerde Jo kalm te blijven. 'Je hebt SLIM laten vernietigen omdat het gevaarlijk was, hè? Het is zo gevaarlijk dat je het project niet alleen in de ijskast hebt gezet, maar het lab in Johannesburg hebt gesloten.'

Hij zette grote ogen op. 'Met wie heb jij gepraat?'

'Niemand. Ik heb gewoon wat openbare bronnen geraadpleegd. Kijk me alsjeblieft niet aan alsof ik een bedrijfsspion ben.' Ze draaide zich opzij op haar stoel. 'Is je broer vergiftigd met SLIM?'

Hij wendde zijn hoofd af, alsof hij nadacht hoe hij zich met zijn antwoord kon indekken.

'Ik heb zijn MRI gezien, Alec. En de MRI van een passagier die met hem in contact is gekomen. Het vergiftigt andere mensen die met hem in het vliegtuig uit Londen zaten.'

In het rare licht van het dashboard werd zijn gelaatsuitdrukking grimmig.

'Sayf, S-A-Y-F. Een transcriptie van het Arabische woord voor zwaard. Ofwel jouw bedrijf snijdt shoarma met een groot mes, ofwel het is een woordgrapje omdat jullie een oeroude technologie moderniseren. Damaststaal. Koolstof nanobuizen.'

Hij verbrak hun oogcontact. 'Ik beschuldig je niet van bedrijfsspionage. Iemand probeert ons product te stelen, maar ze zijn niet uit op de formule of de aantekeningen van het lab. Ze willen het daadwerkelijke product. Jezus, wat een puinzooi.'

'Vertel. Je broer verkeert in een wanhopige situatie, en hij is niet de enige.'

Shepards gezicht was somber. Hij pakte zijn telefoon. 'We hebben steun nodig.'

'Wie bel je?'

'Mijn rechterhand.' Hij glimlachte niet, maar ze zag een cynisch lichtje in zijn ogen. Hij drukte de telefoon tegen zijn oor. 'Ik wil dat er nog eens heel goed naar de veiligheid van ons lab wordt gekeken. En ik wil Ians reis- en onkostendossier.'

'Een geldspoor.'

'Precies.' Hij keek weer even opzij, alsof het hem verraste dat ze daaraan had gedacht.

'Doe navraag naar zijn vliegticket,' zei ze. 'Misschien heeft Ian het met een creditcard van Chira-Sayf betaald. Misschien heeft iemand anders het betaald. Zoek uit wie.'

Hij knikte.

'Wie heeft je broer naar Johannesburg gestuurd?'

'Dat is een van de dingen die het bedrijf moet uitzoeken.' Hij luisterde. 'Voicemail.' Zijn toon werd kortaf. 'Crisissituatie. Kom naar...' Hij keek om zich heen. 'Golden Gate Park, net voor de Japanse theetuin. Pronto. Ik leg het uit als je hier bent.'

Hij klapte de telefoon dicht. 'We zoeken het wel uit.'

'Vertrouw je je rechterhand?' vroeg Jo.

'Volledig.' Hij zette de Mercedes in de versnelling en reed weg.

'Vertel me eens waarom iemand SLIM zou willen stelen.'

'Het is waardevol spul. En ik had besloten het te vernietigen in plaats van het te gebruiken.'

'Zou Ian het stelen? Verkopen? Jou schaden?'

'Nooit. Hij weet waar het spul toe in staat is, en ik weiger te geloven dat hij het in de praktijk zou willen gebruiken. Hij is militair geweest.' Hij schudde zijn hoofd. 'Nee, hij kan hier alleen maar mee hebben ingestemd om Misty en Seth te redden. Hij weet ook dat ik het spul nooit aan hem zou geven. Dat betekent dat hij de wanhoop nabij moet zijn.'

Shepard reed stapvoets over de bochtige weg door het park. Hij was gesloten en gespannen geworden. Zijn blik bleef heen en weer flitsen tussen de achteruitkijkspiegel en de zijspiegels. Naarmate ze verder van Fulton Street verwijderd raakten, werd de chrysantachtige gloed van de straatlantaarns en de ramen van appartementen steeds zwakker. De bomen verzwolgen het laatste restje licht dat door de mist heen kon dringen. Ze bewogen zich in een luchtbel en konden alleen maar zien wat er in de auto gebeurde. Ze hadden geen idee wat zich voor of achter hen afspeelde.

'SLIM was een experimenteel nanotechnologieproject,' zei hij. 'De officiële aanduiding was C-S/219.'

'Militair?'

'Chira-Sayf maakt geen wapens. Het onderzoek werd betaald door Defensie, maar het was de bedoeling dat het spul IED's zou neutraliseren.'

'Een middel tegen bermbommen?'

'Het had juist levens moeten redden.'

'Is SLIM het spul waarmee je broer is besmet?' vroeg ze.

De stilte was zwaarder deze keer, droog, als stof. 'Dat zou niet mogelijk moeten zijn. We hebben alles vernietigd.'

'Waarom?'

'Het had bermbommen onschadelijk moeten maken. Dat deed het niet.' Zijn blik werd nog somberder. 'Jij bent arts – heb je wel eens explosiewonden gezien? Afghanistan, Irak, de Londense metro...'

'Ja. Afgrijselijk.'

'Scherfvesten beschermen wel de vitale organen van de soldaten, maar hun armen worden er afgerukt. Een rib van een zelfmoordterrorist boort zich in het dijbeen van een soldaat. Granaatscherven, spijkers en kogellagers hagelen in het gezicht van een klein meisje.'

Opeens dacht Jo aan Gabes littekens. *Ik ben hersteld.* Ze kreeg een brok in haar keel.

'Koolstof nanobuizen zijn piepkleine machines,' zei Shepard. 'Het zijn eenvoudige, domme robots. Ze werken op moleculair niveau, via chemische interacties. De onze hadden zich moeten hechten aan bestanddelen die doorgaans in IED's zitten en ze moeten neutraliseren.'

'Maar?'

'Het had het tegengestelde effect. Explosieven werden er nog minder stabiel door.'

'Jezus,' zei Jo.

Shepards schouders waren gespannen. Zijn grijze ogen waren indringend, net als die van zijn broer. 'Toen we het middel testten, gingen bommen voortijdig af. Toen we de ontsteker eruit hadden gehaald en de explosieven probeerden te vernietigen, kwamen ze tot ontbranding. Het was een rampzalige uitkomst.'

'Dus daarom ben je gestopt met het project.'

'SLIM was onvoorspelbaar, instabiel en gevaarlijk. Ik heb de stekker eruit getrokken.'

'Wilde Defensie het toch niet hebben? Zij zijn 's werelds grootste afnemer van kaboem.'

'Ik had mijn goedkeuring aan het project gegeven om levens te redden. Ik wilde het privévliegtuig van Chira-Sayf niet bekostigen door munitie te maken.'

'Heb je daarom de operatie in Zuid-Afrika stopgezet?'

'Ja, het lab in Johannesburg produceerde SLIM. En Ian moet naar Afrika zijn gegaan om een monster te halen. Maar het is hem niet gelukt. Of...' Hij zuchtte diep. 'Of hij heeft een fout gemaakt en is besmet geraakt. Nu wil hij het bij mij komen halen.'

'Dus Ian denkt dat jij SLIM hebt? Jij persoonlijk – of dat je er toegang toe hebt?'

'Ja.'

'Maar je zei dat het allemaal vernietigd was.'

'Ik dacht van wel. Maar als Ian erdoor is... aangetast, moet hij ermee in aanraking zijn geweest.'

'Dus jij denkt dat het spul zijn herinneringen vernietigt?'

'Je zit diep in de problemen als SLIM in je bloedbaan komt. Het maakt een verbinding met ijzer. En het is lipofiel,' voegde hij eraan toe. 'Het hecht zich aan vetten in de bloedbaan – in feite krijgt het een vetlaagje over zich heen – en glipt dan langs de bloed-hersenbarrière.'

'SLIM is een Trojaans paard, hè?' vroeg Jo.

'Ja,' antwoordde hij.

Het glipte andere moleculen binnen, vetten die ijzer vervoerden, en maakte het brein wijs dat het veilig kon worden doorgelaten. Eenmaal daar vermeerderde het middel zich, vormde het strengen en vernietigde het de mediale temporaalkwabben.

'Dus zo gaat het vermogen om nieuwe herinneringen te vormen kapot,' zei ze.

'En als het eenmaal door de poort is, begint het de hersenen opnieuw te bedraden.'

'Opnieuw bedraden – jezus, wat kan dat spul?'

'Koolstof nanobuizen hebben naar verhouding een lage elektrische weerstand. Ze kunnen lageweerstandspaden voor de vorming van neuronen genereren.'

'Bedoel je dat ze in het brein nieuwe verbindingen kunnen maken?'

'Ja. Snelle verbindingen.' Hij streek met zijn hand over zijn baard.

'Weet hij dat hij besmet is?'

'Ja.'

'Vergeet hij dat weer?'

'Dat weet ik niet. Waarom?'

'Als hij het vergeet en weer met SLIM in aanraking komt, zou een tweede dosis zijn zenuwstelsel overbelasten en hem doden.'

Jo liet haar hoofd tegen de leuning rusten. Haar ribben en been bonkten. De auto reed centimeter voor centimeter door de mist.

'Ian moet een SLIM-monster uit het lab in Johannesburg te pakken hebben gekregen. Ik zou niet weten hoe hij anders besmet is geraakt. Maar als hij bij mij nog meer probeert te halen, zal hij wel denken dat ik de enige bij Chira-Sayf ben die het hem kan geven,' zei Shepard.

'Is dat ook zo?'

Hij gaf geen antwoord op die vraag. 'Als hij achter mij aan zit, waar is dan het monster dat hij al had?'

'Alec, dat kan Ian zich niet herinneren. Als hij in Afrika een monster te pakken heeft gekregen, heeft hij het misschien wel ergens verstopt en zal hij zich nooit meer herinneren waar.'

'Denk je dat hij het spul daarom bij mij wil komen halen?'

'Ja. En de mensen die hem onder druk zetten, denken dat jij er aan kunt komen.' Ze dacht even na. 'Maar als hij het in zijn bezit had...'

Hij schakelde. '... waar is het dan nu? En hoeveel tijd hebben we om het te vinden voordat het in contact komt met een stof die een explosie kan veroorzaken?'

Het was donker en muf in de slaapkamer. De ramen waren dichtgespijkerd en de deur zat op slot. Seth hoorde ergens in huis het geluid van een televisie. Hij wist niet precies hoe laat het was, maar aan het herkenningsmelodietje op de televisie hoorde hij dat het vroeg op de avond moest zijn.

Hij wenste dat het nieuws zou beginnen, want dan kon hij horen of zijn vermissing werd gemeld. Misschien kwam er wel een foto, een persoonsbeschrijving, een politieman die de mensen vroeg alert te zijn. Wist hij maar waar hij was! Toen de mannen hem uit Golden Gate Park hadden meegenomen, hadden ze zijn mond met loodgieterstape dichtgeplakt, een kussensloop over zijn hoofd getrokken en zijn handen en voeten met tape aan elkaar vastgemaakt. En onderweg had hij Whiskey voortdurend horen janken.

De mannen hadden hun bestemming voor Seth verborgen willen houden. Daar waren ze prima in geslaagd, al wist hij wel dat ze heel hard over een snelweg hadden gereden. En ze waren geen van de grote bruggen overgestoken. Nu hoorde hij regelmatig de fluit van een trein. Ze waren dus ten zuiden van San Francisco.

In het donker probeerde hij het slot van de deur te zien. Zijn voeten waren aan elkaar gebonden en zijn handen zaten achter zijn rug met plastic handboeien aan elkaar. De menselijke hotdog, de man die Murdock heette, had hem tegen de muur geramd en zijn armen achter zijn rug gebogen om zijn polsen vast te binden. Dat had hij gedaan nadat Vance, die was binnengekomen om zijn bord te halen, de krassen rond het slot had gezien en de gebroken springveer van het bed had gevonden, waarmee Seth had geprobeerd of hij het slot kon openmaken.

Hij had bijna geen gevoel meer in zijn handen. Hij begon gek te worden.

De mannen waren verdwenen, dat wist hij bijna zeker. In huis hoorde hij niemand lopen. Hij wist niet wanneer ze terug zouden komen, hij wist alleen dat hij zich vreselijk eenzaam voelde.

Centimeter voor centimeter schoof hij naar de deur. 'Whiskey?'

Er kwam geen reactie.

Hij kon zich niet voorstellen dat ze hem hier zomaar zouden achterlaten. Maar hij had het akelige gevoel dat de situatie was veranderd en uit de hand dreigde te lopen.


De Mercedes van Shepard reed heel langzaam over de weg, steeds dieper het mistige park in.

Jo's stem klonk verhit. 'Wist je dat SLIM neurologische neveneffecten had?'

'Niet op mensen. We hadden het op dieren getest. Het... het liep niet goed met ze af.'

Ze kon niet voorkomen dat haar stem scherp klonk. 'Maar dat was geen reden om met het onderzoek te stoppen.'

'Natuurlijk niet.' Hij keek even opzij, snel als een messteek. 'Wil je weten waarom we SLIM eens en voor altijd moeten vernietigen? Het spul destabiliseert stoffen op koolwaterstofbasis en verandert ze in bommen. Het spul is geurloos, kleurloos en niet op te sporen met een metaaldetector, röntgenstralen, apparaten op luchthavens die explosieven herkennen of honden die zijn getraind om bommen te zoeken.'

'O god.'

Het was het droomwapen van iedere schurk. Elke criminele rotzak op aarde zou het willen hebben. Plus het Amerikaanse leger, en buitenlandse legers. Inlichtingendiensten die vijanden wilden vernietigen zonder sporen achter te laten. Georganiseerde misdaad. De maffia. Mexicaanse drugshandelaren. Islamitische Jihad. Al Qaida.

Shepard keek haar van opzij aan. 'Betekent je stilte dat je het begrijpt?'

'Helaas wel.'

'Ik weet niet waar je aan denkt, maar het is nog erger.'

'Wat kan er nu erger zijn dan een of andere cocaïnebaron met een eigen leger die besluit dat hij een ontraceerbaar explosief aan boord van een toestel van Mexicana wil smokkelen? Of een terrorist die een kinderziekenhuis met slim beschildert en op een afstandje toekijkt terwijl iedereen in het gebouw eraan gaat?'

'De blijvende effecten,' zei Shepard. 'Als het zich verspreidt, besmet het mensen met wie het in aanraking komt. Het is een vuile bom van de eenentwintigste eeuw. De hitte van een explosie kan omstandigheden creëren waarin slim zich vermenigvuldigt. Zo kan het spul zich verspreiden.'

Jo's maag maakte een rare beweging. 'Waar is het? Wat heeft je broer ermee gedaan?'

'Daar moeten we achter zien te komen. Voordat hij het spul zelf vindt. En voordat degene die hem onder druk zet het in handen krijgt.'

# 27

Achter zich hoorde Kanan voetstappen de houten trap opkomen. Hij draaide zich om. Hij stond in het magazijn van een sportzaak, onder felle tl-balken, omringd door stellingkasten met basketballen en honkbalschoenen. Op een bureau lagen een verzameling memobriefjes en afdrukken van foto's die hij met zijn telefoon had gemaakt. Op zijn armen stond van alles geschreven. De voetstappen kwamen dichterbij. Hij keek naar een openstaande deur die naar de kelder leidde.

Boven aan de trap verscheen een man wiens dreadlocks in een paardenstaart bijeen waren gebonden. Zijn donkere gezicht was bedrieglijk sereen en hij droeg drie dozen munitie en een geweer met een nachtvizier.

Een golf van hoop en opluchting spoelde over Kanan heen. 'Diaz. Verdomme man, wat ben ik blij om jou te zien.'

Diaz keek alsof hij zojuist op een scherpe steen was gestapt. 'Alsjeblieft, baas.' Hij legde het geweer op het bureau. 'We hebben dit, de HK, het pistool in de holster onder mijn arm en een Kbar voor om het onderbeen.'

Diaz ontweek zijn blik. Het leek of hij ergens verdriet over had. 'Ben ik hier al lang?' vroeg Kanan.

'Lang genoeg om me vijftien keer te begroeten.'

Kanan staarde naar zijn armen, vervolgens naar het bureau en begreep de boodschap. 'Het spijt me.'

Diaz keek hem aan. 'Je mag me blijven begroeten. En ik zal je op de hoogte houden van onze vooruitgang.'

Kanan keek op zijn horloge. Het was kwart voor acht in de avond. 'Vrijdagavond,' zei Diaz.

Kanan wreef met zijn hand over zijn gezicht. Hij voelde zich groezelig en moest zich scheren. 'Alles wat ik me kan herinneren, zie ik heel scherp.'

Met de helderheid van neonlicht herinnerde hij zich een sms'je met de mededeling dat zijn gezin gegijzeld was. Het was begonnen op het zonnige terras van de Four Seasons in Amman, waar hij dikke Arabische koffie uit een zilverkleurig kopje had gedronken en aanstalten had gemaakt om met zijn trofeeën naar huis te vliegen: de prachtige damaststalen sabel en dolken die een plaats aan de muur van Alecs kantoor zouden krijgen.

In plaats daarvan had Chira-Sayf hem gebeld om te zeggen dat materiaalkundige Chuck Lesniak was verdwenen. Ian was naar Zuid-Afrika gegaan om hem te zoeken.

Vlak na de landing had hij het sms'je gekregen.

*We hebben ze.* Met foto's van Seth en Misty erbij, geboeid en met een prop in hun mond, vastgebonden op een stoel in een kale garage, beschenen door een fel peertje.

*Zorg dat je slim te pakken krijgt of ze gaan eraan.*

Er waren nog meer boodschappen gevolgd. *Hou de politie erbuiten. Hou Chira-Sayf erbuiten. Neem geen contact op met Shepard.* Daarna hadden ze gezegd hoe hij te werk moest gaan om Lesniak op te sporen, die een monster SLIM uit het lab in Johannesburg had gestolen. Lesniak had het monster niet voor het afgesproken aandeel van tien procent aan zijn opdrachtgevers overhandigd, maar had geprobeerd zelf een deal met een hogere bieder te sluiten. Lesniak, de egoïstische, domme klootzak, had alle winst in handen willen krijgen, maar had de jackpot niet gewonnen omdat zijn opdrachtgevers ontdekten dat hij hen had bedrogen. Zij hadden vervolgens bedacht dat Ian Kanan de enige persoon was die SLIM voor hen kon gaan halen.

En zij wisten dat Ian Kanan SLIM alleen maar aan hen zou over-handigen als ze zijn gezin dreigden te vermoorden.

Hij herinnerde zich de jetboot en het brullende kabaal van de Victoria-watervallen. Hij herinnerde zich dat hij het dopje van de flacon had aangedraaid en het monster in de zak van zijn spijker-broek had gepropt voordat hij het gas had opengedraaid en tegen de stroom in naar een veilige plaats was gevaren.

En hier stond hij dan, in San Francisco, zonder de flacon, zich klaarmakend voor een jacht. Hij keek naar zijn arm.

*Zaterdag zijn ze dood.* Hij deed zijn ogen dicht, zodat Diaz hem niet tegen zijn wanhoop zou zien vechten.

'Mijn noodplan is om bij Alec een monster los te peuteren,' zei hij hoofdschuddend. 'Ik verraad hem, maar ik zie geen enkele an-dere manier om Misty en Seth te redden.'

Diaz legde een hand op zijn schouder. 'Dat weet ik.'

Ofwel: *dat had je me al verteld.*

Kanan wist waarom de ontvoerders hem hadden verboden con-tact met zijn broer op te nemen: Alec zou hem tegenhouden. Alec wist hoe gevaarlijk SLIM was. Hij zou zich zorgen maken om de na-tionale veiligheid. Als Alec ontdekte waar Kanan mee bezig was, zou hij hem misschien niet helpen, maar de CIA of de FBI waarschuwen.

En Kanan wist waarom iemand *zoek Alec* op zijn linkerarm had geschreven – Alec was behoedzaam. De ontvoerders wisten waar-schijnlijk dat hij de enige was die zijn broer kon opsporen. Hij had al Alecs veiligheidsmaatregelen bedacht. Hij was de enige die wist hoe hij tot hem kon doordringen.

En de ontvoerders moesten ook weten dat Alec zijn eigen broer nooit zou verdenken – hij zou Ian zo dichtbij laten komen dat hij in een hulpeloze situatie kon worden gemanoeuvreerd.

Jezus, wat een verraad.

Diaz keek naar de uitgespreide wapens op het bureau. 'Sergeant, ik sta achter je, zonder vragen, dat weet je.'

Kanan wist dat zijn glimlach wrang was. 'Vooruit, stel je vragen maar.'

'Weet je zeker dat SLIM is verdwenen? Heb je het monster niet meegenomen?'

'Nee, dat weet ik niet zeker.'

Hij keek naar de rommelige verzameling briefjes en foto's op het bureau. 'Als ik het spul heb meegenomen, vind je hier aanwijzingen waar het ligt.'

Diaz pakte een gelamineerd legitimatiepasje. 'Die Johanna Beckett is arts.'

Kanan schudde zijn hoofd. 'Geen idee.'

Opeens leek de kamer om hem heen te draaien. Hij legde zijn hand op het bureau.

'Gaat het, baas?' vroeg Diaz. 'Wanneer heb je voor het laatst gegeten?'

'Ik heb geen idee.' Hij wist zich staande te houden. 'Nu je het zegt, ik rammel van de honger.'

'Blijf hier. Er zit een Wendy's om de hoek. Ik ga wel wat voor ons halen.' Diaz trok een zwart jack aan. Hij schreef een briefje en plakte het op de achterdeur van de winkel voordat hij die openmaakte. Vanuit het steegje waaide er koude mist naar binnen. 'Neem jij die stapel briefjes maar door. Misschien hoeven we niet achter je broer aan om dat spul te krijgen. Ik ben zo terug.'

Diaz deed de deur dicht. Kanan deed hem op slot, ging aan het bureau zitten en drukte met zijn vingertoppen tegen zijn ogen. Hij was volledig uitgeput.

Hij deed zijn ogen open en bleef roerloos zitten. Wat deed hij in het magazijn van een sportzaak?

De Mercedes van Shepard reed over de bochtige wegen door Golden Gate Park. Jo greep het portier beet en hoopte dat Shepard genoeg zicht had om een botsing met een andere auto te voorkomen. Haar hoofd bonkte. Haar ribben en been bonkten. Het enorme park, dat was verslonden door de mist, was een leemte van witte nevel.

Golden Gate Park strekte zich een kleine vijf kilometer uit over San Francisco, bijna de halve stadsbreedte. Overdag waren de heuvels groen, de velden smaragdkleurig, de blauwe meren rimpelig van de wind en de zwemmende eenden. Montereydennen en groepjes eucalyptusbomen veranderden het hart van de stad in een bebost reservaat. De weg was breed, en overdag stonden er aan weerszijden meestal auto's geparkeerd. Vanavond was er niemand.

'De Japanse theetuin is dicht, en ik vind het niet erg aanlokkelijk om je collega in het aardedonker te ontmoeten. Wat dacht je van een warme, goed verlichte openbare ruimte met heel veel mensen? Het De Young Museum is op vrijdagavond open.'

Shepard schudde zijn hoofd. 'Ik wil niet in het openbaar gezien worden. De mensen die slim willen hebben, zijn tot alles bereid om het te krijgen.' Hij keek even naar haar. 'Bij mij ben je veilig, maar ik moet zeker weten dat niemand mij kan opsporen door jou te achtervolgen. Heb je een pieper? Een BlackBerry? Een ander communicatiemiddel? Als dat zo is, zet het dan af en haal de accu eruit.'

'Ik heb niets bij me,' zei ze.

Uit de mist staken boomtakken die naar schone lucht graaiden. Bloembedden vol roze hortensia's vlogen voorbij, stoffig grijs in de duisternis.

Hij haalde zijn voet van het gaspedaal. 'We zijn er.'

In de verte, vlak voor de theetuin, stonden vervormde bomen die als artritische handen omhoogstaken. Shepard reed met de auto naar de linkerkant van de weg en parkeerde hem met de neus naar het tegemoetkomende verkeer. Nadat hij de motor had afgezet, liet hij zijn raam een paar centimeter zakken om te luisteren of hij auto's hoorde naderen. Hij was bang en slim. De stilte vloeide tegelijk met de vochtige kou van de mist naar binnen.

'Alec, we hebben niet veel tijd. Hoe kunnen we Ian te pakken krijgen? Is er een plaats waar je broer naartoe zou gaan? Ken je zijn vrienden? Zijn oude maatjes uit het leger? Kun je contact met hem opnemen?'

'Ik heb het geprobeerd. Ik heb hem thuis gebeld en gemaild. Zonder succes. En hij neemt zijn mobieltje niet op – als ik hem een beetje ken, heeft hij hem in vliegtuigmodus gezet.'

'Zijn er vaste plaatsen waar hij graag komt? Een café? Een sportzaal, een kerk, een opslagruimte waar hij zijn wapens bewaart?'

Shepard schudde zijn hoofd. 'Het spijt me. Ik weet het echt niet. Hij is een hardloper. Hij kampeert en vist. Hij zit hele weekenden aan zijn SUV te sleutelen, of hij gaat op pad met Seth en Misty.'

Jo vouwde haar armen voor haar borst om warm te blijven. 'Hoe wordt SLIM vervoerd? Welke vorm heeft het?'

'Het wordt op een hoge temperatuur gekweekt – gebakken, of hoe je het ook wilt bekijken – als koolstof nanobuizen met een enkele wand. Maar het wordt bewaard in een vloeistof op oliebasis. Dus om het te verspreiden kan het worden gesproeid, uit een bazooka worden afgeschoten – we hadden van alles bedacht.'

'Hoe ziet het eruit?' vroeg ze.

'SLIM zelf? De nanodeeltjes zijn ongelofelijk klein. In feite zijn het moleculaire machines. Piepklein.'

'Waarom willen de ontvoerders het uiteindelijke product hebben?' vroeg Jo. 'Waarom hebben ze er niet voor gekozen om de onderzoeksresultaten te stelen of een raam in te slaan en een harde schijf met alle informatie weg te halen? Waarom hebben ze het eindproduct nodig?'

Shepard veegde met zijn hand over zijn voorhoofd. 'Het is verduiveld moeilijk om het onderzoek te herhalen en te zorgen dat SLIM op de goede manier groeit – het is alsof je bij een bakrecept weer helemaal opnieuw moet beginnen. Als je bakt, heb je gist nodig als katalysator. Als de ontvoerders SLIM in handen krijgen, kunnen ze het product gebruiken als katalysator. Onder de juiste omstandigheden kan een ander lab het vermenigvuldigen.'

'Dus deze hoeveelheid is in feite kweekzaad?'

'Ja.'

Shepard draaide het contactsleuteltje om. Een paar minuten lang bleven ze naar de motor luisteren, die tikte terwijl hij afkoelde. Ze zagen helemaal niets. Uiteindelijk maakte Shepard zijn portier open.

'Waar ga je naartoe?' vroeg Jo.

'Als ik hier nog langer blijf zitten, word ik gek. Kom.'

Hij sloeg het portier dicht en verdween in de mist. Met tegenzin liep Jo achter hem aan.

De bomen waren schaduwen. De avond was doodstil, benauwd en koud. Ze dook diep weg in haar trui en voelde dat haar been en ribben erg stijf werden. Morgenochtend zou ze van top tot teen onder de blauwe plekken zitten. Ze wist dat het park een paar honderd meter verderop een weids panorama bood. Het De Young Museum stond hier ook ergens, onzichtbaar, evenals een gigantisch openluchtmuziekpaviljoen. Ze zag een heel vaag schijnsel uit de museumgebouwen komen.

Achter het bochtige voetpad werden ze omhuld door dennengeur en vocht. De rode, gelakte houten pagodes en de bewerkte zwarte daken in de Japanse theetuin waren onzichtbaar in de mist.

Shepard bleef bij een zware houten zuilengang staan. De hekken waren dicht, de rustgevende paden van de tuin afgesloten.

Jo ging zachter praten. 'Alec, hoe moet je slim neutraliseren?'

'Onderdompelen in zuur. Dan vallen de koolstof nanobuizen uit elkaar.'

'Is er geen andere manier? Branden? Bevriezen? Ontgiften? Chemotherapie?'

'Röntgenstraling, maar alleen als de straling krachtig is en lang aanhoudt.' Hij keek heel even naar haar. 'Koolstof nanobuizen zijn veerkrachtige dingen.'

'Veerkrachtige dingen die in je hoofd kunnen komen en de instellingen van je brein kunnen veranderen.' *Mijn god.* 'Kennelijk verspreidt slim zich door direct contact met open wonden.'

'Ja. Als bloed met bloed in contact komt.' Abrupt keek hij naar haar opzij. 'Heb je hem onderzocht?'

De brok zette zich weer vast in haar keel. 'Ja. Maar ik heb de sneeën op zijn arm niet aangeraakt, en ik had zelf geen krassen of sneeën.'

De lucht was klam. Ze onderdrukte een rilling.

Shepards gelaatsuitdrukking werd zachter. 'Dan zal er wel niets met je gebeuren.'

De rilling gleed van haar af, en heel even voelde de koude lucht verfrissend aan. Ze deed haar ogen dicht en ademde uit. Ze wilde glimlachen. Ze wilde hardop lachen.

'Bedankt.' Nu glimlachte ze, een opgeluchte lach. Ze haalde weer adem. 'Kan slim zich ook op een andere manier verspreiden?'

'Inhalatie na een explosie. Maar bij een explosie zou het natuurlijk ook via de wonden van granaatscherven binnendringen.'

'Inhalatie brengt brandweerlieden en reddingsteams in gevaar.'

Er schoot een beeld van angstaanjagende leegheid door haar hoofd. Een hele straat vol mensen wier gedachten geoogst werden voordat ze herinneringen konden worden.

'Als SLIM ontploft, hoop ik dat het in iemands kantoor of auto gebeurt, niet daarbuiten,' zei Shepard.

'Hoeveel is er nodig voor een explosie?'

'Vijftig gram is al genoeg.'

Haar adem vormde een witte pluim in de nacht. 'Stel dat Ian in Afrika een monster te pakken heeft gekregen. En dat hij achter jou aan zit omdat hij het niet meer in zijn bezit heeft.'

'Ja. Ik denk dat hij het kwijt is.'

'Kwijt, of is hij vergeten waar het ligt?'

Hij draaide zich naar haar toe. 'Verdomme, ja. Waar is het?'

'Hoe zou iemand het vervoeren?'

'SLIM wordt gedispergeerd in een vettige emulsie. Het spul zou vloeibaar kunnen zijn.'

'Stel dat hij het uit Afrika heeft meegenomen. Zou hij het dan in zijn bagage hebben gestopt?'

'Hij zou het voortdurend in de gaten willen houden. Hij zou het altijd bij zich dragen. Altijd.'

'Waar is hij het monster dan kwijtgeraakt?'

Ze dacht aan alle plaatsen waar hij was geweest. Zuid-Afrika. Londen. De 747. De luchthaven, de ambulance, het ziekenhuis. De stad San Francisco.

'Als hij het bij zich had toen hij aan boord van dat toestel uit Londen ging, heeft hij het op zijn lichaam gedragen of in zijn handbagage gestopt,' zei ze.

'Ongetwijfeld. Als het... O, Ian.'

'Wat is er, Alec?'

'Hij is niet op de hoogte van de protocollen om met zulke dingen om te gaan. Hij is opgeleid om met mensen om te gaan. Niet met nanodeeltjes. Jezus.'

Jo voelde de lucht nog wat kouder worden. Natuurlijk was Kanan niet op de juiste manier met SLIM omgegaan. Dat sprak bijna voor zich.

'Stel dat ik gelijk heb en dat jullie medewerker Lesniak het spul uit het lab in Zuid-Afrika heeft gestolen – wist híj dan hoe hij met het spul moest omgaan?' vroeg ze.

'Ja. Hij is materiaalkundige. Hij heeft met SLIM gewerkt.' Shepard stopte zijn handen in zijn broekzakken. 'Dat betekent echter nog niet dat hij daadwerkelijk netjes met het spul is omgegaan. Ik heb geen idee hoe hij het heeft meegenomen of vervoerd.'

'Waar ben je bang voor?' vroeg Jo.

'Als Ian SLIM in het vliegtuig bij zich had…'

'De politie en het ambulancepersoneel hebben zijn kleren nagekeken. Ze hebben alleen zijn mobieltje gevonden.' Ze dacht dieper na. 'In zijn rugzak zat een laptop, dat weet ik zeker. Maar de politie zei dat ze geen alcohol of drugs hebben gevonden – zelf heb ik nog geen gelegenheid gehad om zijn spullen te bekijken.'

Shepards stem werd gewichtloos, alsof hij geen adem had om te praten. 'SLIM zit in een vloeibare suspensie, maar met de huidige veiligheidsmaatregelen zou Ian nooit met een grote hoeveelheid in het vliegtuig mogen stappen. Ik denk dat hij het ergens in heeft verstopt.' Hij wreef weer met zijn hand over zijn voorhoofd. 'Als hij het in een of ander plastic omhulsel heeft gestopt… SLIM kan plastic aantasten. Het zegel verbreken. Naar buiten lekken.'

'En?' De bezorgdheid stroomde als brak water door haar lichaam. 'Is het zo dat SLIM gewoon plastic destabiliseert?'

'Ja. En als SLIM met zuurstof in contact komt, wordt het plastic explosief. Onder de juiste omstandigheden kan SLIM zelfs de onschuldigste stoffen tot explosie brengen.'

'Ik denk dat het ziekenhuis zijn rugzak nog wel heeft. Ik zal ze bellen.'

Vanuit de verte kwamen langzaam twee koplampen naar hen toe. Jo en Shepard drukten hun rug tegen een van de zware houten zuilen. De koplampen bogen met de weg mee. Ze hoorden een zachte motor en zoemende banden op asfalt. Geleidelijk aan werden de wazige lichten zo scherp als een scalpel.

In de mist zag Jo een opvallende auto naar de kant rijden en stoppen. Na een paar tellen werd het groot licht aangezet.

Shepard ademde uit en kwam achter de zuil vandaan. 'We hoeven ons geen zorgen te maken. Daar is ze.'

'Ze? Je rechterhand?'

'Ja. Het hoofd van de financiële afdeling. Riva Calder.'

Jo legde een hand op zijn arm. 'Wacht even. Calder?'

'Riva kent Ian. Ze kan ons helpen hem te vinden. Hopelijk voordat hij een ramp ontketent.'

'Ik sprak vandaag een werknemer van je die alleen maar vervelende dingen over Riva Calder vertelde. Ruth Fischer.'

Zijn gezicht betrok. 'Ruth Fischer is ontslagen. Heeft ze je integriteit beoordeeld door de kleur van je aura te analyseren? Haar oordeel over anderen is onbetrouwbaar. Vergeet maar wat ze je heeft verteld.'

In de mist probeerde Jo zijn gelaatsuitdrukking te peilen. Ze zag ergernis en oprechte bezorgdheid.

'Riva is degene bij wie je in ons bedrijf moet aankloppen,' zei hij. 'Ze weet alles en kent iedereen. Zij zal wel kijken naar Ians dossiers, contactpersonen, alle plaatsen waar hij ooit voor Chira-Sayf is geweest. Zij kan ons vast vertellen waar hij zich verschuilt. En ze zal ons helpen om uit de buurt te blijven van mensen die hij waarschijnlijk achtervolgt.'

'Weet je zeker dat Ian háár niet achtervolgt? Gaat hij niet achter haar aan?'

'Nee.'

Hij zei het zo gezaghebbend en met zo'n minachtend gesnuif dat Jo zich afvroeg wat er achter die felle toon schuilging. Hij legde zijn hand op Jo's rug en liep met haar naar de SUV.

Het portier aan de bestuurderskant ging open en er stapte een vrouw uit. 'Alec.'

Shepard zwaaide. 'Ze is ook een oude vriendin van Misty. Ze hoort praktisch bij de familie.'

Calder liep als een mistige schim om de SUV heen. Geleidelijk aan veranderde ze van een silhouet in een driedimensionale vrouw. Jo stond stil. De auto was een Chevy Tahoe. Ze zag de witte jas en de stevige laarzen van de vrouw. Ze zag het opgedroogde bloed op haar gezicht.

Shepard ging harder lopen. 'Riva. Mijn god, wat is er met je gebeurd?'

Jo zag de verwilderde, verhitte blik in de ogen van de vrouw. Ze zag de rode afdruk van een stoomstrijkijzer op haar voorhoofd.

Ze schreeuwde naar Shepard. 'Alec – nee!'

De achterportieren van de auto gingen open en er sprongen twee mannen uit.

'Rénnen,' zei Jo.

De mannen sprintten op hen af. Jo nam de benen naar de struiken. Ze had nog geen drie meter gelopen toen Calder het stoomstrijkijzer naar haar toe gooide. Ze hield het uiteinde van het snoer vast, alsof ze met een goedendag zwaaide. Het strijkijzer raakte Jo op de achterkant van haar knie. Haar been knikte en ze viel languit in het zand.

Shepard zei: 'Wat krijgen we nou?'

Calder sprong als een hyena op Jo's rug. 'Niet half zo leuk als je degene bent die onderligt, hè?'

# 28

Met de microfoon van de mobilofoon in zijn hand luisterde agent Frank Liu naar de telefoniste van de centrale, die hem meer informatie gaf over de rode Navigator die vóór zijn patrouillewagen aan de kant van de weg stond.

'Er is een arrestatiebevel uitgevaardigd voor Ian Kanan,' zei ze. 'Hij wordt verdacht van de moord die vanochtend in de jachthaven is gepleegd. Vermoedelijk is hij gewapend en gevaarlijk. Benader hem uiterst voorzichtig.'

Liu tuurde door de straat. De Navigator was leeg. Het kon zijn dat Kanan hem had achtergelaten, maar het kon ook zijn dat hij nog in de buurt was.

'Ik wil graag versterking,' zei hij. 'Ik ga te voet in de straat patrouilleren.'

Hij legde de microfoon neer en stapte uit.

Jo schopte en probeerde Calder van haar rug af te krijgen. Calder duwde haar hand op Jo's nek en drukte haar in het zand. Jo probeerde te gillen, maar ze kon alleen maar hoesten.

Shepard riep: 'Riva, wat is er aan de hand?'

'Kop dicht, Alec,' zei Calder.

Hij kwam dichterbij. 'Dit is dokter Beckett. Ze is...'

'Ik weet verdomd goed wie ze is.' Calder wees naar haar eigen gezicht. 'Dit heeft zij gedaan.'

Shepard fronste zijn wenkbrauwen. 'Ze...'

*Niet zeggen*, dacht Jo. *Tel nu gewoon even één en één bij elkaar op. Doe het snel en help me.*

Calder wendde zich tot de mannen. 'Trek haar overeind.'

Ze kwam van Jo's rug af en de mannen sleurden Jo overeind. Jo's ribben en knie deden pijn, maar ze wist dat ze kon rennen. Ze moest vluchten en Shepard meenemen, het bos en de mist in. Ze schudde haar haren uit haar ogen en bestudeerde de mannen die haar vasthielden.

Ze zagen er niet uit of ze waren ingehuurd vanwege hun wiskundeknobbel.

De ene had een kaalgeschoren hoofd en een strak staande huid, als een worst. Ze begreep niet dat zijn gouden ketting om zijn hoofd kon blijven zitten, want zijn schouders liepen schuin af en hij had geen nek. Zijn ogen hadden de temperatuur van kolen op een barbecue. De andere man was zo mager als een dropveter, maar had een greep als een heggenschaar. Hij had uitpuilende ogen en maakte een nerveuze indruk. Jo vroeg zich af of hij schildklierproblemen had. Of methamfetamineproblemen. Met zijn kleding deed hij een wanhopige poging om op Snoop Dogg te lijken. Uit de achterzak van zijn lubberende spijkerbroek hing een blauwe bandana.

Het waren de mannen die in haar huis hadden ingebroken.

Calder kwam met een minachtende blik dichterbij en gaf Jo een klap in haar gezicht. Haar wang gloeide van de pijn. De worst trok met een vochtig geluid zijn lippen op en zijn tandvlees glansde in de koplampen.

Shepard hapte naar adem. 'Riva, wat doe je?'

Ze draaide zich razendsnel naar hem om. 'Kop dicht.'

Hij hield zijn mond. Jo wist niet of hij met stomheid geslagen was, of dat hij alleen maar deed alsof en ondertussen een plan bedacht.

'Waar is Ian?' wilde Calder weten.

'Dat weet ik niet.'

'Behandel me niet als een boodschappenjongen. Waar is hij?'

'Ik heb geen idee. Als ik het wist, ging ik hem halen en bracht ik hem naar het ziekenhuis.'

In het licht van de door nevel omhulde koplampen zag Calders voorhoofd er nijdig rood uit. Op de brandwond van het strijkijzer was een blaar in de vorm van een scheepsboeg ontstaan. Ze trok met haar oog.

'Waar is het laatste SLIM-monster?' vroeg ze.

'Dat heeft Ian.'

'Niet waar. Dat heb ik hem op de spoedeisende hulp gevraagd.'

'Op de spoedeisende hulp was hij in de war,' zei Jo.

'Tegen mij zou hij niet liegen.'

'Hij kon het zich niet herinneren. Het kan zijn dat hij SLIM heeft meegenomen en het compleet is vergeten.' Jo's gezicht klopte op de plaats waar Calder haar had geslagen. Ze besloot een gok te wagen. 'Laten we naar het San Francisco General gaan om het te zoeken.'

'Vergeet het maar. Ik heb zijn bagage doorzocht.'

'Toen je kwam, lagen niet alle spullen van Ian in de kamer.'

'Hou je mond.'

Calder wreef over de ring aan haar linkerhand. Die was van Misty – twee dolfijnen, met elkaar verbonden door een saffier. Haar oog trok nog steeds toen ze zich tot Shepard wendde. 'Jij gaat SLIM halen en je geeft het aan mij.' Ze gebaarde naar de mannen. 'Zet ze in de Tahoe.'

De worst greep Shepard bij de arm. Samen met de dropveter sleepte hij Alec en Jo naar de SUV, waar hij hen op de achterbank duwde en het portier dichtsmeet.

Shepard keek verbijsterd en woedend. 'Dit is niet te geloven.'

De mannen liepen naar de voorkant van de auto, waar ze door de koplampen als clowns werden verlicht en met Calder stonden te praten. Shepard wees naar de worst.

'Ik heb hem eerder gezien. Hij heeft als beveiliger bij Chira-Sayf gesolliciteerd.' Hij zag er nog steeds volkomen onthutst uit. 'Ex-politieman of zoiets. Er waren problemen bij het onderzoek naar zijn achtergrond.'

'Blijkbaar heeft Riva zijn cv bewaard,' zei Jo. 'Zei je niet dat ze de Kanans goed kende?'

'Al vijftien jaar. Ze was lid van Misty's studentenvereniging.' Hij schudde zijn hoofd. 'Ongelooflijk.'

'Ze is verliefd op Ian, hè?' vroeg Jo.

Hij keek abrupt opzij, alsof hij zich afvroeg hoe ze dat wist. 'Ja.'

'Ruth Fischer vertelde dat Riva te veel belangstelling voor je broer had. En je zei dat Ian haar nooit zou volgen – alsof hij zo ver mogelijk uit Riva's buurt wil blijven.'

Toen Jo Riva Calder met Misty's trouwring had zien spelen, waren er in haar hoofd allerlei lampjes gaan branden.

'Riva heeft zich voor Misty uitgegeven om inside-information te krijgen – van mij, de politie, het ziekenhuis – maar er is meer aan de hand, en het is gevaarlijk,' zei ze.

De dropveter liep naar de Tahoe en ging voorin aan de passagierskant zitten. Hij trok het portier dicht, snoof en verschoof ongemakkelijk in zijn jack. Calder bleef met de worst praten en pakte haar telefoon.

In de verte verschenen de koplampen van een andere auto als paardenbloempluizen in de mist. Calder gebaarde met haar hoofd dat de worst haar moest volgen en liep weg van de Tahoe. Na drie meter vervaagden ze tot schimmen.

Jo zat achter de lege bestuurdersplaats. Ze drukte op de knop om het raam te laten zakken, maar er gebeurde niets. De dropveter draaide zich om.

'Kinderslot. Je kunt het portier ook niet van binnenuit openen, dus bespaar je de moeite.'

Nadat hij nog even zelfvoldaan had gegrijnsd, stak hij zijn hand achter zijn rug. Toen hij naar voren leunde, zag Jo op de achterkant van zijn nek een tatoeage met gotische letters staan. VANCE. Hij haalde een pistool tevoorschijn.

Jo's maag kneep samen. Hij legde het wapen op zijn schoot en vouwde zijn armen over elkaar, terwijl hij met getuite lippen naar haar keek alsof hij een figurant in een videoclip van Tupac was. De jongen was een sukkelige schurk die zijn naam met koeienletters op zijn eigen huid schreef, maar dat maakte hem niet minder gevaarlijk.

De paardenbloemenkoplampen veranderden in een Toyota

Camry en snorden voorbij voordat ze weer in de mist verdwenen. Shepard keek de auto na tot hij hem niet meer kon zien. Jo voelde de woede van hem afstralen. Ze zag Calder en de worst vaag afgetekend in de mist.

Zelf werd ze met de seconde angstiger. Riva droeg Misty's kleren, haar halssnoer, haar trouwring – dat had Jo nog allemaal kunnen interpreteren als een zeer zorgvuldige poging om op Misty te lijken, maar Calder bleef de ring masseren en klemde het dolfijnenhangertje beet alsof ze daarmee Ian Kanan aan haar zij kon laten verschijnen. Calder had Ians boodschappen aan Misty verwijderd omdat ze 'er niet meer tegen kon'. Ze had tegen Jo gezegd dat hij haar 'zielsverwant' was en had gebloosd bij de gedachte aan hun seksleven. En ze had het T-shirt van Ian uit de wasmand gehaald met de verlangende blik die Jo ook had gezien toen meneer Peebles de Beanie Baby tegen zijn borst klemde. Verlangen, hunkeren, *bezitten*.

Calder wilde niet de rol van Kanans vrouw spelen. Ze wilde de plaats van zijn vrouw innemen.

Jo keek naar Shepard en begon heel zachtjes te praten. 'Dit ziet er slecht uit. Ze is geobsedeerd. Ze zei tegen mij: "Het enige wat ik wil, is Ian."'

Shepard fronste zijn wenkbrauwen.

'Denk eens aan de implicaties,' zei ze.

Vance draaide zich weer om. 'Kop dicht.'

Jo bleef Shepard aankijken, in de hoop dat hij hetzelfde dacht als zij. Riva wilde SLIM hebben. Niet als kweekbodem voor haar eigen lab en ook niet om het middel aan concurrenten van Chira-Sayf te kunnen verkopen. Ontvoering en geweld hoorden doorgaans niet bij het zakendoen in Silicon Valley.

Nee, Riva wilde SLIM op de zwarte markt verkopen. Murdock, Vance en de vermoorde Ken Meiring waren waarschijnlijk haar partners. Zij wachtten tot het product zou arriveren en dachten dat Riva het elk moment in handen kon krijgen, maar nu stond Riva op het punt om contractbreuk te plegen. Haar grote klapper dreigde als zand tussen haar vingers door te glippen, en Jo betwijfelde of deze mannen haar voor straf alleen maar van hun kerstkaartenlijst zouden schrappen.

En Jo besefte hoe de woorden 'zaterdag zijn ze dood' op Kanans arm waren beland. Calder had ze erop geschreven toen ze hem op de spoedeisende hulp onder vier ogen had gesproken.

Een andere reden waarom Ian Kanan zo bruut jacht maakte op zijn eigen broer was er niet. Shepard zou er nooit mee instemmen dat SLIM aan criminelen werd overgedragen. Iemand moest hem dwingen. En de enige manier waarop ze Kanan konden dwingen om zijn eigen broer aan te vallen, was dreigen dat ze zijn vrouw en zoon zouden doden.

Ze slikte om wat speeksel in haar mond te krijgen, want ze wilde voorkomen dat ze net zo doodsbang klonk als ze zich voelde. Ze boog zich naar Vance. 'Heeft ze tegen Kanan gezegd dat de overdracht vanavond plaatsvindt? SLIM in ruil voor Seth en Misty?'

'Dat gaat je niets aan.'

'Het is haar geraden om zich aan haar afspraak te houden. Als ze haar belofte aan Kanan verbreekt, zitten jullie diep in de nesten.'

Hij keek haar aan alsof het toverkunst was dat ze van Riva's plannen wist. 'Ga tegen de leuning zitten en hou je mond.'

Jo leunde tegen de bank. In haar borst dreigde de bezorgdheid zo hard als een stuk hout te worden.

Was Riva van plan Misty Kanan terug naar Ian te laten gaan? Zou ze Seth levend laten gaan? Jo keek even naar Shepard. Zijn bebaarde gezicht was bleek en bezorgd. De blik waarmee hij haar aankeek zei: *de tijd begint te dringen*.

Vóór de auto waren Riva en de worst gereduceerd tot grijze contouren in de mist. Na zo'n zeven meter werd alles door de nevel opgeslokt.

*Als zij in de mist kunnen verdwijnen, kan ik het ook*, dacht Jo.

Voorin veegde Vance met de rug van zijn hand zijn neus af. Naast haar zat Shepard zwaar te ademen en als een gekooid beest heen en weer te schuiven.

Hij hield zijn linkerhand bij zijn knieën en gebaarde naar haar. Twee vingers – hijzelf en Jo. Eén vinger – de man die voor hen zat. Twee tegen een.

Kon Shepard zien dat Vance een pistool had? Het wapen lag zo'n vijfenzeventig centimeter van haar rechterhand en rustte op de knieën van Vance. Op deze kleine afstand was het twee tegen het aantal kogels in het magazijn.

'Waar kijk je naar?' vroeg Vance.

Met opzet bleef ze hem een paar tellen aankijken. 'Naar een benarde situatie.'

De motor van de SUV pruttelde en protesteerde, omdat hij in de parkeerstand was gezet. Vance keek even naar het dashboard.

Shepard dook op hem af.

Hij zwaaide zijn armen aan weerszijden om de stoel, greep Vance bij zijn sweatshirt en trok hem strak tegen de leuning. Hij sloeg zijn arm om Vance' hals, klemde zijn handen op elkaar en trok ze met alle kracht in zijn forse lijf naar zich toe. Vance werd tegen de hoofdsteun gedrukt en zijn luchtpijp werd dichtgeknepen.

Vance schopte en greep met zijn handen naar Shepards arm. *Voortvarend*, dacht Jo. Ze bracht haar rechterknie omhoog en slaagde erin om de zool van haar Doc Martens over de middenconsole te krijgen. Het pistool stuiterde op Vance' schoot.

Ze schopte hem hard tegen de zijkant van zijn hoofd.

Het hoofd knakte opzij. Jo hoorde zijn tanden rammelen. Zijn handen maaiden wild in het rond en graaiden en klauwden naar Shepards arm.

'Vlug,' riep Shepard.

*Vlug* betekende dat ze over de middenconsole en langs Vance moest klimmen. Haar hart ging als een razende tekeer. Ze kon nu niet stoppen. Als ze dat deed, zou hij haar neerschieten. Nog nooit had ze zo duidelijk geweten wat haar te doen stond. Het was vechten of sterven.

Jo haalde verwoed en hysterisch uit met haar voet – tegen zijn hoofd, zijn arm, het pistool. Vance spartelde en klonk alsof hij stikte.

En hij wist het wapen te pakken te krijgen. Hij tilde het op en haalde de trekker over.

Het magazijn viel eruit.

Een kort, bizar moment verstijfde hij. Jo verstijfde ook, ze staarden naar elkaar, en het pistool hing vruchteloos in de lucht.

Toen zwaaide Vance ermee, en hij sloeg met de loop tegen Shepards handen. Jo klauterde over de middenconsole en ging op de bestuurdersplaats zitten.

Ze hoorde het portier aan de bestuurderskant niet opengaan, maar voelde opeens een koude vlaag. Zware handen grepen haar om haar middel en sleepten haar de Tahoe uit. De worst draaide haar om en droeg haar weg van de auto.

Calder beende naar het portier. 'Klootzak,' zei ze tegen Alec.

Jo schopte en spartelde, maar hun kans was verkeken. Shepard bleef met Vance vechten, blind voor zijn omgeving. Hij was vergeten dat Riva ook een pistool had.

Riva tilde haar wapen op en stak de loop naar binnen.

'Niet doen!' zei Jo.

Calder draaide zich om. 'Waarom niet?'

'Omdat ik weet hoe we Ian kunnen bereiken.'

Het was het enige wat ze kon bedenken. Riva schudde haar hoofd.

'Murdock,' zei ze, wijzend op de worst, 'hou dat kleine kreng stevig vast.'

'Zo, dus de afdeling Verkoop speelt het hard,' zei de worst.

Hij trok Jo dicht tegen zich aan en duwde een hand onder haar kin om haar kaken op elkaar te houden.

Vance gooide zijn portier open en kroop met zijn hand om zijn hals van zijn stoel. Er stroomde bloed uit zijn neus.

Calder richtte het wapen op Shepard, die nog in de Tahoe zat. 'Jij zorgt dat je de laatste SLIM-monsters krijgt en geeft ze aan mij.'

'Je kansen zijn verkeken,' zei Shepard.

Ze priemde met het wapen in zijn richting. 'Eruit.'

Vance maakt het achterportier open en Shepard stapte uit de auto. Calder duwde hem de schaduwen in.

'Ik ben degene die het project mogelijk heeft gemaakt. Ik heb het voor elkaar gekregen,' zei ze.

'Riva, in godsnaam...'

'Ik heb het geld bij elkaar gekregen. Ik heb geregeld dat het lab in Johannesburg werd geopend, zodat Chira-Sayf SLIM goedkoop en zonder supervisie van de Amerikaanse regering kon produceren. Ik!'

'Gaat het je daarom? Erkenning?' vroeg Shepard.

Ze gaf hem een klap. Hard en slecht gericht, als een woedend kind. 'Erkenning? Je had me geld beloofd, rotzak, en in plaats daarvan heb je alles weggegooid. Je ruïneert het bedrijf en mijn carrière. Je steekt goddomme het mes in mijn rug. Je rechterhand... Laat me niet lachen. Ik ben eerder stront aan je schoen.' Ze tilde het wapen op. 'Waar is het?'

'Je kansen zijn verkeken.'

'Nee. De jouwe.'

Jo had het idee dat er een steen op haar maag viel. *O god, schiet hem niet dood...*

Calder sloeg met de loop van het pistool tegen Shepards gezicht. Het metaal maakte met een doffe klap contact. Shepard stortte als een verdoofde os op het gras.

Calder wendde zich tot Murdock en knikte naar Jo. 'Stow Lake is aan de andere kant van de weg. Het is daar wel diep genoeg.'

Ze raapte het stoomstrijkijzer uit het gras en gaf het aan hem. 'Bind dit maar om haar enkels.'

Jo gilde, maar Murdocks enorme hand klemde haar keel beet en drukte haar kaken dicht.

Met zijn krachtige armen sleurde Murdock haar mee naar het trottoir. Jo probeerde zich in het gras schrap te zetten. Ze gingen haar in het meer gooien. Als extra gewicht bonden ze het stoomstrijkijzer aan haar voeten. Maar het stoomstrijkijzer woog nog geen kilo – dat zou haar niet naar de bodem trekken. Met samengebonden voeten zou ze doodmoe worden, maar ze had een sterk bovenlichaam. Ze kon boven water blijven. Ze móést wel.

Calder liep naar de Tahoe, drukte op een afstandsbediening en liet de achterklep omhoogkomen. 'Bind het snoer van het strijkijzer hier maar aan vast.'

Ze begon het reservewiel uit de suv te sjorren.

# 29

Calder hees het reservewiel uit de Tahoe. Door het gewicht van de stalen velg stuiterde het met een dreun op de grond toen ze het liet vallen. Zo rolde het wiel naar Vance. Murdock bleef Jo met zijn ijzeren greep vasthouden, met een arm om haar borstkas en de andere om haar hals, en hij sleepte haar langs Shepard, die languit op zijn rug en met zijn hoofd naar één kant lag te kreunen.

Jo sprong als een duveltje uit een doosje omhoog. Ze schopte en probeerde met haar Doc Martens Murdocks knieën te raken.

Hij deinsde achteruit. 'Vance, pak haar benen.'

Vance pakte Jo's rechterbeen en de mannen sleepten haar de straat op, de mist in, terwijl het reservewiel meerolde.

Hoe diep zou Stow Lake zijn? Waarschijnlijk ging ze kopje onder. Zo niet, dan lag er waarschijnlijk een halve meter slijk op de bodem, die haar naar beneden zou zuigen tot het water zich boven haar hoofd sloot en de modder om haar heen wervelde.

Ze haalde met haar vrije been uit naar Vance. Ze had haar ademhaling niet meer onder controle en hapte naar lucht.

Vance boog zich om haar linkervoet te pakken. Ze gaf hem een knietje tegen zijn kin.

'Klotewijf,' zei hij.

Ze spartelde en kon alleen nog maar denken: *vechten*. Met samengeklemde kaken zei ze: 'Hou op. Jullie hebben me nodig. Ik kan contact opnemen met Ian.'

De mannen sleepten haar over de weg naar een aflopend grasveld en droegen haar als een opgerold kleed mee. Murdock hijgde en begon te zweten. Vance schopte het reservewiel voor hen uit.

'Ik weet waar het SLIM-monster is. In het San Francisco General Hospital. Ik kan het halen. Als arts mag ik er naar binnen.'

'Hou je mond.'

Achter zich hoorde ze Calder tegen Shepard zeggen: 'Ga rechtop zitten. Ga rechtóp zitten!'

De mannen strompelden over het gras naar het meer. De mist steeg op van het water. De band die voor hen uit rolde, stuiterde als een speelse jonge hond over het gras en kreeg steeds meer snelheid.

Murdock zei: 'Pak hem, Vance, voordat hij in het... Pak hem, hij rolt zo het water in.' Vance liet Jo's benen vallen en stoof achter het wiel aan. Ze probeerde zich uit Murdocks greep los te wrikken. Zijn handpalm was smerig. Ze hijgde alsof ze tien kilometer had hardgelopen. Vance gleed over het grasveld, belandde met een plons in het water en greep het reservewiel. Hij sleepte het terug naar de kant en draaide zich om, wachtend op haar.

Door haar samengeklemde kaken schreeuwde ze weer. Maar in de mist kon niemand haar zien, laat staan op tijd bereiken om de mannen tegen te houden.

Gabe klopte op Jo's voordeur. Binnen brandde licht. Haar pick-up stond in de straat geparkeerd, op parkeerplaats *numero tres*, zoals zij zei.

Hij belde aan en klopte nog een keer. 'Jo?'

Het was acht uur. Hij wist heel zeker dat hij haar het juiste tijdstip had doorgegeven. Hij wist ook honderd procent zeker dat zij hun afspraak nooit zou vergeten.

Nou ja, negenennegentig procent.

Bewust.

Verdomme, hij begon al te denken als een psych. Hij draaide aan de deurknop. De deur zat op slot.

'Quintana?'

Onder aan het trapje van de veranda verscheen Ferd Bismuth. Hij keek naar de grote bos goudgele en witte orchideeën in Gabes hand. Zijn blik was kribbig.

Gabes innerlijke sonar sprong met een ping aan. 'Ferd. Wat is er?'

'Er is iets mis. Jo's zus Tina belde me op mijn werk en zei dat er problemen bij mij thuis waren. Toen ik thuiskwam, stond de garagedeur open. De motorfiets van de eigenaars was verdwenen en boven bleek hun verzameling te zijn vernield.' Hij hield een turkooiskleurige buikdanssjaal omhoog. 'En ik wil niet eens weten waarom dit op de keukenvloer lag.'

Gabe bonkte nog eens op de voordeur, hard deze keer. 'Jo, ben je thuis?'

Er kwam geen reactie. Hij pakte zijn telefoon.

Agent Frank Liu liep over het trottoir, met zijn ene hand op zijn gummiknuppel en de andere vlak bij zijn holster. Auto's reden met gedempt geluid voorbij. Koplampen werden wazig in de mist. Hij liep langs de gestolen rode Navigator.

In de straat bevonden zich voornamelijk kleine bedrijven – een handel in auto-onderdelen, een slotenmaker, een pandjeshuis. De meeste waren dicht. Zijn blik gleed even naar de overkant. Het was donker in het park. Hij liep langs een sportzaak. De lichten in de winkel waren uit, maar achterin, achter een paar bovenlichtjes, brandden tl-balken. Hij zag schaduwen bewegen. Er was iemand binnen. Twee deuren verder, in een kapsalon, brandde ook licht. Hij liep naar de hoek en wandelde de dwarsstraat in. Verderop in de straat wenkten felgekleurde borden mensen naar Burger King en Wendy's.

Een burgerauto kwam naast hem rijden en het raampje aan de passagierskant ging open. 'Agent Liu? Ik ben inspecteur Amy Tang.'

Liu stapte in en trok het portier dicht. 'De Navigator staat hier om de hoek. Het is rustig in de straat – vooral kleine bedrijven. Alle winkels zijn al dicht, maar in een kapsalon brandt nog licht en ik zag activiteit achter in een sportzaak.'

De inspecteur tuurde door de voorruit naar het verkeer. 'Kanan heeft hoofdletsel waardoor zijn geheugen ernstig wordt aangetast. Ik weet niet wat hij zich kan herinneren, maar hij heeft bij de Special Forces gezeten. Ga ervan uit dat hij nog weet hoe hij iemand moet doden.'

'Wat wilt u doen?' vroeg Liu.

'Dus achter in een paar winkels brandt nog licht?' Ze gebaarde met haar hoofd naar de straat. 'Halverwege het blok is een steegje. Dat loopt vast langs de achterkant van de winkel. Ik stel voor dat we een wandelingetje gaan maken.'

Jo voelde de mist door haar kleren en huid heen dringen toen Murdock haar naar het meer sleepte. Vance, de dropveter met de gangsta-smaak, stond bij het water en hield het reservewiel vast.

Jo ramde de hakken van haar Doc Martens in het gras. 'Kanan belt me straks. Ik moet thuis zijn. Hij heeft zijn mobieltje zo geprogrammeerd dat het straks mijn nummer belt, en als ik niet opneem, belt hij nooit meer terug.'

Murdock bracht zijn lippen naar haar oor en raakte met zijn neus haar haren. 'Hou je mond.'

De paniek zonk van haar kruin naar haar tenen. Hij genoot hiervan.

Hij gaf het strijkijzer aan Vance, die het snoer door de openingen in de velg stak.

'Kunnen we haar niet gewoon meenemen naar het huis?' vroeg Vance. 'Dan gooien we haar in de baai als we de anderen halen en...'

Murdock verstijfde. 'Hou je kop.'

'Ik wil gewoon...'

'Hou je domme kop dicht.'

Vance knoopte het snoer aan de ballast. 'Ik wou alleen maar zeggen...' Hij hield zijn mond. 'Wat hoor ik?'

Murdock keek naar zijn shirt. Er kwam een levendig melodietje uit zijn zak. *Coming out of my cage and...*

The Killers, 'Mr. Brightside'. Een aanstekelijk popdeuntje met een sarcastische tekst. Tina wist dat een psychiater er wel om zou kunnen lachen. *And it's all-in my head but...*

'Dat is mijn telefoon,' zei Jo.

Murdock staarde naar zijn zak.

'Volgens mij heb je hem van mijn keukentafel gestolen toen je bij me inbrak,' zei ze.

Vance ging rechtop staan. 'Misschien is het de politie. Gooi maar in het meer.'

'Misschien is het Kanan. Laat me opnemen,' zei ze.

De opgewekte beltoon was bijna aan het einde van het couplet. Als de voicemail het overnam, waren haar kansen verkeken. Haar voicemailboodschap zou haar afscheidsrede worden, haar vaarwel.

Murdock haalde het mobieltje uit zijn zak en keek op het scherm. 'Gabe.'

De tranen sprongen Jo in de ogen. 'Een legermaat van Kanan. Heeft met hem in Afghanistan gediend. Kanan belt me niet op zijn eigen mobieltje – te makkelijk te traceren.'

Vance schudde zijn hoofd. 'Het is haar vriendje of zo. Gooi dat ding weg.'

'Jezus, wil je nu echt dat risico nemen?' vroeg Jo. 'Je kans op uitbetaling verspelen?'

De beltoon ging over op het refrein. Murdock duwde het mobieltje in Jo's handen en greep haar haren beet. Hij trok haar hoofd naar achteren en bracht zijn oor vlak bij het hare.

*Eén kans*, dacht ze, en ze nam op. 'Gabe.'

'Ik ben bij jouw huis. Gaat onze afspraak vanavond nog door?'

Ze knipperde haar tranen weg. 'Jazeker. Het is nu of nooit. Zeg tegen Kanan dat de uitwisseling doorgaat – het laboratoriummonster in ruil voor zijn vrouw en zoon. Deze mensen willen alleen nog maar weten waar en wanneer de overdracht plaatsvindt.'

*Toe, Quintana – speel het spelletje mee, bel zo dadelijk de politie en laat hen met triangulatie traceren waar ik ben.* De stilte hield aan.

Vance mompelde: 'Het is een valstrik. Gooi de telefoon in het meer.'

Gabe nam weer het woord. Zijn stem was afgemeten. 'En als het monster en de familie Kanan veilig worden overgedragen, is iedereen blij.'

'Precies. Ik ook,' zei Jo.

Murdock pakte de telefoon van haar af. 'Ik wil Kanan spreken. Hoe zet je dit ding op luidspreker?' Hij prutste aan de knopjes en drukte er een in. 'Geef Kanan aan de lijn.'

In de lucht hing een geladen stilte. Jo probeerde met haar wilskracht af te dwingen dat Gabe opeens een andere stem zou krijgen. Ze probeerde ook af te dwingen dat haar benen haar gewicht konden dragen.

Er kwam een andere stem aan de lijn. 'Met Kanan. Wat wil je?'

'Bewijs eerst maar eens dat jij het bent,' zei Murdock.

Jo voelde haar knieën knikken. Het was Ferd. Ze voelde zich alsof ze de deur van de cockpit opendeed en een stewardess aan de stuurknuppel zag zitten.

'Hou op met die spelletjes,' zei Ferd. 'Daar hebben we geen tijd voor.'

Murdock knipte met zijn vingers naar Vance en gebaarde met zijn duim over zijn schouder. 'Ga Riva en Shepard halen, vlug. Zij kunnen zeggen of hij het is.'

Vance veegde zijn neus af en rende de mist in om hen te zoeken.

Murdock zei: 'Als je het niet wilt bewijzen, krijg je je gezin niet terug. Zonder bonnetje wordt er geen wasgoed afgegeven.'

Ferd kuchte en aarzelde. Jo kon nauwelijks recht voor zich uit kijken.

Ferd schraapte zijn keel. 'Wat voor bewijs wil je? De veiligheidsbril uit het lab in Johannesburg? Elektronenmicroscopie waaruit blijkt dat Chira-Sayf de chiraliteit van koolstof nanobuizen goed had voorspeld? Of hoef ik alleen maar de sabel van damaststaal in je luchtpijp te rammen?'

Murdock ademde zwaar.

'Geef eens antwoord, eikel,' zei Ferd.

Jo dacht: *je mag de zeven afbeeldingen van mij op je computer houden, Ferd. Maak een kalender voor jezelf.* Ze boog zich naar de telefoon. 'Ian, geef Gabe maar weer aan de lijn.'

Murdock zei: 'We hoeven zijn vriend niet te spreken.'

Ze keek even naar hem. 'Gabe moet de afspraak regelen. Ian kan geen nieuwe informatie onthouden – hij heeft hersenletsel. Als je met hem praat, vergeet hij alles weer.'

'O ja?' Murdock zei op luide toon in de telefoon: 'Wat is er met je gebeurd, Kanan? En waar?'

Er viel een beladen stilte. 'Zuid-Afrika. Apenvirus.'

Murdock keek naar Jo. 'O ja?'

Ze deed haar ogen dicht en probeerde haar hart tot rust te brengen. 'Er is een uitbraak in Congo. Het is overdraagbaar op mensen. Ga met mijn telefoon maar online – de World Veterinary Association zal het bevestigen.'

Gabe kwam weer aan de lijn. 'Voor de duidelijkheid: Ian brengt het labmonster mee, en jullie Jo en de familie Kanan.'

Jo kwam tussenbeide. 'En Gabe, zorg dat Ian uiterst voorzichtig met SLIM omgaat als hij het monster meeneemt. Er is zoveel tijd voorbijgegaan dat het middel waarschijnlijk uiterst vluchtig is.'

In de verte hoorde ze stemmen. Vance kwam terug met Calder en Shepard.

'Ogenblikje. Ik moet met mijn partners overleggen,' zei Murdock.

'Wij blijven hier niet wachten terwijl jij een theekransje houdt. We moeten het spul ophalen en het binnen een uur naar je toe brengen,' zei Gabe.

'Waarom?' vroeg Murdock.

'Omdat ik denk dat Kanan en ik de politie niet veel langer voor kunnen blijven. Als je het spul wilt hebben, kom je naar ons toe. Zestig minuten of niets.'

Jo wist dat Gabe onderkoeld kon zijn, maar ze wist niet dat hij zo'n gokker was.

'Openbare plaats,' zei Gabe. 'Open terrein. Begrepen?'

'Prima,' zei Murdock. 'Laat het spul achter in een kluisje op...'

'Nee. Gelijk oversteken. Als wij Jo en de Kanans niet zien, krijgen jullie niets.'

Murdock zuchtte. 'Ergens waar de politie niet kan opgaan in een menigte.'

Gabe zweeg heel even. 'De campus van Stanford.'

De stemmen kwamen dichterbij. Murdock aarzelde.

'Bij de toegang naar het Stanford Quad,' zei Gabe. 'Dat plein is neutraal terrein. Aan alle kanten kun je een paar honderd meter ver weg kijken. Daar kun je ons niet in een hinderlaag laten lopen.'

Murdock staarde in de mist, zoekend naar Vance en Calder.

'Zestig minuten,' zei Gabe. 'Jo, hou vol. En zorg dat ze helemaal niets mankeren, stelletje klootzakken. Begrepen?'

'Ja. Zorg jij maar dat het spul in goede conditie is.'

'Ga maar,' zei Jo. 'Ik spreek je over een uur.'

'Ik zie je daar.' Gabe verbrak de verbinding.

'Shit.' Murdock pakte de telefoon, maar Gabe was al weg. 'Als hij liegt, zul jij het bezuren.'

Gabe wendde zich tot Ferd. 'Je deed het prima.'

'Echt?'

'*Huevos* als koperen bowlingballen.' Hij belde de nummerinformatiedienst en zei: 'Ik moet iemand spreken van Bureau Noord van de SFPD. Verbind me door.'

Ferd stond onder de lamp op de veranda en krabde aan zijn gezicht. 'Wat doen we nu?'

'We zorgen dat de politie met het signaal van Jo's mobieltje en een triangulatie bepaalt waar ze is.' Gabe keek opzij naar Ferd. 'Waar heb je zo grof met klootzakken leren omgaan?'

Ferd krabde over zijn armen en borst. 'Dat leer je als je bij Compurama met gestoorde meganerds moet omgaan.'

De telefonist verbond Gabe met het politiebureau. Hij zei: 'Ik moet inspecteur Tang spreken in verband met de zaak-Kanan. Het is zeer dringend.'

De politieman aan de balie zei: 'Blijft u even aan de lijn.'

Ferd zette zijn bril af. 'Wat doe je nu verder met Jo?'

Gabe keek naar hem. 'Ik ga achter haar aan. Dat is mijn werk. Ik spoor mensen op en red ze.'

# 30

Amy Tang en agent Frank Liu liepen over het trottoir. De mist kringelde tussen de gebouwen door. Tang wees naar de dwarsstraat waar de rode Navigator stond.

'Neem jij de straat, dan neem ik het steegje,' zei ze. 'Rustig en nonchalant lopen. We zien elkaar aan het einde van het blok.'

'Goed, mevrouw.'

'Noem me geen mevrouw.'

'Goed, inspecteur.'

Liu liep de hoek om. Tang liep naar de ingang van het steegje. Zo'n zestig meter verderop was een raam waardoor licht naar buiten lekte, dat op de betonnen goot met het stroompje water in het midden van het steegje scheen. Ze maakte de knopen van haar zwarte jopper los en trok de drukknoop van haar holster open.

Geluidloos liep ze de duisternis in. Ze rook nat karton en vuilnis. Ze speurde deuropeningen en onverlichte ramen af en liet haar blik naar de daken dwalen.

In een gebouw aan haar linkerhand hoorde ze een ventilatiesysteem zoemen. Het geluid van het verkeer weerkaatste tegen de muren en werd bij elke stap zachter. Ze naderde de kapsalon. Boven de zaak brandde licht, en ze zag schaduwen over het plafond glijden. Stap voor stap liep ze verder. Vijftien meter verderop was het raam van de sportzaak, gemaakt van ondoorzichtig draadglas. Daarachter bevond zich een metalen deur, waarvan de rode verf afbladderde. Ze liep erlangs.

Binnen zag ze iemand bewegen.

Ze liep door en keek om zodra ze de deur was gepasseerd. De figuur achter het raam liep te ijsberen. Door het ondoorzichtige glas kon ze onmogelijk zien of het Kanan was. Ze liep naar de andere kant van de steeg en trok zich terug in de schaduw om de deur in de gaten te houden.

Haar telefoon trilde. Ze pakte hem, trok zich nog verder terug van het raam en nam zachtjes op. 'Tang.'

De dienstdoende balieagent van het bureau zei: 'Ik heb ene Gabe Quintana voor u aan de lijn. Hij zegt dat het dringend is.'

'Verbind maar door.'

De telefoon klikte. Gabe kwam aan de lijn. 'Inspecteur, we hebben een groot probleem. Jo is gegijzeld.'

Zonder dat Tang het wilde, verstijfde ze. 'Jezus christus.'

Hij vertelde over zijn telefoongesprek met Jo. 'Er zijn minstens twee mannen bij betrokken. Ik heb geregeld dat de ontmoeting over een uur plaatsvindt.'

Aan de andere kant van het steegje tilde de figuur achter het matglas iets op.

'Maar ze moeten nog naar die plaats toe rijden en jullie kunnen het signaal van Jo's mobieltje traceren. Ze...'

'Wacht even.'

Tang wist het niet helemaal zeker, maar het voorwerp in de handen van de persoon leek de lange loop van een geweer te hebben.

'Gabe, ik bel je terug. Stuur me maar een sms'je met de bijzonderheden van de afspraak. Ik ga er werk van maken en zal de respons coördineren.'

Ze dreunde haar mobiele nummer voor hem op en verbrak de verbinding. Daarna schoof ze haar jas naar achteren en haalde haar wapen uit de holster. Ze hield het laag, kwam uit de schaduw en sloop door het steegje.

Vance rende vanuit de mist naar Jo en Murdock toe. Tien meter achter hem strompelde Shepard, die bloedde. Calder duwde hem met haar wapen voor zich uit.

Hijgend zei Vance: 'Ik heb ze.'

Murdock hield Jo's telefoon omhoog. 'Te laat.'

Hij gooide het mobieltje naar Vance alsof hij afval weggooide. Zonder enige aarzeling draaide Vance zich om, en hij gooide het in het meer.

Murdock schreeuwde: 'Nee...'

In het donker hoorden ze de plons van de telefoon.

'Idioot,' zei Murdock.

Vance keek hem verward aan. 'Ik dacht dat ik hem moest weggooien.' Hij wees naar Jo. 'Ik zei toch dat je haar niet kon vertrouwen.'

Calder rende naar hen toe en duwde Shepard voor zich uit. 'Je hebt helemaal gelijk dat je haar niet kunt vertrouwen.'

Shepard zag er versuft en ziek uit. Hij had een snee op zijn voorhoofd op de plaats waar Calder hem met haar pistool had geslagen. Een donkere straal bloed bedekte zijn gezicht en spetterde op zijn overhemd.

Hij had hulp nodig, maar er kon maar één stap tegelijk worden gezet. Blijven ademen was al een overwinning. Het park ontvluchten was de volgende.

Jo wendde zich tot Calder. 'Kanan staat over vijfenvijftig minuten op de plaats die we hebben afgesproken. Wat doen we hier nog?'

Jo begreep waarom Gabe de campus van Stanford had uitgekozen. Hij kende het terrein vanuit de lucht – het 129th had meer dan eens patiënten per helikopter naar het Stanford Medical Center gebracht. Hij wist ook dat zij daar blindelings de weg kon vinden. En ondanks zijn boodschap aan Murdock waren er aan de rand van het plein wel tien plaatsen waar hij in een hinderlaag kon gaan liggen.

Maar ze kon maar één reden bedenken waarom Murdock ermee had ingestemd om op deze korte termijn zo ver ten zuiden van de stad af te spreken: Misty en Seth bevonden zich in de buurt van Stanford. Gabe had het zoekgebied zojuist aanzienlijk verkleind.

Murdock knikte naar Jo. 'Zij moet met ons mee. Onderdeel van de deal.'

Calder fronste haar wenkbrauwen. 'Oké.' Ze wendde zich tot Shepard. 'Laatste kans. Wil je me het monster geven?'

'Dat kan ik niet.'

Calder wees naar de weg. 'Stop Beckett in de Tahoe.'

Jo kon het wel uitjubelen. Murdock greep haar arm beet en leidde haar over de met gras begroeide helling. Calder hief haar hand op.

'Wacht. Een kleine veiligheidsmaatregel. Om er zeker van te zijn dat ze de waarheid spreekt, laten we hier een onderpand achter.'

'Wat bedoel je?' vroeg Murdock.

Ze schopte tegen het reservewiel. 'Bind dat aan Alecs voeten. De brug naar het eiland is die kant op. Ik denk dat hij wel sterk genoeg is om zijn hoofd een uur boven water te houden. Als we SLIM krijgen, zeggen we tegen Ian waar hij zijn broer kan vinden.'

'Nee,' zei Shepard. 'Wacht. Je kunt niet...'

Het pistool werd gedraaid en de loop werd tussen zijn ogen gericht. 'Je hoeft me de wet niet voor te schrijven. Je maakt mij nooit meer iets wijs, klerelijer.'

Ze hoestte het woord op alsof het al maanden in haar keel etterde. Shepard deinsde terug.

'*Lopen*,' blafte ze.

Vance duwde het reservewiel langs het water en Calder duwde Shepard met het pistool in de rug. Ze verdwenen in het donker.

Over het grasveld sleepte Murdock Jo mee naar de Tahoe. Uit het hart van de mist hoorde ze Shepards stem.

'Nee. In godsnaam, Riva, toe...'

Daarna hoorde ze een plons.


Terwijl Gabe de trap voor Jo's voordeur afrende, toetste hij een sms'je aan Tang in.

Ferd rende met hem mee, krabbend aan zijn armen en nek. 'Gaan we naar Stanford?'

'Ik wel.' Gabe bekeek hem van top tot teen. 'Jij gaat naar de spoedeisende hulp. Je zit van top tot teen onder de galbulten.'

'Wat?' Ferd stak zijn handen uit. 'Allemachtig.'

'Het is geen Congolees apenvirus. Dit is de nasleep van je moed.'

'Ik wil niet dat jij dit in je eentje moet...'

'Ik weet hoe Jo eruitziet. Ik kan Shepard en Tang herkennen, als het moet. Als de politie daar arriveert, moet iemand ze kunnen aanwijzen.' Hij gaf Ferd een klap op de schouder. 'Je moet naar de dokter. Neem dat van een verpleegkundige aan.'

Hij verstuurde het sms'je naar Tang en rende naar zijn 4Runner.


Ian Kanan knipperde de vermoeidheid uit zijn ogen. Hij stond naast een bureau in het magazijn van een sportzaak. Op het bureau was een grote berg memobriefjes en foto's uitgespreid. Er lagen ook drie pistolen, een paar dozen munitie en een Kbar-mes dat om het onderbeen gebonden kon worden. In zijn handen had hij een geweer met een nachtvizier.

Het was een Remington, een van de populairste Amerikaanse grendelgeweren. Het was een militair model met een verstelbare trekker en een afneembaar magazijn. Daar kon hij wel mee vooruit.

Hij legde het op het bureau en zag een foto uit zijn portefeuille liggen – hij met Misty en Seth op het strand, Whiskey met een frisbee in zijn bek. Hij streek met zijn vingers over de foto.

'Probeer me te begrijpen,' mompelde hij.

Door het matglazen raam zag hij buiten iets in het steegje bewegen. Het was slechts een schim in de duisternis, maar hij liep naar de deur en duwde zijn rug ertegenaan.

De duisternis buiten was ongrijpbaar als rook, maar hij zag beweging. Er was daar iemand.

De deur zat op slot en er was een briefje op geplakt. *Ben naar Wendy's. Over tien minuten terug. BLIJF HIER.*

Hij schoof de grendel voorzichtig naar achteren en deed de deur open. Hij stapte het mistige steegje in.

Tien meter voor hem liep iemand met een zwarte jopper. Het licht achter het matglazen raam bescheen de loop van het pistool dat de figuur tegen het been hield.

Een van *hen*.

Hij liep niet geluidloos, maar met het passerende verkeer op straat hoefde dat ook niet. Hij zette drie grote passen en bracht zijn vuisten omhoog. De persoon was klein, had stekelig zwart haar en wilde over zijn schouder naar het raam kijken. Toen hij Kanan hoorde naderen, draaide hij zich helemaal om. Kanan zag een Oost-Aziatisch profiel.

Het was een vrouw. Hij liet zijn vuisten neerdalen. Hij wist precies hoeveel kracht hij nodig had en sloeg haar aan weerszijden van haar nek, op de plaats waar haar schouders begonnen. Bij haar ging meteen het licht uit en ze viel als de pop van een buikspreker in zijn armen.

Hij gooide haar over zijn schouder en droeg haar naar binnen.

# 31

'Wakker worden.'

Kanan tikte nog een keer tegen de wang van de vrouw, harder deze keer. Haar hoofd kwam omhoog en sloeg achterover tegen de stutpaal. Met moeite kreeg ze haar ogen open.

Ze stelde haar blik scherp en zag hem op zijn hurken voor zich zitten, balancerend op de ballen van zijn voeten, zijn onderarmen op zijn knieën. Haar lichaam schokte en ze merkte dat haar handen achter de paal met sporttape aan elkaar waren gebonden. Een rubberen balletje was als een prop in haar mond gestopt.

'Als ik die bal weghaal, kun je zo hard schreeuwen als je wilt, maar niemand kan je hier beneden horen,' zei hij.

Na een woedende blik op hem keek ze om zich heen. De kelder van de sportzaak was koud en kaal.

Hij duwde op haar wangen en liet het rubberen balletje uit haar mond rollen. Ze draaide haar hoofd en spuugde op de vloer.

'Ik ben van de politie en jij bent gearresteerd,' zei ze.

'Ik had je penning al gevonden, inspecteur.' Hij gebaarde met zijn hoofd. Haar penning, wapen en telefoon lagen naast elkaar op de betonnen vloer. 'Het spijt me dat ik je avond heb verstoord. Maar voordat ik je terug naar het bureau laat gaan, moeten we praten. Hoe heb je me gevonden?'

'Recherchewerk. Ian, we weten dat je vrouw en zoon worden gegijzeld. Er wordt aan gewerkt om hen te redden.'

Zijn wangen werden rood. 'Jullie – gaan jullie hen redden?'

'We weten dat ze zijn meegenomen om jou te dwingen nanotechnologiemonsters van Chira-Sayf te stelen. We willen je helpen. Laat me gaan. We moeten opschieten.'

'Waar zijn ze?' vroeg hij.

'Dat weet ik niet. De ontvoerders nemen hen mee naar een afgesproken plaats, maar we moeten regelen dat de politie daar als eerste arriveert. Maak me los.'

Ze zag eruit als een wilde egel – piepklein, taai en klaar om hem te bijten.

'Ben je in je eentje gekomen?' vroeg hij.

Ze trok aan het sporttape. 'Natuurlijk niet. Ian, hou op met dat gelul. Voor je gezin begint de tijd te dringen.'

Hij wist niet of ze loog. Hij pakte haar telefoon.

*Eén nieuwe boodschap.*

'Wat is dit?' wilde hij weten.

*Ruil: Kanans vrouw en zoon voor slim. Stanford Quad. Uiteinde van de Oval. Negen uur vanavond.*

Met bonkend hart stond hij op. Hij las de boodschap nog een keer.

'Wie heeft je deze boodschap gestuurd?' wilde hij weten.

'Ian, ik moet de politie waarschuwen. We hebben geen seconde meer te verliezen.'

Hij stak de telefoon naar haar uit, zodat zij het scherm kon lezen. 'Wie heeft je dit gestuurd?'

Boven bonkte iemand op de achterdeur van de winkel. Zijn blik dwaalde naar de trap.

'Ian, toe. Dit is je kans om je gezin terug te krijgen. Je moet...'

Hij greep haar neus, kneep erin en duwde haar mond open. Daarna stopte hij de rubberen bal weer in haar mond. Met de telefoon in zijn hand rende hij de trap op, het magazijn in. Achter het balletje riep de vrouw iets onverstaanbaars om hem zover te krijgen dat hij terugkwam. Hij deed de kelderdeur dicht en het geluid verdween.

Hij stond stil en keek om zich heen. Hij zag sportspullen, een geweer met een vizier en handwapens op een bureau. Er bonkte weer iemand op de deur.

'Baas, laat me binnen.'

Hij voelde een mengeling van opluchting en opwinding. Hij legde de telefoon op het bureau, liep naar de deur en schoof de grendel naar achteren. Toen hij de deur opendeed, zag hij tot zijn genoegen Nico Diaz staan.

'Fijn om je te zien, Nico.'

Huiverend kwam Diaz binnen. 'Doe de deur op slot.'

Kanan schoof de grendel op de deur en knikte naar de wapens op het bureau. 'Zijn die van jou?'

'Van jou.' Hij gaf Kanan een uitpuilende zak van Wendy's. 'Dit ook. Eet op. Je hebt de brandstof nodig.'

Zodra Kanan de zak opendeed, merkte hij dat hij rammelde van de honger. Hoe lang was het geleden dat hij had gegeten? Hij haalde een cheeseburger uit de zak en beet erin. Hij had nog nooit zoiets lekkers geproefd.

Diaz keek hem aan. 'Baas, ik heb eens nagedacht. Misschien heb je het monster in het San Francisco General laten liggen. We moeten het controleren.'

'Goed. Oké, Diaz.'

Hij kon zich niet herinneren dat hij in het San Francisco General Hospital was geweest, maar als Diaz het zei, geloofde hij hem.

Hij nam grote happen van zijn burger, gooide de zak leeg op het bureau, pakte een handvol frietjes en propte ze in zijn mond. Hij wist niet wanneer hij voor het laatst zo'n honger had gehad. Hij trok het dekseltje van de grote beker die Diaz had meegebracht en nam een flinke slok koffie.

'Bedankt,' zei hij. 'Dat had ik nodig.'

Diaz keek naar het bureau. 'Waar komt die telefoon vandaan?'

Kanan keek naar de telefoon. 'Geen idee.' Hij tikte op zijn spijkerjack. 'Misschien uit mijn zak.'

Diaz pakte het toestel op en bekeek het scherm. 'Sodeju. Baas, moet je dit zien.'

Kanan veegde zijn handen af en nam het mobieltje aan. Het was of hij witte sterretjes zag. 'Jezus.'

Hij en Diaz keken elkaar aan.

Diaz pakte het geweer. 'Mijn pick-up staat hierachter.'

Kanan bond de lege houder om zijn enkel en liet de Kbar erin glijden. Hij dronk de laatste koffie op en propte twee pistolen achter in zijn broekband.

'We gaan ze halen,' zei hij.

De Chevy Tahoe reed over Palm Drive naar het hart van de Stanford-campus. Jo staarde uit het raampje. Aan weerszijden van de weg stond een staket van palmbomen. Achter de palmen werd het landschap donkerder, met dicht struikgewas, groenblijvende eiken en bosjes torenhoge eucalyptussen. De enorme campus was van oorsprong een boerenbedrijf, en veel van het terrein was nog steeds niet bebouwd.

'Maximumsnelheid,' zei Calder.

Vance haalde zijn voet van het gaspedaal. Hij was een rusteloze automobilist die vaak zonder reden te hard reed. Ze waren in een recordtijd van San Francisco naar de campus gereden.

Er was bijna geen verkeer op Palm Drive. Het was vrijdagavond en de meeste studenten hadden het elders op de campus druk met studeren, feesten, hun maagdelijkheid kwijtraken of fantastische microtechnologieën ontwikkelen waarmee de wereld of menselijke hersens konden worden opgeblazen. Niemand lette op een enkele blauwe Chevy Tahoe die naar het plein reed.

Voorin bleef Calder maar zuchten, verschuiven, naar andere voertuigen turen en zich omdraaien om Jo in de gaten te houden. In het blauwe licht van Calders telefoonscherm zag haar modieus opgemaakte gezicht er gespannen uit. Haar zenuwen en gretigheid speelden haar parten. Ze kamde met haar vingers door haar sluike haar en werkte haar lippenstift bij.

Jammer dat de lelijke brandvlek op haar voorhoofd Ian Kanan zal opvallen, dacht Jo.

Vance stopte op de kruising met Campus Drive. Een kilometer verderop, achter de palmen, lag het plein. De zandstenen bogen

werden door een warme kleur verlicht. Spotlights lieten het mozaïek op de façade van Memorial Church glinsteren.

Riva toetste een telefoonnummer in en hield het toestel tegen
haar oor. Ze stak haar vinger op om de anderen tot stilte te manen.
Murdock, die naast Jo op de achterbank zat, keek alleen maar naar
haar en wees met de loop van het pistool in haar richting.

'Nieuwe planning,' zei Riva. 'Er kan vanaf nu geboden worden.'

Ze bleef even zwijgend luisteren. Daarna stopte ze het toestel
weg, zonder afscheid te nemen.

'Rij niet zo hard,' zei ze tegen Vance. 'Op een campus wordt op
snelheid gelet. De politie probeert je altijd te bekeuren.' Ze draaide zich naar hem opzij. 'Ik zei dat je niet zo hard moest rijden, domme oetlul die je bent.'

Als een geslagen hond dook Vance in elkaar, maar hij haalde zijn
voet weer van het gaspedaal. Ze reden naar het einde van Palm
Drive, waar de bomen plaatsmaakten voor een weids uitzicht. De
weg splitste zich en ging over in de Oval, een ovale lus die bovenaan langs de toegangstrappen naar het plein liep. De keurige gras-
velden en bloembedden in het midden van de lus waren donker nu
het avond was.

Vance reed stapvoets verder. Aan weerszijden van de weg waren
parkeerhavens, die op dit tijdstip bijna allemaal leeg waren. Rechts
van de weg camoufleerde een gordijn van eiken een aantal univer-
sitaire gebouwen.

'Langzaam,' zei Calder, terwijl ze naar voren leunde en naar buiten tuurde. 'We zijn op verkenning.'

Jo keek op haar horloge. Nog negentien minuten tot de afspraak.
Ze dacht aan Alec Shepard, die worstelde om zijn hoofd boven het
water van Stow Lake te houden. Ze besefte dat zijn kracht met elke ademhaling afnam.

'Stuur alsjeblieft iemand naar Alec om hem te redden. Je kunt
onmogelijk van hem verwachten dat hij zich een uur lang met arm-
bewegingen boven water weet te houden. Zoek een telefooncel en
doe het anoniem.'

'Nee,' zei Calder.

Jo balde haar handen tot vuisten en vouwde ze weer open. De

politie was nergens te bekennen, en ze hadden bijna geen tijd meer om Misty en Seth op te halen.

'Rij een keer helemaal rond,' zei Calder.

'Wat doet Ian als hij je straks ziet?' vroeg Jo.

De vraag was bedoeld om een reactie uit te lokken. Informatie, vooral informatie die onbewust iets van de spreker prijsgaf, was macht. Ze moest zo veel mogelijk te weten komen. Als Calder goed nadacht, moest ze toch weten dat ze Kanans hart niet kon veroveren. Maar als het over Kanan ging, dacht Calder niet goed na.

'Wat doet Kanan straks?' vroeg ze nogmaals.

'Waarom denk je dat hij me hier zal zien?' was Calders wedervraag.

'Hij weet niet dat jij hierachter zit, hè?' vroeg Jo.

'Je bent een nieuwsgierig rotwijf, weet je dat?'

'Je zegt dat alsof het iets negatiefs is.'

Calders snoof. Jo wist dat ze nooit een respectvollere reactie van haar zou krijgen.

'Hoe heb je het gedaan?' vroeg Jo. 'Hebben Murdock en Vance gezorgd dat hij de dreigementen ontving? Sms'jes, digitale foto's van Seth en Misty in gevangenschap? Heb je hem überhaupt gesproken voordat hij vertrok om SLIM voor je te halen?'

'Dat gaat je niets aan.'

Calder is op de achtergrond gebleven, dacht Jo. Ze heeft de dreigementen niet zelf overgebracht.

'Wie zijn die kerels eigenlijk? Je neefjes? Je marionetten?' vroeg Jo.

Geen antwoord.

'Wie was Ken Meiring?' vroeg Jo.

Om haar heen verschoven ze allemaal ongemakkelijk op hun stoel.

'Hoe willen jullie de uitwisseling laten plaatsvinden? Dat moet ik weten om te voorkomen dat ik het verknal of jullie zo bang maak dat jullie iets ondoordachts doen. Stappen we gewoon uit als Ian met het spul arriveert?'

'Jij stapt pas uit als Murdock het spul in handen heeft. Je stapt uit als ik Ian met eigen ogen zie. Ik trap er niet in dat jij met die Gabe moet praten.'

Murdock keek naar haar. 'Waarom heb jij die Gabe eigenlijk onder zijn voornaam in je telefoon zitten?'

'Ik ben psychiater. Ik moet de privacy van mijn patiënten en contactpersonen beschermen. Ik zet nooit achternamen in mijn telefoon. Nooit.'

*Wauw, dat was een heel goede ingeving,* dacht ze. *Zoiets zou ik daadwerkelijk moeten doen.*

'Wanneer gaan we Misty en Seth halen?' vroeg ze.

'Maak je maar geen zorgen om hen.'

'Wordt het niet tijd om hen op te halen?'

'Nee.' Calder keek even naar haar. 'Ik kom op de voorwaarden voor de uitwisseling terug. Als jij en de mensen aan de telefoon de waarheid spraken, en Ian SLIM daadwerkelijk naar de afgesproken plaats brengt, gaan we ze halen. Zo niet...'

*O, shit.* De angst stroomde door haar lichaam. Calder was niet van plan om de Kanans hierheen te brengen.

Calder tekende een lus met haar hand. 'Rij nog een keer rond.' Ze keek even om naar Jo. 'Je kunt niemand vertrouwen.'

Agent Frank Liu liep om het huizenblok heen en kwam terug bij de personenauto van de inspecteur. Ze was er niet. Ze had ook niet op de plaats gestaan waar ze hadden afgesproken en stond ook niet bij zijn patrouillewagen. Hij liep terug naar het steegje. Ze was nergens te bekennen. Hij pakte de microfoon van zijn mobilofoon.

Bij gevonden voorwerpen kreeg Kanan zijn rugzak terug. 'Alstublieft, meneer.'

'Bedankt.'

Hij tekende voor ontvangst, zwaaide de rugzak over zijn schouder en draaide zich om. Daar stond Nico Diaz.

Hij glimlachte. Diaz – levensgroot, uit het niets, en precies de man die hij nodig had.

Hij sloeg met zijn hand op Nico's schouder en liep met hem door de gang.

'Ik ben blij dat de rugzak hier al die tijd heeft gestaan,' zei Diaz. 'Blijkbaar ben je je spullen kwijtgeraakt toen je binnenkwam. Het is maar goed dat niemand anders hem mee naar huis heeft genomen.'

Diaz was een koele kikker, maar Kanan begon nerveus te worden. Ze liepen door een rustige hal en wandelden naar buiten door deuren die automatisch opengingen. Het was een mistige avond. Kanan keek over zijn schouder. Boven de deuren hing een bord met SAN FRANCISCO GENERAL HOSPITAL.

Diaz had zijn pick-up in een kortparkeerzone neergezet. Het dashboard lag vol goedkoop plastic speelgoed en religieuze memorabilia. Ze stapten in en Diaz startte de motor.

'Wat zijn we eigenlijk aan het doen?' vroeg Kanan.

Diaz boog zich naar hem toe en trok Kanans mouw omhoog om hem de woorden 'zaterdag zijn ze dood' te laten zien.

'We gaan naar de afgesproken plaats. Zit het spul in de rugzak?' vroeg hij.

Kanan maakte de rits open en haalde de adapter van zijn laptop eruit.

'Is dat het?' vroeg Diaz.

Op het eerste gezicht zag de adapter er volkomen normaal uit, maar in Zambia had Kanan hem uit elkaar gehaald en de inhoud weggegooid. Daarna had hij het plastic omhulsel gevuld met de gel uit de flacon, de twee helften weer op elkaar geschroefd en de randen met superlijm verzegeld. Het plastic voelde warm aan in zijn handen, en de lijm begon hier en daar zacht te worden. De gel was nog veilig opgeborgen, maar de lijm zou niet eeuwig houden.

Dat was een probleem voor de ontvoerders. De klootzakken.

'Ben je het eens met wat we doen?' vroeg Diaz.

Kanan keek hem aan. 'Vind je dat geheugengedoe angstaanjagend?'

'Ik ben er nu aan gewend.'

'Ik ben niet belangrijk, Nico. Het gaat alleen om Seth en Misty.'

Diaz knikte langzaam en keek even naar de adapter. 'Is dat spul waardevol?'

'Het betekent de vrijheid van mijn gezin. Het is onbetaalbaar.' Kanan wees naar de weg. 'Rijden.'

# 32

Gabe sloop voorzichtig tussen de bomen door naar de Oval, waarbij hij zorgde dat zijn voeten niet op de afgevallen eikenbladeren kraakten. Hij had een koevoet in zijn hand en een ingeklapt Buckmes in zijn achterzak. Zijn 4Runner stond tweehonderd meter achter hem op een dwarsstraat, met de neus in de richting van Palm Drive. Dat had hij gedaan om voertuigen die de Oval verlieten de weg te kunnen versperren. In de kille lucht was het plein uitzonderlijk goed verlicht, en het was rustig op de weg. Het grasveld en de tuin in het midden van de Oval waren donker en leeg, afgezien van een eenzame fietser die als een razende naar de drogist reed.

Hij zorgde dat hij tussen de bomen bleef en rende tegen de wijzers van de klok in langs de rechterkant van de Oval, met het verkeer mee dat over de lusvormige eenrichtingsweg reed. Hij stond stil op een uitkijkpunt dat zeventig meter van de afgesproken plaats lag. De overdracht zou boven aan de lus plaatsvinden, vlak bij het plein en de trappen naar het Stanford Quad. Dat betekende dat hij achter de mensen stond die op dat punt zouden stoppen. En de mensen die op de afgesproken plaats stilstonden, keken waarschijnlijk voor zich uit of naar het Stanford Quad in plaats van over hun schouder. Hij dook weg achter een groenblijvende eik en ging op in de veranderlijke schaduwen.

Hij keek op de verlichte blauwe wijzerplaat van zijn duikhorloge. Het was kwart voor negen.

Jo kende Stanford als haar broekzak. Ze had er vier jaar geneeskunde gestudeerd en kon de hele campus waarschijnlijk via de daken en de servicetunnels doorkruisen. Hij kende de campus ook, maar niet half zo goed. En hij wist niet in wat voor een auto de gijzelnemers zouden arriveren.

Hij keek op zijn telefoon. Geen berichten van Tang. Nog geen spoor van de politie. Hij wist niet of de inspecteur de politie van Stanford, de politie van Palo Alto, het SWAT-team van Santa Clara County of een combinatie van die drie zou sturen.

Hij hoopte echter wel dát ze iemand zou sturen, nu meteen. Ze had gezegd dat ze alles zou regelen en hij geloofde haar, maar hij had ook behoefte aan bevestiging. Hij belde haar op haar mobieltje en kreeg haar voicemail.

Hij verbrak de verbinding en belde Bureau Noord van de SFPD. Hij zorgde dat hij heel zachtjes bleef praten.

'U spreekt met Gabe Quintana van de 129th Rescue Wing op Moffett Field. Ik heb drie kwartier geleden gebeld met een zeer dringend bericht voor inspecteur Tang. Ik bel voor een verificatie dat zij het politieoptreden bij een gijzeling op de campus van Stanford coördineert.'

De stem van de dienstdoende agent werd levendig. 'Ik zal even voor u kijken, meneer Quintana.'

Gabe zag op Palm Drive een SUV aankomen, die een rondje over de Oval maakte. Het was een blauwe Chevy Tahoe die heel langzaam reed. Hij hield zijn telefoon tegen zijn been en tuurde om de boomstam heen.

Diaz reed keurig met veertig kilometer per uur over University Avenue. De politie in het vriendelijke, groene Palo Alto hoefde niet veel misdaden op te lossen, dus ze stortte zich als een troep gorilla's op snelheidsovertreders. In de verte ging University over in Palm Drive, die dwars door de campus naar het centrale plein leidde.

Het navigatiesysteem op het dashboard liet zien hoe de afgesproken plaats eruitzag: Palm Drive voerde rechtstreeks naar het Stanford Quad, maar vormde vlak voor het plein een soort lus met eenrichtingsverkeer, een ovaal van zo'n vierhonderd meter lang. Boven aan de lus, vlak bij het Stanford Quad, zou de overdracht moeten plaatsvinden. Onder aan de lus was een dwarsstraat waarin ze misschien een hinderlaag konden leggen.

'Laten we het terrein verkennen,' zei Kanan.

'Goed plan,' zei Diaz.

Kanan haalde de adapter van zijn computer uit zijn rugzak en de Kbar uit de schede rond zijn enkel. Met de punt van het mes peuterde hij heel voorzichtig tussen de twee dichtgeschroefde, met superlijm afgesloten helften van het omhulsel. Met uiterste precisie stak hij het lemmet een paar millimeter in de verzegeling. Bijna erdoorheen.

Diaz bekeek hem kalm en geïnteresseerd. 'Baas?'

'Een researcher van Chira-Sayf heeft me uitgelegd wat dit spul kan doen.' Kanan trok het mes terug en bestudeerde de verzegeling. 'Uiteindelijk zal SLIM door elke houder op petrochemische basis heen vreten. Als je het spul een week de tijd geeft, blijft er niet veel van de houder over.'

'Wat wil je daarmee zeggen?'

'Nu ik een snee in de verzegeling heb gemaakt, zal SLIM ook daardoorheen vreten. Als mijn schatting klopt, gebeurt dat over een uurtje. Dan komt het spul in aanraking met zuurstof en wordt het gevaarlijk.' Hij keek naar Diaz. 'Maak je maar geen zorgen, ik tref alleen voorbereidingen. Op het juiste moment doorboor ik de rest van de lijm.'

'Wat gebeurt er als het spul door de verzegeling heen breekt?'

'Dan krijgt degene die het omhulsel vasthoudt binnen een paar minuten een onaangename verrassing, maar hij blijft niet lang genoeg in leven om het helemaal door te hebben.' Hij plakte een stuk sporttape over het sneetje in de verzegeling. 'Het is niet zo betrouwbaar als C-4, maar net zo effectief.'

Diaz keek toe terwijl hij het doosje weer in de rugzak stopte. 'Dus we moeten zorgen dat Seth en Misty tegen die tijd buiten bereik van het spul zijn.'

'Ik doorboor de verzegeling pas als ze veilig zijn.'

Diaz stuurde met een hand en zette een timer op zijn horloge op vijftig minuten. 'De jouwe ook.'

Kanan draaide aan de buitenste ring van zijn duikhorloge. 'Voor elkaar.'


Calder hief haar hand op en gebaarde dat Vance zachter moest rijden. 'Oké, we gaan dit heel rustig aanpakken. Breng ons naar de bovenkant van de lus en ga op de afgesproken plaats staan.'

Ze reden weer via de rechterkant naar de bovenkant van de Oval, langs geparkeerde auto's, eiken en struiken, langs de donkere gebouwen van de faculteiten scheikunde en computerwetenschappen naar de goudgele stenen van het Stanford Quad en het veelkleurige, glanzende mozaïek op de façade van de Memorial Church. Jo had het gevoel dat haar borstkas in een bankschroef zat.

Calder tuurde door de voorruit. 'Nu wil ik bewijzen zien. We zullen zien of je liegt of dat Ian komt.'

Jo was niet van plan te vertellen dat hij niet zou komen.

Of dat de politie onderweg was.

Ze drukte haar vingernagels in haar handpalmen. Het was negen uur. Over een paar minuten zouden Calder en haar bullebakken gearresteerd zijn en zou zij vrij zijn. Dan zou er redding onderweg zijn naar Alec Shepard.

Als alles goed ging.

Ze was doodsbang. Riva had een pistool. Murdock had een pistool. Alec vocht voor zijn leven. De tijd drong, en ze zat in een auto met een nijdige narcist achter het stuur, een gewapende paranoïca ernaast en een psychopaat op de achterbank.

En de politie moest hen levend in handen krijgen en zorgen dat ze vertelden waar Seth en Misty werden vastgehouden.

Jo haalde adem en probeerde te voorkomen dat haar stem trilde. 'Ian weet niet dat jij hierachter zit, Riva. Hij zal geen moment aarzelen om achter deze auto aan te komen.'

'Nee,' zei Calder. 'Als hij me ziet, zal hij denken dat ik onschuldig ben.'

'Je vergist je. Als hij deze suv in de gaten krijgt en ziet dat jullie me iets aandoen, denkt hij maar één ding. *Daar zitten de daders in.* Hij laat niets van de auto heel. Denk je dat hij nog steeds ongewapend is? Toen we bij het meer waren, zei hij het door de telefoon – hij geeft het spul alleen af als hij ziet dat zijn familie én ik ongedeerd zijn.'

Niemand reageerde, en de Tahoe reed stapvoets over de Oval. Calder pakte haar telefoon weer en las een ingekomen bericht. Ze was zo nerveus als een kat die in bad moest. Ze probeert iets te regelen, dacht Jo – een verkoop of een ontsnapping. Nu was uitgekomen dat ze zich voor Misty had uitgegeven, werkte ze in geleende tijd.

'Ian zal nooit zomaar naar een donkere auto toe lopen en zijn labmonster op het trottoir achterlaten. Jullie zullen moeten bewijzen dat we nog leven. Hij zal op zijn minst mij willen zien,' zei Jo.

Murdock zei: 'Geen geintjes. Je probeert je hachje te redden.'

'Natuurlijk probeer ik dat.'

'Dacht je dat we jou zo laten uitstappen?'

'Dan leven we allemaal langer, en jullie kunnen ontsnappen als jullie me de kans geven om Ian ervan te overtuigen dat dit een tussenstop is, geen verraad. Hij en zijn vriendje Gabe staan met hun wapentuig op ons te wachten.'

*En de politie. Alstublieft, God.*

Ze waren bijna bij de bovenkant van de lus. Riva stak haar hand op. 'Oké, we zijn er. Bereid je voor.'

Gabe keek weer op zijn horloge. Er waren vijf minuten verstreken. Hij bleef in de schaduw en sloop in de richting van de afgesproken plaats boven aan de lus.

Hij stond nog steeds in de wacht bij de politie van San Francisco. Nog altijd was er geen enkele politieauto te bespeuren. Hij werd er bloednerveus van.

Als de politie de ontvoerders arresteerde, wilde hij niet in de weg lopen. Hij wilde ook niet worden aangezien voor een van de daders. Maar hij wilde ook niet dat alle politiemensen op de campus met draaiende zwaailichten kwamen aanrijden – nog niet.

Hij drukte zich tegen een boomstam, ging op zijn hurken zitten en luisterde. Zijn adem vormde een pluimpje in de lucht. Om hem heen was de avond rustig. In de verte, achter de felverlichte bogen van het Stanford Quad, liep een groepje mensen tussen de gebouwen. Hun lachende stemmen weerkaatsten tegen de zandstenen muren.

Hij hoorde een auto vanaf Palm Drive naar de Oval rijden. Het was geen politieauto, maar een blauwe Chevy Tahoe. Misschien wel dezelfde Tahoe die een paar minuten eerder rondjes over de Oval had gereden. De koplampen beschenen de bomen en streken langs de eik waarachter hij zich verschuilde.

De auto reed door en verlichtte het silhouet van een man die tien meter van hem af in de schaduw stond.

Het licht van de koplampen glinsterde op het pistool in de hand van de man.

Gabes instinct ging in de overdrive. De man stond roerloos en alert toe te kijken terwijl de Tahoe rond de Oval reed. Hij probeerde te zien wie er achter het stuur zat en of hij moest schieten.

De man droeg burgerkleding, geen uniform of gevechtstenue. Hij had dreadlocks, en het enorme wapen in zijn hand zag er niet uit als een politiewapen.

Hij was dus niet van de politie. Dan moest hij een crimineel, een buitenstaander of een psychopaat zijn – gewapend en op de loer.

Gabe zette de aanval in. Twee stappen, drie, terwijl hij de koevoet laag langs zijn lichaam zwaaide. Hij was allesbehalve geluidloos, hij probeerde het niet eens, hij probeerde gewoon zo snel mogelijk de afstand te overbruggen.

De man richtte zijn wapen op de auto.

Gabe wist hem te verrassen. Hij haakte de koevoet om de enkel van de man en gaf er een ruk aan. Tegelijkertijd gaf hij hem met zijn vlakke hand een enorme zet op zijn onderrug.

De man viel naar voren en kwam hard op de grond terecht. Het wapen sloeg uit zijn handen. Gabe zette een voet op zijn rug, greep hem bij de kraag en trok die omhoog, waardoor de man zijn rug moest krommen en moeilijk kon ademhalen, laat staan manoeuvreren.

'Als je me geen penning laat zien, maak ik je af,' zei hij.

Onder hem stribbelde de geschokte man tegen. Hij was een pezige, kleine man met een donkere huid en een woedende blik in zijn ogen. Hij stak zijn hand uit naar het wapen. Gabe sloeg met de koevoet op zijn arm en trok zijn kraag nog wat verder omhoog.

'Ik ben Gabe Quintana, degene die de politie over de geplande overdracht heeft gebeld. Laat me je penning zien of ik breek je nek. Over vier seconden. Drie. Twee.'

'Ik ben Nico Diaz,' wist de man uit te brengen. 'Ik hoor bij Kanan. We – goddomme, man, we zijn hier om zijn gezin terug te krijgen.'


De Tahoe stopte op de afgesproken plaats boven aan de lus. Vance zette de versnelling in de parkeerstand en liet de motor lopen.

Calder wendde zich tot Jo. 'Oké, het moment is aangebroken. Murdock, laat haar eruit.'

'Wat? Dan neemt ze de benen.'

'Niet als we haar hoofd onder schot nemen.'

'Dan neemt ze nog steeds de benen.'

Calder zuchtte geïrriteerd. 'Bind haar vast. Achter in de auto liggen kampeerspullen en visgerei. Zoek iets. En een van je plastic kabelbinders.'

Murdock ging op zijn knieën op de bank zitten en reikte in de achterbak van de Tahoe. Hij kreunde en kwam overeind met een opgerold, wit nylon touw in zijn handen.

'Doe je handen omhoog,' zei hij tegen Jo.

Ze stak haar armen in de lucht. Hij sloeg het touw om haar middel en pakte een dikke kabelbinder uit zijn jaszak, het type waarmee de politie polsen boeide. Hij bond de lus voor haar buik met de kabelbinder dicht en trok hem aan, waardoor het touw strak rond haar trui kwam te staan. Hij bukte zich en bond de uiteinden van het touw aan de steunen van de voorstoel.

'Klaar,' zei hij.

Calder keek naar Jo. 'Stap uit. Ga op het trottoir voor de auto staan. Handen omhoog. Roep Ians naam, en dan zullen we eens zien wat er gebeurt.'

Murdock maakte het portier open. Jo klom bezorgd over hem

heen en sprong de koude avondlucht in. De motor bromde. Er kwamen wolken uit de uitlaat, die rond haar voeten kringelden.

Vanuit de deuropening staarde Murdock naar haar. 'Als je ervandoor probeert te gaan, kunnen er twee dingen gebeuren. Of je wordt doodgeschoten, of Vance geeft gas en we slepen je mee tot je dood bent.'

Langzaam en met opgestoken handen liep Jo naar de voorkant van de auto. Murdock liet het touw als een vislijn vieren. Zij was het aas.


De man die Diaz heette, werd nog altijd door Gabes voet op de grond gedrukt. 'Heb je de politie gebeld?' vroeg hij tussen zijn tanden door.

'Is Kanan hier?' vroeg Gabe. 'Hoe weten jullie in godsnaam...'

'Een sms'je. Daarin stonden de tijd en de plaats van de afspraak.'

Gabe kreeg het ineens ijskoud, alsof hij in een steenkoude oceaan was gesprongen. Hij zei: '"Ruil: Kanans vrouw en zoon voor SLIM. Stanford Quad. Boven aan de lus, negen uur vanavond."'

'Ja.'

'Goddomme. God...' Hij haalde zijn voet van Diaz' rug. 'Van wie heb je die boodschap gekregen?'

Diaz ging rechtop zitten en bracht zijn hand naar zijn keel. 'De sergeant vond het op... Shit, man, naar wie had je die boodschap gestuurd?'

Gabe pakte zijn telefoon. Hij had drie berichten van de SFPD. Hij belde het bureau. 'Met Quintana.'

Hij keek tussen de bomen door. De Tahoe was boven aan de Oval tot stilstand gekomen.

'Meneer Quintana, ja – we probeerden u te bereiken. Inspecteur Tang reageert niet en we hebben geen bericht ontvangen over een gijzeling op Stanford.'

De ijzige kou spoelde als een golf over hem heen. Hij keek naar Diaz. 'De politie heeft het bericht niet gekregen. Goddomme.'

Hij verbrak de verbinding en belde het alarmnummer.

Diaz krabbelde overeind en wees naar de bovenkant van de lus. 'Kijk.'

Ze zagen Jo met opgeheven armen in het licht van de koplampen voor de Tahoe staan.

'We moeten iets doen. Vlug. Kom mee,' zei Gabe. 'Waar is Kanan?'

'In mijn pick-up. Aan de andere kant van de Oval, tussen de struiken.'

'Kun je hem bellen?'

'Nee, zijn mobieltje wordt pas om tien uur geactiveerd. Wat wil je doen?'

'Improviseren. We moeten zorgen dat de politie komt. En we mogen die Tahoe niet laten wegrijden voordat ze hier zijn.'

Ze slopen door de schaduwen en liepen met een omtrekkende beweging naar de Tahoe. De telefonist van het alarmnummer kwam aan de lijn.

'Waar gaat het precies om?'

'Ik sta boven aan de lus van de Oval op Stanford en ik hoor een vrouw om hulp schreeuwen. Er wordt iemand aangevallen,' zei Gabe. 'Er moet snel hulp komen.'

Met Diaz rende hij tussen de bomen door.

Jo stond met haar armen omhoog voor de ronkende Tahoe, terwijl het touw om haar middel naar het openstaande portier van de auto leidde. In het felle licht van de koplampen strekte haar schaduw zich als een zwarte vogelverschrikker voor haar uit. De enorme campus, de uitnodigende warme stenen van het Stanford Quad, de glanzende belofte van de kerk en de keurig aangelegde bloembedden in het midden van de Oval vervaagden allemaal. Haar wereld leek te worden omlijnd door het harde schijnsel van de koplampen.

'Ian,' riep ze.

Er kwam geen reactie. Natuurlijk niet.

Ze haalde adem. 'Ian Kanan.'

In de verte kwam een man uit het donker. Hij verscheen geleidelijk uit de gitzwarte schaduwen van de groenblijvende eiken en liep naar haar toe. Ze bleef doodstil staan en kneep met haar ogen om achter de lampen te kunnen kijken.

Vanuit de Tahoe vroeg Calder: 'Is het Ian?'

'Hoe ziet hij eruit?' vroeg Vance.

De man kwam uit de schaduwen en liep met regelmatige passen in haar richting. Hij spreidde zijn armen om aan te geven dat hij ongewapend was. Hij kwam duidelijker in zicht. Hij liep met de zelfbeheersing van een katachtig roofdier.

Het was Gabe.

Haar hart begon nog harder te roffelen. Waar was hij mee bezig? Waar bleef de politie?

O, shit. Er was geen politie.

Gabe liep naar de rand van de lichtbundel en bleef op dertig meter afstand van haar stilstaan. Haar tanden klapperden, en haar angst om hem groeide. Ze moest haar tanden op elkaar bijten om niet in tranen uit te barsten.

Dit was de vader van Sophie, die ongewapend naar haar toe kwam om haar te redden. Ze had aan haar gevoelens voor hem getwijfeld, maar op dat moment wist ze dat ze van hem hield.

'Het is tijd voor onze afspraak,' zei hij.

Jo hoorde een raampje van de Tahoe naar beneden gaan. 'Vraag hem waar Ian is,' siste Calder tegen haar.

'Waar is Ian?' vroeg Jo.

'Hij overhandigt het spul als hij Seth en Misty ziet,' zei Gabe.

Zijn ogen glansden in de koplampen. Hij keek haar recht in de ogen. Waarschijnlijk had hij een plan bedacht. Waarschijnlijk probeerde hij haar iets te vertellen.

'Seth en Misty zijn hier niet,' zei Jo.

'Vertel hem waarom,' zei Calder.

'Riva Calder zit in de Tahoe. Ze wil Kanan en het slim-monster zien voordat ze zijn gezin ergens vrijlaat.'

'De afspraak gaat alleen door als Ian zijn gezicht laat zien en bewijst dat hij het spul heeft,' zei Calder.

'Heb je dat gehoord?' vroeg Jo.

'Ik heb het gehoord.' Gabe schermde zijn ogen af tegen het licht van de koplampen en riep naar de mensen in de Tahoe. 'Laten we ruilen. Laat dokter Beckett vrij en neem mij mee. Ik breng jullie naar Kanan.'

'Wat krijgen we verdomme nou?' vroeg Calder.

Vance schreeuwde: 'Hij liegt.'

'Laat Jo gaan,' zei Gabe. 'Laat mij haar plaats innemen.'

In de verte, als een sopraanpartij die door de lucht dreef, hoorde Jo sirenes. Vance schreeuwde: 'Hoor je dat?'

'Het is een val,' zei Murdock.

Gabe bleef doodstil staan. 'Dit is jullie laatste kans. Als jullie nu wegrijden, krijgen jullie nooit wat je wilt hebben. Laat Jo gaan en ik breng jullie naar Kanan.'

'Hij liegt,' schreeuwde Vance. 'Wegwezen.'

Het geluid van de sirenes zwol aan. Jo bleef in Gabes glanzende ogen kijken. Vance zette het grote licht aan en gilde: 'Kom mee.'

Achter Gabe zag Jo een man tussen de bomen vandaan komen. Hij liep als een revolverheld, snel en zelfverzekerd. De koplampen beschenen de loop van het glinsterende vuurwapen in zijn hand. Ze beschenen ook zijn ogen, die glansden als blauw ijs.

# 33

Ian Kanan naderde Gabe van achteren en hief het pistool op. Daarna liep alles uit de hand.

Jo stak haar handen naar voren. 'Nee. Gabe, pas op.'

Gabe draaide zich om. Kanan schreeuwde: 'Waar zijn ze?'

Tussen de bomen door zagen ze de zwaailichten van een politieauto over Palm Drive naar de Oval rijden. Vance zette de Tahoe in de versnelling om weg te rijden.

'De politie,' gilde hij. 'De politie...'

Kanan draaide de loop van zijn pistool in Jo's richting.

Vanuit het donker zei een man vlak bij de Tahoe: 'Baas, nee.'

De sirenes en zwaailichten kwamen dichterbij. Calder begon te schreeuwen. Uit de mond van Vance rolde een stroom onbegrijpelijke onzin, en hij draaide aan het stuur en trapte het gaspedaal in.

'Fuck, nee,' zei Jo.

Ze sprong uit de lichtbundel van de koplampen, greep het touw om haar middel en haastte zich naar de Tahoe. Vance stuurde naar rechts en stuiterde tegen de stoeprand. Calder schreeuwde dat hij moest stoppen. Hij remde en keek naar de politie en daarna naar de man met het pistool, die in het licht van de koplampen op hem afkwam. Daarna keek hij naar de donkere ogen van een man met dreadlocks, die uit het niets naast zijn raampje verscheen. Hij trapte het gaspedaal weer in.

En ramde een brievenbus.

'Rijden, nee – stop, jezus, waar ben je mee bezig?' krijste Calder.

Het achterportier stond nog steeds open en zwaaide als een waaier heen en weer. Vance zette de Tahoe in zijn achteruit. Hij liet de wielen spinnen toen hij achteruitreed, en het portier vloog wagenwijd open.

Jo hield het touw vast. Ze moest zichzelf bevrijden of weer in de auto stappen.

Gabe kwam met een enorm, scherp Buck-mes in zijn rechterhand aanrennen. Hij dook op Jo af en stak zijn linkerhand uit om het touw te pakken.

Vance zette de Tahoe in de juiste versnelling en wilde wegrijden. 'Wat doe jij nou?' gilde Calder. 'Dat is Ian!'

Gabe greep het touw en haalde uit met het mes. De auto stuiterde van het trottoir en versnelde, waardoor het touw uit Gabes hand werd getrokken voordat hij het kon doorsnijden. Jo greep het zwaaiende portier en hield het vast terwijl ze met de auto mee rende. Gabe rende achter haar aan. De Tahoe ging nog harder rijden. Hij reed naar de andere kant van de weg en beschadigde een geparkeerde auto.

Door het portier zag Jo Murdock, die woedend keek.

'Remmen,' zei hij.

'Ik kijk wel uit,' jammerde Vance.

De politieauto had de Oval bereikt en kwam in hun richting.

'Remmen,' zei Murdock. 'Laat haar gaan.'

Maar Vance bleef op het gaspedaal duwen. Murdock leek de enige te zijn die begreep dat ze Jo nu moesten lossnijden, omdat ze anders zo dadelijk moesten stoppen om haar gemangelde lichaam onder de wielen vandaan te halen. Ze hield het portier vast en rende haar longen uit haar lijf, maar ze merkte dat haar voeten begonnen te slepen. Ze kon de auto niet bijhouden. Vance stuiterde over de weg en over het trottoir aan de andere kant naar het midden van de Oval. Jo klemde zich aan het zwaaiende portier vast en sprong, waardoor ze weer in de Tahoe belandde. Anderhalve meter verderop rende Gabe nog altijd naast de auto.

'Ze zijn overal,' schreeuwde Vance.

Jo wist dat ze nu niet mocht vallen, omdat ze anders onder de wielen zou sterven of zou worden voortgesleept tot ze dood was. Als Gabe haar vasthield en viel, zouden ze misschien allebei sterven.

Hij kreeg het portier te pakken, maar hij kon het tempo van de steeds harder rijdende suv niet bijhouden. Bij deze snelheid kon hij haar ook niet lossnijden.

Terwijl Jo zich aan het wild heen en weer zwaaiende portier vasthield, keek ze hem aan. 'Zorg dat je hier wegkomt. Ga hulp halen. Alec – Stow Lake, hij ligt bij de brug in het water.'

De Tahoe maakte een bocht, reed brullend het gras af en stuiterde de weg weer op.

Gabe hield het frame met één hand vast. 'Jo...'

'Gabe,' zei ze.

Er werd flink gas gegeven en de Tahoe spoot naar voren. Gabes hand werd van het portier getrokken. Ze zag hem steeds kleiner worden.

Hij bleef rennen en naar haar kijken. Hij wees. Naar haar, naar zichzelf. *Ik kom je redden.*

Daarna rende hij een andere kant op, en hij sprintte zo hard hij kon naar de bomen.

Jo hees zich naar binnen, waar het een chaos was. Vance zat vooroorovergebogen over het stuur en scheurde doodsbenauwd naar de uitgang van de campus. Naast hem hing Calder uit het raampje, omkijkend naar Kanan.

'Zagen jullie hem ook?' vroeg Vance. 'Die zwarte kerel stond goddomme opeens met een wapen bij mijn raampje, een wapen dat nog groter was dan mijn hoofd, en... Shit, zagen jullie hem, hij leek dat ding uit *Predator* wel, een en al dreadlocks en waanzinnige ogen en fúck, wat was dat wapen groot. Zagen jullie hem?'

Op de achterbank kwamen er stoomwolkjes uit Murdocks oren. Hij ademde zwaar en zag eruit alsof hij wist dat hij erbij was.

Jo trok het portier dicht. Murdock keek onvriendelijk naar haar.

*Niet huilen,* dacht ze. *Bedek je mond niet en laat geen enkele zwakke kant van jezelf zien.*

Ze ademde uit. 'Willen jullie me nu goddomme geloven?'

Vance stoof over Palm Drive. Een politieauto scheurde langs hen heen, de andere kant op. In de verte beschenen nog meer zwaai- lichten de boomtoppen. Een stopbord flitste voorbij, en claxons vormden een streep van geluid in haar oren. Vance sloeg af naar Campus Drive en zette koers naar het footballstadion, zoekend naar de uitgang van de campus. Jo hield zich stevig vast aan de deur- hendel.

'Zonder mij krijgen jullie het nooit voor elkaar. Hij wil mij, Mis- ty en Seth, levend en ongedeerd, anders krijgen jullie SLIM niet in handen,' zei ze. 'Ik ben jullie tegoedbon.'

Gabe rende naar de dwarsstraat waarin hij de 4Runner had gepar- keerd. Op Palm Drive werd de blauwe Tahoe steeds kleiner. Alle lucht in zijn longen leek met de auto te verdwijnen. Een politieau- to racete met draaiende zwaailichten en gillende sirenes langs hem heen de andere kant op, naar de bovenkant van de lus. Hij keek om.

*Dus dat was Ian Kanan.*

Gabe hield het Buck-mes vast. Hij zag Diaz over de Oval ren- nen. Rechts van hem gingen de koplampen van een pick-up aan.

'Baas,' riep Diaz. 'Wacht.'

De pick-up reed met gierende banden een toegangsweg tussen de bomen op en ging met volle vaart achter de vluchtende Tahoe aan. Diaz keek de wegracende auto na.

Vertwijfeld hief hij zijn armen op. Daarna wees hij op de pick- up en schreeuwde tegen Gabe: 'Quintana, dat is Kanan, in mijn au- to. We moeten hem inhalen.'

De pick-up stoof brullend over Palm Drive en de achterlichten werden rode speldenknoppen. Diaz stak het gras over, bereikte Gabe en rende hijgend met hem mee.

'Kanan weet niet meer dat hij jou hier heeft achtergelaten, hè?' vroeg Gabe.

'Nee. Hij kan alle nieuwe informatie maar vijf minuten vasthou- den. Hij weet alleen dat hij zijn gezin terug moet krijgen.'

De pick-up van Diaz draaide rechtsaf Campus Drive op en ver- dween uit het zicht.

'Kun je hem al bellen?' vroeg Gabe.

'Nog niet, en zelfs als ik dat kon, zou hij niet naar me luisteren. Hij zal die Tahoe blijven achtervolgen. Hij wil de ontvoerders niet uit het oog verliezen.'

'Dat is slim.'

'Dat is zijn enige kans. Als hij wordt afgeleid, al is het maar een fractie van een seconde, sijpelt alles wat hij weet gewoon weg. Het is alsof het universum al zijn gedachten verzamelt en verbrandt.'

Ze renden door een bosje groenblijvende eiken. Gabe haalde zijn sleutels tevoorschijn en schakelde met de afstandsbediening het alarm uit. In de verte knipperden de parkeerlichten van de 4Runner.

'Ik dacht dat ik de gijzelnemers te pakken had,' zei Diaz. 'Maar de bestuurder van de Tahoe zag me in zijn zijspiegel en trapte op het gaspedaal.'

'Hoe laat wordt Kanans telefoon geactiveerd?' vroeg Gabe.

'Tien uur, maar zo lang kunnen we niet wachten. Als hij de Tahoe te lang uit het oog verliest, vergeet hij dat hij hem ooit heeft gezien. Dan blijft hij rijden en vinden we hem nooit.'

'Hij heeft jou al een keer eerder gevonden.'

'Daar gaat het nu niet om.'

'Waar gaat het wel om? Vanwaar die haast?' vroeg Gabe.

'Hij heeft een explosief bij zich. Het monster uit het nanolab zit in de adapter van zijn computer. Hij heeft het op scherp gezet. Binnen drie kwartier wordt het instabiel.'

'En dan?'

'Dan ontploft het.'

Gabe voelde een machteloze woede. 'Wil Kanan zich er niet van ontdoen?'

'Hij is inmiddels al vergeten dat hij het bij zich heeft. Hij kan met geen mogelijkheid weten dat het een tikkende bom is.'

Ze sprongen in de 4Runner en Gabe stoof als een pijl uit een boog weg.

'Weet Kanan wie hier allemaal achter zit?' vroeg Gabe.

'Nee.'

'Jo zei dat ene Riva Calder in de Tahoe zat.'

'Calder? Die zit in de directie van Chira-Sayf.' Diaz hield zich vast aan het portier. 'Heeft zij geregeld dat Misty en Seth werden ontvoerd?'

'Daar ziet het wel naar uit.'

'Ze kent hen. Ze zat in dezelfde studentenvereniging als Misty. Dit is waardeloos, man. Ian krijgt de rillingen van haar.'

'Waarom?'

'Ze is smoorverliefd op hem. Altijd al geweest.'

Gabe keek ongelovig naar hem opzij. 'Dan zullen Kanan en zijn vrouw wel knettergek van haar worden.'

'Kun je wel zeggen, ja.'

Terwijl ze over Palm Drive raceten, hield Gabe met een hand het stuur vast. Met zijn andere toetste hij het alarmnummer in.

'Calder zal Ians mobiele nummer wel hebben,' zei Diaz.

'Dus als zijn telefoon om tien uur geactiveerd wordt, neemt ze contact met hem op en doet ze of ze hier niets mee te maken heeft.'

Hij kwam onder de bomen vandaan, draaide Campus Drive op en zette razendsnel koers naar het footballstadion. De stadionlampen bleekten de donkere hemel boven hen en kleurden de bomen zwart en wit.

'Alarmnummer,' zei de telefonist.

'Er is een vrouw ontvoerd. Mannen hebben haar in een Chevy Tahoe gesleept en zijn ervandoor gegaan.' Hij vertelde de telefonist snel wat er was gebeurd en wendde zich tot Diaz. 'Wat is het kenteken van je pick-up?'

Diaz gaf geen antwoord.

'Wat is er?' vroeg Gabe.

'Er liggen spullen in die ik liever niet aan de politie laat zien, als je begrijpt wat ik bedoel.'

Gabe begon steeds bozer te worden. 'Het is een rijdende bom. Wat is je kenteken?'

'Shit.' Diaz liet zijn schouders zakken en dreunde de gegevens op.

Gabe gaf ze door aan de telefonist. 'En stuur politie en brandweerauto's naar Stow Lake in Golden Gate Park. Ene Alec Shepard verkeert vlak bij de brug in gevaar.'

Hij verbrak de verbinding, reed langs het stopbord en sloeg links af op Galvez Street. De auto dreigde te slippen, maar hij wist hem weer op koers te krijgen. Hij gaf plankgas naar de uitgang van de campus.

'Zat Kanan aan dat nanomonster te prutsen terwijl hij met jou in de pick-up zat?' vroeg Gabe.

Diaz keek opzij. 'Waarom vraag je dat?'

Gabe zuchtte.

Hij scheurde langs een rij hoge eucalyptusbomen. Aan zijn rechterhand doemde het stadion op, een ineengedoken moederschip dat de avond met dodelijk wit licht vulde. Een paar honderd meter verderop, op het kruispunt met El Camino Real, zag hij de uitgang van de campus. Ze hoorden een sirene. In zijn achteruitkijkspiegel zag Gabe zwaailichten.

'Niet stoppen,' zei Diaz.

In de spiegel werden de koplampen van de politieauto steeds groter. Daarachter kwam nog een zwart-witte patrouillewagen in beeld, die ook de achtervolging inzette.

'Als je nu stopt, gaat alles fout,' zei Diaz. 'Het gaat erom dat we Misty en Seth terugkrijgen.'

'Zonder iemand op te blazen.' Gabe keek naar hem. 'Of is dat jullie plan?'

'Niemand om wie jij je zorgen hoeft te maken.'

De sirenes kwamen dichterbij. Het verkeerslicht op de kruising van Galvez en El Camino stond op groen.

'Ben je verliefd op de dokter?' vroeg Diaz.

In de spiegel werden de zwaailichten feller.

'Stapelgek,' antwoordde Gabe.

Ze stoven naar het kruispunt. Gabe greep het stuur steviger beet. Daarna trapte hij op de rem, trok hij de handrem aan en gaf hij een ruk aan het stuur. De achterkant van de 4Runner draaide piepend een halve cirkel en kwam abrupt tot stilstand.

'Wat krijgen we nou?' vroeg Diaz.

'Uitstappen,' zei Gabe.

Vlak voor hem trokken de politieauto's zwarte strepen op de weg en kwamen de rode en blauwe zwaailichten tot stilstand.

'Ze arresteren je, hoor,' zei Diaz.

'We schieten er niets mee op om nu de Lone Ranger uit te hangen. We hebben een helikopter nodig om naar Kanan te speuren. Jij moet ontsmet worden omdat je misschien met slim in contact bent gekomen.' Hij opende zijn portier. 'En ik wil dat de hele staat Californië op zoek gaat naar Jo.'

Hij stapte met zijn handen achter zijn hoofd uit en liet zich op de weg op zijn knieën vallen.

# 34

Misty Kanan veegde het zweet uit haar ogen. Haar vingers bloed-
den en waren gevoelloos geworden. Van haar behabeugel had ze
een schroevendraaier ter grootte van een paperclip gemaakt, maar
door metaalmoeheid was die inmiddels gebogen en gebroken. Het
was aardedonker in de kamer. Ze had drie van de vier schroeven in
het deurbeslag losgedraaid. Met haar vingers zocht ze op de deur-
plaat weer naar de vierde schroef, waarbij ze tastte als een vrouw
die braille probeert te lezen.

Ze streek met haar vinger over de schroef, vond de groef en stak
haar zelfgemaakte schroevendraaier erin. Haar vingers gleden weg
en de schroevendraaier viel uit haar vingers. Ze hoorde hem met
een ping op de grond vallen en in de duisternis wegstuiteren.

'Verdomme.'

Ze liet zich tegen de deur zakken. Haar schouders schokten.

Whiskey liep naar haar toe en duwde met zijn neus tegen haar
schouder. Hij jankte, maar het geluid was zwak. Hij had honger en
was uitgedroogd.

Ze balde haar handen tot vuisten en drukte ze tegen haar ogen.
Wat een klootzakken. Wie liet nu een hond doodgaan van de dorst?

'Stil maar, jongen. Ik zorg wel dat we hieruit komen.'

Ze ging op haar knieën zitten en tastte de vloer af.

*Gebruik wat voorhanden is*, zou Ian zeggen. 'Een vork, een pen, een gloeilamp. Alle dingen zijn multifunctioneel.'

'Ik ben maar een verpleegster op een school,' had ze tegen hem gezegd.

'Helemaal niet. Niet "maar". Nooit.' Hij pakte haar hand. 'Je bent veel méér dan dat. De wereld zit heel anders in elkaar. En ik ben er niet altijd voor je.'

Wees voorbereid. De man was half helderziend, half padvinder en altijd bezig om dreigingen af te weren.

Het was koud in de slaapkamer, maar ze vertikte het om een van Riva's dure kledingstukken aan te trekken. Als ze dat deed, was het haar eigen schuld als mensen straks naar haar keken – naar haar lange, sluike haar en het slanke figuur waar ze zo verschrikkelijk hard haar best voor deed – en verdrietig zeiden: 'Ja, dat was Riva Calder.'

Vroeger, tijdens haar opleiding, was het geweldig geweest om op Riva te lijken. Ze had Riva's legitimatiebewijs geleend om bier te kunnen kopen of domme uitsmijters van plaatselijke clubs te misleiden. Dat was vrij onschuldig geweest, maar nu leek het niet zo aantrekkelijk meer om van identiteit te ruilen.

Karma was meedogenloos.

In het donker zocht ze met haar vingers de vloer af. Haar hand streek over het metaaldraad. Ze veegde haar vingers af aan haar bloes, raapte de schroevendraaier op en zocht met haar vingers naar het groefje van de schroef. Whiskey jankte weer en duwde zijn neus onder haar kin.

'Stil maar, jongen. Als we thuis zijn, krijg je een grote bak water. En een t-bone steak. En Seth.'

Haar stem brak toen ze haar zoons naam uitsprak. Ze draaide aan de schroevendraaier en voelde dat de schroef loskwam. *Yes!* Ze draaide nog een keer en de schroef viel uit de deur. Ze ging op haar knieën zitten en morrelde tot de deurknop loszat.

Nu kwam het moeilijke gedeelte. Ze boog haar draad tot een haak en begon in het binnenwerk van het slot te prutsen. Dat had Ian haar ook geleerd.

'Eindelijk heb ik iets aan zijn verspilde jeugd,' fluisterde ze tegen Whiskey.

Riva had bits opgemerkt dat de seks geweldig zou zijn als ze met Ian trouwde, maar dat ze verder niets aan hem zou hebben. En rijk zou ze ook niet worden.

Met een klik sprong het slot open. Toen ze opstond, was ze zelf verbaasd dat ze de deur kon openmaken.

De deur ging krakend open en kwam uit op de woonkamer, waarin geen licht brandde. Buiten was het donker. In de deuropening bleef ze staan luisteren of ze de mannen hoorde. Het was stil in huis, en het stonk er. Buiten het raam van de woonkamer zag ze overvolle vuilnisbakken en onkruid.

En koplampen.

Ze beschenen de voortuin en er draaide een auto de oprit op.

'O, shit. Whiskey!'

Ze rende door de woonkamer naar de benauwde, smerige keuken. Whiskey schoot langs haar heen en rende langs de keuken naar een gang waaraan de andere slaapkamers lagen. Toen hij een hoek omging, klikten zijn nagels op de parketvloer.

Ze klapte in haar handen. 'Whiskey.'

De keukendeur zat op slot. Buiten bleef de auto op de oprit staan, en ze hoorde de garagedeur omhooggaan.

Ze hoorde dat Whiskey zijn poten op een andere deur zette. Hij blafte en begon als een razende te krabben. Ze floot, schoof de grendel naar achteren en gooide de achterdeur open. Whiskey blafte en kraste met zijn nagels over de slaapkamerdeur alsof hij er dwars doorheen wilde graven.

Ze hoorde iets bonken. Ze verstijfde.

Ze was niet alleen. Er zat nog iemand in dit huis opgesloten.


Vanaf de achterbank van de Tahoe keek Jo naar de garagedeur, die met een monotoon gedreun omhoogging. Ze waren bij een verwaarloosde bungalow in Mountain View, niet ver van San Antonio Road. Het gras was overwoekerd met onkruid. Naast de veranda stonden overvolle vuilnisbakken.

De garagedeur was open. De koplampen van de Tahoe beschenen een stoel, die op het beton onder een kaal peertje stond. Murdock sprong uit de auto en liep op een drafje de garage in om hem weg te halen.

'Leuk optrekje, Riva,' zei Jo. 'Ik wist niet dat je huisjesmelker was.'

Calder keek haar aan met een blik die het midden hield tussen 'hoe weet je dat?' en 'wat ben jij van plan, dame?'. Sarcasme heeft zo zijn nut, dacht Jo.

Vance reed stapvoets de garage in en de deur ging weer langzaam naar beneden. Hij opende zijn portier om uit te stappen.

'Wacht,' zei Calder. 'Ruil van plaats met Beckett. Zij gaat rijden.'

Even leek het erop dat Vance zou protesteren, maar zelfs hij leek te weten dat zijn rijvaardigheid op de Oval erbarmelijk was geweest.

'Bind haar aan het stuur vast,' zei Calder.

Vance opende het achterportier. Jo stapte uit en ging achter het stuur zitten. Haar ribben bonkten en het deed pijn om diep adem te halen.

Calder pakte haar telefoon weer. 'Larry, met Riva Calder. Ja, ik wil de vlucht bevestigen. Het worden drie passagiers.'

Murdock liep naar een kast in de garage en kwam terug met een handvol plastic kabelbinders. Hij leunde de auto in en snoerde Jo's handen vast aan het stuur. Daarna knikte hij naar Vance, en de twee mannen liepen het huis in.

De agent van de SFPD liep naar Stow Lake. De lichtstraal van zijn zaklantaarn scheen naar links en rechts, maar stuitte alleen op mist. De brug bleef uit het zicht.

Opeens hoorde hij ergens in de nevel gespetter. Hij ging harder lopen. Een zwakke kreet krulde zich door de mist. Hij zette het op een drafje en kreeg de stenen van de brug in zicht.

Het gespetter ging door, zwakjes, als een waslapje dat tegen de rand van een badkuip sloeg. Hij rende de brug op en richtte zijn zaklantaarn op het meer.

Hij zag een arm op het water slaan en bescheen een krijtwit gezicht, dat onder water verdween.

'Hou vol,' zei hij. 'Ik kom eraan.'

Misty stond met haar hand op de keukendeur stil. In de hal kermde Whiskey alsof zijn poot in een wolvenklem zat.

Ze had het gevoel dat ze een stroomstoot kreeg. Er was maar één persoon voor wie Whiskey zo door het lint ging.

Ze hoorde de suv de garage in rijden. De motor brulde en de garagedeur ging naar beneden. Whiskey liet een jammerkreet horen.

Ze rende door de gang en ging de hoek om. Whiskey krabde aan een slaapkamerdeur. Ze draaide de sleutel om en gooide de deur wagenwijd open.

'Seth,' zei ze.

Haar zoon lag op de grond, aan handen en voeten geboeid met plastic kabelbinders. Hij had tegen de deur geschopt. Er was een sok in zijn mond gepropt, die met een doek was vastgebonden. Zijn ogen puilden uit zijn hoofd.

De ramen waren dichtgetimmerd. En als Seth niet kon rennen, zaten ze in de val.

Misty holde terug naar de keuken, greep een schaar van het messenrek en rende weer door de gang. Ze hoorde de deur naar de garage met een klap opengaan. Ze ging vlug naar binnen en deed de slaapkamerdeur achter zich dicht.

Whiskey kwispelde, likte Seth in het gezicht en jankte zo hard dat het leek of hij zong. Misty knielde en probeerde de plastic boeien rond Seths voeten door te knippen. De kabelbinders waren dik en onvoorstelbaar hard. Met trillende handen knipte ze ze helemaal door.

'Sta op,' zei ze ademloos.

Seth krabbelde overeind. In de woonkamer klonken mannenstemmen. Er werden sleutels op een tafel gegooid.

Aan de andere kant van het huis zei een man: 'Hé, de deur. Murdock, de deurknop van de kamer waar die vrouw zat is...'

Misty greep Seth vast, rende de kamer uit en dook een slaapkamer aan de andere kant van de gang in. Deze had gordijnen voor het raam, geen planken. Ze propte de schaar in de achterzak van haar ribbroek. Ze klom op het bed, maakte het raam open en sloeg de hor naar buiten.

'Klim naar buiten. Ik geef je wel een zetje,' fluisterde ze.

Door de prop kon Seth niet praten. Hij keek doodsbenauwd,

maar hij knikte naar haar en mompelde iets waarvan ze begreep dat het betekende: 'Jij eerst.'

'Nee. Naar buiten, Seth.'

Hij draaide zich naar het raam en zette zijn vastgebonden handen op de vensterbank. Achter hen vloog de deur open.

Misty draaide zich om. In de deuropening stond Murdock, met een pistool in zijn hand.

'Seth, vlug!' schreeuwde ze.

Maar toen ze Seths gezicht zag, zonk de moed haar in de schoenen. Seth was doodsbang, maar hij stond ook in tweestrijd, omdat hij haar niet wilde achterlaten.

Murdock liet zijn vochtige tandvlees en kleine tandjes zien. 'Seth, blijf hier.'

Vance verscheen hijgend in de deuropening. Hij schoof zijn bandana recht. 'Shit, de voeten van de jongen zijn weer los.'

Heel even voelde Misty een vlaag van paniek, maar toen trok ze langzaam haar bloes over de achterzak van haar ribbroek.

Murdock greep Whiskey bij zijn halsband en richtte de loop van het pistool op zijn kop. Zijn ogen leken op die van een haai, wezenloos en gretig. Zijn mondhoeken gingen omhoog. Het was walgelijk, maar hij glimlachte.

'Je moeder wordt de tweede,' zei hij tegen Seth. 'En je zou er niet mee kunnen leven als jij de dood van je moeder op je geweten had.'

Seth klom van de vensterbank af.

Jo wrikte aan haar plastic handboeien en probeerde ze losser te maken. Het lukte niet. Haar handen zaten in de tien-voor-tweepositie aan het stuur gebonden, alsof ze op het punt stond om les te krijgen aan de Dick Cheney Autorij- en Ondervragingsschool. Naast haar zat Calder, die haar haren achter haar oren veegde en weer een sms'je verstuurde. Haar harde gezicht was gespannen en uitgeput. En ontsierd door een grote blaar.

De deur van het huis ging open. Murdock en Vance kwamen met een vrouw en een jongen van een jaar of veertien naar buiten. Vance schopte naar een grote, harige hond. De hond schrok en liep met gebogen kop en zijn oren in zijn nek om hen heen. Het dier ging meteen tussen de ontvoerders en de jongen in staan.

Wie ontvoerde er nu een jongen én zijn hond?

Seth had een prop in zijn mond en zijn handen waren gebonden met plastic kabelbinders. Hij knipperde, alsof het licht in de garage pijn aan zijn ogen deed. Zijn T-shirt hing losjes over zijn magere schouders, die wel een kleerhanger leken. Hij had koperrood haar en zijn vaders ijzige ogen. Hij keek naar zijn moeder.

Misty Kanan leek als twee druppels water op Riva Calder. Ze was klein en elegant. Haar karamelkleurige haar viel als een gordijn over haar gezicht. Ze zag er uitgeput uit, maar haar grote, donkere ogen keken doodsbang. Ze straalde een bepaalde verbeten vastberadenheid uit en liet haar blik door de garage dwalen. Ze zocht naar een uitgang, een ontsnappingsroute, en ze bleef tussen de ontvoerders en haar zoon lopen.

Murdock duwde haar in de richting van de Tahoe. Ze trok zich vol walging van hem los, alsof hij slijm aan zijn handen had. Daarna zag ze pas dat de SUV haar eigen auto was. Ze zag Calder met haar beurse, verbrande gezicht aan de passagierskant zitten.

Ze werd overspoeld door medeleven en bezorgdheid. 'O nee...'

Misty's blik dwaalde naar Jo. Ze leek elke centimeter van Jo's gezicht op te nemen, alsof ze de trekken voor een latere wraakoefening of compositietekening wilde opslaan. Haar gedachten stonden met neonletters op haar gezicht. *Sterf, kreng.*

Murdock trok Misty naar de achterbank van de Tahoe. Seth botste met opzet tegen hem aan, als een footballspeler in de aanval. Hij probeerde Murdock uit de buurt van zijn moeder te houden. Jo's adem stokte in haar keel. Dappere, roekeloze knul.

Murdock gaf hem een duw. 'Blijf van mijn zoon af,' zei Misty. Ze spuwde de woorden bijna uit.

Dappere, roekeloze vrouw.

De mannen maakten de achterklep van de Tahoe open en duwden de Kanans naar binnen. Vance schopte de hond weg en richtte zijn wapen op hem.

Seth schreeuwde achter zijn monddoek en dook op Vance af.

'Nee, Seth.' Misty krabbelde de auto uit.

Murdock tilde haar op en gooide haar weer in de Tahoe. Hij schudde zijn hoofd en keek naar Vance. 'Niet doen, sukkel. Niet schieten.'

Vance hield zijn wapen zijwaarts, als een personage in een film. Met tegenzin liet hij het zakken, en daarna gaf hij de hond een gemene trap. Jo hoorde zijn schoen tegen de ribben van het beest stampen. De hond jankte en dook weg, waarna hij naar de hoek van de garage strompelde.

'Doe niet zo stom,' zei Murdock. 'Richt dat wapen op Kanans vrouw.'

Met een stuurse blik bleef Vance bij de achterklep staan terwijl Murdock doeken en kabelbinders uit de kast in de garage haalde.

Misty draaide zich om naar Calder. 'Riva, gaat het? Mijn hemel, wat is er toch allemaal aan de hand? Hoe hebben ze jou...' Haar blik dwaalde af naar Jo. Ze zag de plastic kabelbinders waarmee Jo's handen aan het stuur waren gebonden. 'Wat... Riva, wat is er...'

'Hou je mond, Misty.'

Het was alsof Misty's ogen een elektrische schok kregen. Murdock kwam aanlopen met de kabelbinders en doeken, greep haar beet, bond een doek voor haar mond en snoerde haar handen aan elkaar. Daarna gooide hij de klep dicht.

De mannen gingen achterin zitten. Vance richtte zijn wapen op de Kanans. Calder boog zich over Jo heen en drukte op de knop van de centrale vergrendeling, zodat de deuren en de klep niet van binnenuit geopend konden worden. Ze drukte op de afstandsbediening en de garagedeur ging met een zeurend geluid omhoog. Ze zette de auto in zijn achteruit.

'Rijden,' zei ze.

Jo reed achteruit de oprit af en de straat op. Ze keek naar de klok op het dashboard. Het was tien uur.

'Waar gaan we naartoe?' wilde ze weten.

Calder pakte haar telefoon weer en zette de suv in de goede versnelling. 'Luchthaven San Jose.'

# 35

Ian Kanan ging rechtsaf en liet zijn blik over de straat dwalen.

Hij was in een woonwijk en het was helemaal donker. Op de verkeersborden stonden Engelse woorden. Zijn hart bonkte.

Had hij zojuist iemand afgeschud? Hij keek achter zich op de weg. Hij werd niet gevolgd. Achtervolgde hij iemand anders? Hij keek voor zich. Niemand reed met hoge snelheid van hem weg.

Aan de achteruitkijkspiegel hing een rozenkrans. Op het dashboard stond een plastic knikkebollende Jezus, die een zonnebril droeg en een voetbal vasthield. Wiens auto was dit?

Hij trok de zonneklep omlaag en vond de papieren. *Nikita Chroesjtsjov Diaz.*

De ontdekking gaf hem weer zelfvertrouwen. Nico dekte hem in de rug. Als hij in de pick-up van Diaz reed, betekende dat dat hij vooruitgang had geboekt. Maar Diaz was nergens te bekennen, en Misty en Seth ook niet.

Briefjes op het dashboard. *slim zit in de rugzak. hou je horloge in de gaten.*

Hij keek op zijn horloge. Het was tien uur.

De buitenste rand was naar een paar minuten over tien gedraaid. Waarom?

Hij ritste zijn rugzak open en zag de adapter liggen. Hij keek de

320

auto rond. Achter de stoelen lag een heel wapenarsenaal. God zegene Nikita Chroesjtsjov en alle knikkebollende messiassen.

Hij schrok toen er in zijn broekzak iets begon te trillen. Zijn telefoon was geactiveerd.

Dat betekende dat hij op een of andere manier aan het aftellen was. De buitenste rand van het horloge kon betekenen dat hij een afspraak had.

Hij haalde de telefoon verwachtingsvol uit zijn zak, maar het volgende moment zag hij het scherm. 'Shit.'

*Riva Calder.*

Dat was wel de laatste met wie hij wilde praten. Het was al lastig genoeg om op zijn werk met haar te maken te hebben. Tijdens een crisis, en dan ook nog eens een crisis die hij niet begreep – hij moest er niet aan denken.

De telefoon begon weer te trillen. Hij aarzelde.

Waarom belde ze hem zo laat op de avond? Zelfs Riva belde hem nooit om tien uur 's avonds. Daar was ze te slim voor. Ze kon de krankzinnige lust die ze voor hem voelde niet verbergen, maar ze wist dat ze haar eigen glazen ingooide als ze hem vrijdagavond laat belde.

Toch deed ze het. Hij begreep er niets van, maar hij begreep ook niets van Riva. Ze was een succesvolle, intelligente, gedreven vrouw, maar haar gevoelens voor hem leken wel een abces, een diepe, vuile wond. Een litteken waaraan ze graag pulkte, alsof ze hechtingen verwijderde voordat de wond genezen was. Ze bofte dat Misty haar niet jaren geleden de hersens had ingeslagen. Maar Riva belde hem na werktijd nooit op zijn mobieltje. Ze wist dat hij niet zou opnemen.

Tenzij er iets mis was. Hij nam op. 'Riva?'

'Ian, goddank. Ik probeer je al uren te bereiken.'

Haar stem klonk gejaagd, alsof ze had hardgelopen. 'Er is bij jou thuis ingebroken. Misty en Seth worden vermist.'

Er zweefde heel even een gedachte door zijn brein, dun als rook. Er was een vrouw bij de ontvoering betrokken... Het was slechts de schaduw van iets wat was weggegraaid en gestolen. Het volgende moment kringelde de gedachte weer weg.

'Ik weet het. Ik ga ze terughalen,' zei hij.

'Ian, o jezus – de tijd begint te dringen.'

'Wat bedoel je?'

'De ontvoerders konden je niet bereiken. Had je je telefoon uitgezet?'

'Wie hebben ze gebeld?' vroeg hij.

'Chira-Sayf. Ze probeerden Alec te pakken te krijgen, en toen dat niet lukte, gaven ze een idioot bericht door aan de telefoniste. De beveiliging belde mij.'

Hij ging rechtop zitten. 'Wat was de boodschap?'

'Dat je om kwart over tien naar een bepaalde plaats moest komen.'

'Waar?'

'San Jose. Coleman Avenue, ten westen van de luchthaven en achthonderd meter ten noorden van de 880.'

'Hebben ze iets gezegd over mijn gezin?'

'"De Kanans komen thuis van hun reis. Haal hen daar op en neem de bagage mee." Ian, bedoelen ze daar losgeld mee?'

'Wacht.' Hij pakte een viltstift. Op de rug van zijn linkerhand schreef hij met grote letters: *22.15 uur. sjc. Gaan!* Hij liet de stift in de middenconsole vallen. 'Ik ben onderweg.'

'Ian, wat is...'

Hij verbrak de verbinding, liet de telefoon op de stoel naast zich vallen en toetste *Coleman Avenue* in op het navigatiesysteem. Een aangename vrouwenstem vulde de auto en klonk of ze alle tijd van de wereld had.

'Ga over honderd meter rechtsaf.'

Er verscheen een route op het scherm, een pijl die hem naar zijn gezin leidde. Hij trapte het gaspedaal verder in.

Jo zat achter het stuur van de Tahoe, die in San Jose met draaiende motor op een lege parkeerplaats van een kantoor vlak bij de 101 stond. Door de voorruit zag ze Calder een gesprek beëindigen. Calder rende over de parkeerplaats naar de auto en stapte vlug in.

Ze zette de suv voor Jo in de goede versnelling. 'Rijden.'

Calder had rode wangen, haar pupillen waren vergroot. Ze zag eruit alsof ze een of ander verslavend middel had genomen. Te oordelen naar de manier waarop ze het gesprek had gevoerd en over de dolfijnen aan haar ketting had gewreven, dacht Jo dat ze het verslavende middel Ian Kanan aan de lijn had gehad.

Jo draaide weer de snelweg op en reed door San Jose in zuidelijke richting. Ze kon niet claxonneren en kon niet het raam omlaag doen om naar andere automobilisten te schreeuwen. Ze kon de snelheidslimiet overtreden of met de Tahoe ergens tegenaan rijden, maar ze wist dat Murdock een van hen in het gezicht zou schieten als ze van haar koers afweek. Ze bleef op haar rijbaan en hield zich aan de snelheidslimiet. Onder de gele gloed van de straatlantaarns reed ze naar de luchthaven van San Jose. Achter in de auto gaven Misty en Seth geen kik, omdat ze nog altijd door Vance onder schot werden gehouden.

Twee minuten later zag Jo de luchthaven. De omheining was praktisch tegen de snelweg aan gebouwd, en aan de andere kant van het hek lag het uiteinde van een start- of landingsbaan. Ondanks alles durfde ze weer wat optimistischer te zijn. Het feit dat Riva naar de luchthaven ging, betekende dat ze wilde vluchten. En een luchthaven was de domste plaats die Jo kon bedenken om gijzelaars te doden.

'Neem de afslag,' zei Murdock.

Met haar handen aan het stuur kon ze geen richting aangeven. Calder zette het knipperlicht aan.

Met bonkend hart reed ze de snelweg af. In de verte zag ze de terminals van de luchthaven, de verkeerstoren en een vliegtuig dat over een startbaan reed. Ze maakte zich klaar om rechts af te slaan.

'Ga linksaf,' zei Calder.

Abrupt keek Jo naar haar opzij. 'Wat? Waar gaan we naartoe?'

'Rijden.'

In plaats van naar de terminals reden ze in zuidelijke richting over Airport Boulevard, langs de hekken aan de zuidelijke kant van de start- en landingsbanen. Ze passeerden zoemende zendmasten. Aan haar rechterhand bood het gaas af en toe een blik op het tarmac. De banen waren zwarte sneeën die door kerstboomachtige verlichting werden beschenen. Jo reed langs een lange, glanzende *blast fence*, een bescherming tegen de krachtige uitstoot van de vliegtuigen. Er vloog krijsend een 737 over, die met felle lichten en gillende motoren landde.

In de verte, aan de andere kant van het vliegveld, waren de terminals van de privéluchtvaart helder verlicht. Een rij bedrijfstoestellen en chartertoestellen stond onder de felle lichten van de hangars te glanzen.

Riva belde iemand. 'We zijn er over tien minuten. Zorg dat je klaarstaat om te vertrekken.'

Dit was geen goed nieuws. Sterker nog, dit was heel slecht nieuws.

Kanan ging langzamer rijden en nam de uitrit van de snelweg. Hij bestudeerde de weg die voor hem lag en draaide Coleman Avenue op, ten westen van de luchthaven. Mineta San Jose International Airport – 'International' betekende dat hier niet alleen op het Midden-Westen en de oostkust van de Verenigde Staten werd gevlogen, maar ook op Mexico, Zuid-Amerika en Canada.

Hij kon over het hek van het vliegveld heen kijken en zag de start- en landingsbanen. Bij de commerciële terminals stonden rijen vliegtuigen, die aan slurven en brandstofslangen vastzaten als biggetjes aan de tepels van een zeug. Het vliegveld was een donkere vlakte tussen de luchtvaartmaatschappijen aan de oostkant van de luchthaven en de privéterminals aan de westkant. De lichten van de start-, landings- en taxibanen waren fel. Rood, geel, groen. Hij zag ze kristalhelder, zo scherp dat hij dacht dat hij hun exacte frequentie op het elektromagnetische spectrum zou kunnen aanwijzen.

Dat ding in zijn hoofd, dat ding dat herinneringen vrat, was iets bizars. Het maaide het grootste gedeelte van zijn wereld weg, raapte zijn ervaringen als een combine bij elkaar en vergaarde alle informatie voordat hij die als herinnering kon opslaan. Het ging echter niet alleen om zijn geheugen. Er werden niet alleen herinneringen verzameld. In zijn hoofd was ook iets aangewakkerd. Als hij langzamer ademde en zich concentreerde, voelde hij dat er in zijn hoofd nieuwe verbindingen waren gelegd. Het was alsof zijn brein op vol vermogen werkte.

Dat kon hij gebruiken om zijn gezin terug te krijgen.

De stem van het navigatiesysteem sprak hem uiterst vriendelijk aan. 'U hebt uw bestemming bereikt.'

Ze wist nog niet de helft.

'Blijf langzaam rijden,' zei Calder.

Het was kwart over tien. Op vrijdagavond was het op dit tijdstip rustig op Coleman Avenue. Het was een doorgaande weg, maar de kantoorgebouwen en magazijnen langs de weg waren donker, kil en leeg. Ten westen van hen lagen spoorbanen, en daarachter lag Santa Clara University. Alle activiteit bevond zich ten oosten van hen, op de luchthaven, achter een industriegebied en bedrijven die met de luchtvaart te maken hadden.

'Ga rechtsaf,' zei Calder.

Jo reed een zijstraat van Coleman in en reed tussen kantoorgebouwen door in de richting van de luchthaven. De kantoren, allemaal gebouwd in het alomtegenwoordige witte beton en blauwe glas van Silicon Valley, waren gesloten voor het weekend. De weg liep tachtig meter in oostelijke richting, maakte een bocht naar links en liep van noord naar zuid tussen Coleman en de start- en landingsbanen. De weg was volkomen verlaten. Jo passeerde nog meer zoemende zend- en radarmasten en de ingang naar de verkeerstoren van de luchthaven.

'Langzamer rijden,' zei Calder.

Jo ging stapvoets rijden. Op een hoek hief Calder haar hand op. 'Stop. Zet de auto aan de kant.'

Jo reed naar het trottoir. Op het grasveld van een kantoorcomplex stonden eucalyptusbomen en naaldbomen in de kille avondlucht. Links van zich kon ze door de dwarsstraat Coleman zien liggen. Ze zag straatlantaarns en ze zag af en toe een auto passeren.

Rechts van haar versmalde de dwarsstraat tot een oprit, die na zeventig meter uitkwam op een hek met een slagboom. Daarachter lagen de terminals van de privéluchtvaart.

Er stond geen bewaker bij het hek. Jo zag alleen maar een automaat die pasjes kon lezen en een multiplex plaat die zwart en wit was geschilderd. Ze herinnerde zichzelf er maar weer eens aan dat luchthavenbeveiliging een spelletje was. Het werd gespeeld om passagiers tevreden te houden en om beveiligingsbeambten aan het werk te houden en hun enorme machtswellust te voeden.

Boven hen schenen de felle lichten van een passagiersvliegtuig en klonk het gejank van turbines. Een toestel verscheen met flikkerende lampen boven de landingsbaan en raakte met zijn wielen de grond. Terwijl het in een streep aan hen voorbijraasde, hoorden ze de straalomkeerders brullen.

Op het platform stonden schots en scheef witte privétoestellen geparkeerd. Staart naar voren, staart naar achteren, schuin – ze leken wel meeuwen die in een zwerm hadden rondgecirkeld en lukraak waren geland. De meeste zaten dicht en waren onverlicht, maar voor één toestel zat de dienst er nog niet op. Het was groot, met een t-staart en twee motoren aan de achterkant. De deur stond open en de trap was uitgeklapt. In het vliegtuig brandde licht. Jo zag een man tussen de stoelen door lopen, de deur passeren en de cockpit binnengaan.

Ze vroeg zich af of de bemanning die vanochtend met Alec Shepard vanuit Montreal was geland het vliegtuig van Chira-Sayf nu op zijn avondvlucht voorbereidde.

Riva was van plan om Ian Kanans slim-monster in ontvangst te nemen en in het vliegtuig te stappen. En de enige manier waarop ze slim kon krijgen, was als ze Kanan liet zien dat zijn vrouw en zoon nog leefden. Jo klemde zich aan die gedachte vast.

Maar waarom moest de uitwisseling hier plaatsvinden, in plaats van in de Valley Fair Mall, die ze tien minuten eerder op de snelweg waren gepasseerd? Was Riva van plan om Jo en de Kanans mee aan boord te nemen en naar een plaats te brengen waar ze nooit meer zouden worden gezien – de Stille Oceaan, bijvoorbeeld?

Dat kon niet. De piloot zou er nooit aan meewerken. Het was een krankzinnig idee.

Maar ja, Riva Calders hele plan van aanpak leek krankzinnig te zijn.

'Licht uit,' zei Calder.

Jo keek naar haar. 'Hoe?'

Geërgerd boog Calder zich opzij om de koplampen van de Tahoe uit te zetten. Jo's handen werden gevoelloos van de plastic kabelbinders, en ze zag de piloten in het privétoestel van Chira-Sayf rondlopen.

Calder verschoof op haar stoel en leek nieuwe energie te krijgen. Ze leunde een stukje naar voren en keek langs Jo door het raam aan de bestuurderskant naar Coleman Avenue.

Aan de kant van die weg stond een pick-up met fel brandend licht.

'Daar heb je Ian,' zei Calder.

Ze maakte het portier open en stapte uit. Daarna leunde ze weer naar binnen en keek naar de achterbank. 'Ik bel jullie wel met instructies.'

Murdock boog zich naar voren. 'Geef me je toegangspasje voor het vliegveld.'

'Ik geef het je wel als ik terugkom.'

Ze gooide het portier dicht en stak op een drafje de straat over. Terwijl ze in de schaduwen bleef lopen, ging ze op de pick-up in de verte af.

'Wat moet ik nu doen?' vroeg Jo.

Murdock verschoof op zijn stoel en zuchtte. 'Wachten.'

Kanan liet de motor lopen en keek de straat rond. Er was maar weinig verkeer op Coleman Avenue. Driehonderdvijfentachtig meter ten oosten van hem taxiede een 757 van American Airlines naar de startbaan. Tweehonderdvijfenveertig meter ten noorden van hem stonden twee lege, verlaten auto's op een parkeerterrein van een bedrijf.

Hij schrok toen er iemand op het raam aan de passagierskant tikte.

Hij draaide zich om en voelde woede opborrelen. Daarna verwarring. 'Riva?'

Hij haalde de deur van het slot en Riva stapte in.

'Wat is er met jou gebeurd?' vroeg hij.

Ze raakte de rode brandblaar op haar voorhoofd aan. 'Ongeluk.'

Ze ademde snel en haar pupillen waren vergroot. Ze kwam te dicht bij hem en legde haar hand op zijn arm.

'Het moment van de waarheid.' Haar hand was gloeiend heet. 'Ik ben bang.'

'De waarheid?'

Er gleed een verwarde blik over haar gezicht. 'Ja... Ian, ik heb je gebeld. Wat...'

'De ruil?'

'Ja, natuurlijk. Ik weet niet...'

'Wat zeiden de ontvoerders? Zeg het maar gewoon. Als we Misty en Seth terug hebben, zal ik alles uitleggen.'

'Ik weet niet... Ian, toe...'

Hij trok zijn arm los. 'Ik denk dat het tijd is. Wat moet ik doen?'

Ze legde haar hand op haar schoot, maar bleef hem aankijken alsof hij een verslavend middel was, een dosis cocaïne waarnaar ze hunkerde.

Er verscheen een gekwetste blik in haar ogen, maar ze leek zich te vermannen. Ze pakte haar telefoon. 'We zeggen dat we er zijn.'

Jo was zo gespannen als de veer van een uurwerk. De kabelbinders sneden in haar polsen en de motor van de stilstaande suv gromde als een chagrijnige beer.

Murdocks telefoon ging. Hij hield hem tegen zijn oor, luisterde en zei: 'Begrepen.'

Hij klom over de middenconsole, liet zijn worstlijf op de passagiersstoel glijden en wees vooruit. 'Rij naar de volgende dwarsstraat en sla daar af naar Coleman.' Hij zette de auto in de versnelling. 'Langzaam en rustig, wijffie.'

Langzaam reed ze door de zijstraat.

Ze had ooit een variant op een bestaand spreekwoord bedacht: 'Edel, arm en rijk maakt de chaos gelijk.' Chaos drong zonder plan of doel mensenlevens binnen en sneed als een zeis door de dromen en plannen van iedereen die hij aanraakte. Jarenlang had ze zichzelf wijsgemaakt dat ze deze waarheid moest accepteren. Nu ze in een chaos was beland, vertikte ze het om zich erbij neer te leggen.

Ze wist dat ze de chaos niet in toom kon houden, maar ze kon wel proberen haar lot en dat van de familie Kanan in eigen hand te houden. Ze kon haar best doen om hen allemaal te redden.

Ze keek in haar achteruitkijkspiegel en zag Misty's ogen doodsbang naar haar staren. Maar ook vastberaden.

Het rode digitale klokje op het dashboard gaf aan dat het zeventien minuten over tien was. Ze reed naar de eerstvolgende dwarsstraat, sloeg links af, stak nog een donker bedrijventerrein over en sloeg weer links af op de brede Coleman Avenue.

'Hier stoppen,' zei Murdock.

Ze parkeerde de auto aan de kant van de weg, met de neus naar het zuiden. 'Het spul dat Kanan met jullie ruilt is uiterst explosief. Iedereen zou er met een boog omheen moeten lopen. Vooral in de buurt van een luchthaven.'

'Kop dicht,' zei Murdock.

'En als haar verhaal nu eens klopt?' vroeg Vance.

'Ik zei, kop dicht. Jullie allemaal.' Murdock ging rechtop zitten en staarde door de voorruit. 'Daar gaan we.'

Een paar honderd meter verderop stond de pick-up aan de andere kant van de weg. De koplampen brandden en de motor liep stationair.


Kanan keek door de voorruit uit over Coleman Avenue. Vanuit een zijstraat was een suv zijn kant op gereden, die aan de andere kant van de weg bij het trottoir was gaan staan. Het leek wel of het een auto van Chira-Sayf was, een van die stoere auto's die zijn broer zo prettig en goed vond.

Hij dwong zijn ogen om zich te focussen. Hij dwong zijn brein om zich te concentreren. Hij dwong zijn hart om kalmer te slaan.

Het was een blauwe Chevy Tahoe. Misty's Chevy Tahoe. Met zijn gezin erin.

*Hou die gedachte vast*, zei hij tegen zichzelf. Nog maar een paar seconden. Hij kon hen bijna aanraken, kon Misty bijna in zijn armen voelen, kon Seth zijn naam horen roepen. Ze waren echt, ze waren hier, ze kwamen naar huis. *Hou die gedachte vast.*

Riva rommelde in zijn rugzak. 'Waar is het spul?'

'In de adapter van de computer.'

Ze pakte de adapter, woog hem op haar hand. Daarna glimlachte ze. Een vreugdevolle glimlach. Als een overwinning.

'Ian,' zei ze.

Hij keek naar haar.

'Wat zeiden de ontvoerders voordat je naar Afrika ging?' vroeg ze.

'Dat ik tot zaterdag de tijd had om het SLIM-monster voor hen te halen, omdat mijn gezin het anders niet zou overleven.'

'Weet je wat voor een dag het is?' vroeg ze.

Hij dacht na, maar er wilde hem niets te binnen schieten. 'Nee.'

Ze boog zich een paar centimeter naar hem toe. 'Zondag.'

'Wat?'

Ze haalde een dikke zwarte stift uit haar zak en trok de dop eraf.

Zijn hartslag vloog omhoog. 'Wat? Als het zondag is en ik SLIM nog niet heb overgedragen...'

Ze pakte zijn arm en stroopte de mouw op. Er waren woorden op zijn onderarm geschreven.

Jezus. Zijn hart roffelde in zijn borstkas. Riva duwde de stift op zijn huid en begon te schrijven.

De dreun vulde zijn hoofd als water dat met donderend geraas van een waterval viel. Die woorden... Het kon niet... Nee...

Hij trok de stift uit Riva's hand en rukte zijn arm los. Hij keek weer naar de Tahoe die verderop stond. Daar zat zijn gezin in. *Hou die gedachte vast.*

Het klopte niet, Riva vergiste zich, dit klopte niet.

Er stoof een gepimpte Honda voorbij, banden met een laag profiel, glimmende velgen, dreunende hiphopmuziek uit de speakers. De geur van de inkt was scherp en indringend en maakte zijn hoofd weer helder.

Hij zat achter het stuur van een pick-up. Hij had een stift in zijn hand. Er waren woorden op zijn huid geschreven.

'Ian,' zei iemand.

Hij draaide zijn hoofd. Op de stoel naast het stuur van Nico Diaz' verfraaide pick-up zat Riva Calder.

'Ik vind het zo erg voor je,' zei ze.

Hij keek naar zijn arm. Zijn wereld stortte in.

*Zaterdag zijn ze doodgegaan.*

# 36

Jo keek door de voorruit. Haar hart bonsde.

Aan de andere kant van Coleman Avenue stond de pick-up nog steeds met draaiende motor en felle koplampen bij de stoeprand. Murdock verbrak de verbinding.

'Riva is er klaar voor. Hou vol. Als dit achter de rug is, kan iedereen naar huis. Vijf minuten.'

Maar de andere auto bleef staan. Jo's maag verkrampte nog heviger.

*Riva is er klaar voor.* Dat betekende dat Kanan SLIM bij zich moest hebben.

Jo probeerde de puzzelstukjes op hun plaats te leggen. Kanan wist niet dat Calder overal achter zat. Tot vanavond was ze erin geslaagd om op de achtergrond te blijven. Als hij bereid was om in de pick-up met haar te blijven praten, dacht hij waarschijnlijk dat ze een onschuldige collega was die hem uit een wanhopige situatie probeerde te redden.

Calder wist dat haar plan praktisch in duigen lag. Tenzij ze dat ontkende of ontzettend dom was, zou ze begrijpen dat ze nog maar één optie had: vluchten. En ze was niet dom. Ze was meedogenloos. Ze was van plan om op de vlucht te slaan. En ze zou niet weggaan zonder SLIM.

Natuurlijk zou ze willen voorkomen dat ze na haar ontsnapping werd ingehaald door het verleden. Haar medeplichtigen, Murdock en Vance, waren niet bepaald de ideale medeplichtigen. Jo had de indruk dat ze laf en opportunistisch waren. Ze kon zich niet voorstellen dat ze hun mond zouden houden en voor Riva Calder de gevangenis in zouden gaan. Als de politie hen pakte, zouden ze in ruil voor een lagere straf beslist doorslaan.

Dat moest Riva beseffen. Wat wilde ze daaraan doen?

'O god,' zei ze.

Calder was van plan om in het privévliegtuig van Chira-Sayf te stappen en de vrijheid tegemoet te vliegen. Ze wilde maar twee dingen meenemen. Niet de wandelende worst en zijn vriendje, die door hun mond ademden en bij Jo in de Tahoe zaten. Ze wilde SLIM en Ian Kanan.

In de pick-up die verderop stond, had Calder precies wat ze wilde.

Haar vliegende vluchttapijt was volgetankt en stond aan de andere kant van het hek op het vliegveld op haar te wachten. Met een misselijkmakende helderheid herinnerde Jo zich wat Riva tegen Murdock had gezegd over het pasje: *Ik geef het je wel als ik terugkom.*

Ze was niet van plan om terug te komen. Ze was van plan om de benen te nemen en haar partners hun deel van de buit af te pakken.

'Murdock, dit ziet er niet goed uit,' zei Jo. 'Ik kan geen enkele reden bedenken waarom Riva daar in de pick-up moet blijven zitten. Er klopt iets niet.'

'Je hebt mijn avond verpest, dat klopt er niet.'

'Ze gaat ervandoor, en ze wil geen getuigen achterlaten.' Omdat ze een voorsprong wil hebben. Omdat ze een hekel aan Misty heeft. 'Zet de auto in de versnelling. Ik wil weg kunnen rijden.'

'Doe niet zo achterlijk.'

Jo keek opzij naar hem. 'Murdock, ze is van plan jullie op te lichten.'

In de donkere pick-up staarde Kanan naar Riva. 'Ze zijn niet dood.'

Riva ademde zwaar. Haar ogen waren opengesperd. 'Ian, toe. Ik vind het vreselijk om het je nogmaals te moeten vertellen.'

'Nogmaals? Waar heb je het in godsnaam over?'

'Ik vind dit vreselijk. Het strooit elke keer weer zout in de wonde.'

'Wat bedoel je, elke keer?' Hoe vaak had ze hem dit verteld? *Nee.* Het kon gewoon niet.

Ze legde haar hand op de zijne. 'Lieverd, ze zijn dood.'

*Lieverd?*

Haar handpalm rustte op zijn huid en leek wel te bonzen van de hitte. Ze gaf hem een kneepje in zijn hand en likte over haar lippen, alsof ze droog waren.

'Luister goed,' zei ze. 'Ik weet dat het een klap is, maar je moet je hoofd erbij houden. We hebben maar een paar minuten.'

'Waar heb je het verdomme over, Riva?'

'Het komt allemaal goed.'

'Om de dooie dood niet.' Achter die grote reeënogen leek ze wel... koortsachtig. Behoeftig en... steels, alsof ze een risico nam.

'Schatje, je moet er nu niet over piekeren,' zei ze. 'Luister naar me. We moeten deze kans grijpen. We krijgen hem maar één keer.'

Hij trok zijn hand onder de hare vandaan. 'Ik ben je schatje niet. Ben je... Jezus, Riva. Néé. Waar ben je in vredesnaam mee bezig?'

'Ian.' Haar hand ging omhoog, alsof ze hem wilde aanraken.

Hij deinsde achteruit. 'Waar is mijn vrouw? Waar is mijn zoon?'

'Dat heb ik je al verteld. Ze zijn dood.'

'En nu heb ik zeker een relatie met jou? Dat had je gedroomd!'

Haar stem werd scherper. 'Hou op. We hebben geen tijd voor onzin.'

Opeens leek ze zich te herinneren wie ze tegenover zich had, en haar stem werd zachter. Toen ze haar hand uitstak om zijn schouder aan te raken, glinsterde haar ring in het licht. Hij greep haar hand beet.

'Waarom draag jij Misty's trouwring?' Hij keek naar haar hals. Ze droeg de ketting met de dolfijnen. 'Die heb ik aan haar gegeven. Geef hier.'

Zijn angst, paniek en verwarring leken als een sisklank om hem heen te hangen.

'Wat is er aan de hand? En zeg alsjeblieft niet dat ik het bed met je deel. Mijn geheugen is aan gort, maar ik weet wel dat ik niet met je naar bed ga. Geen sprake van. Dus hou op met dit klotespelletje en vertel me waar mijn gezin is.'

Langzaam trok Riva haar hand terug. Tegen de tijd dat ze hem op haar schoot had gelegd, had ze hem tot een vuist gebald. Even trilden haar lippen. Daarna slikte ze. Ze pakte de ketting beet en trok hem kapot. Ze wrikte de ring van haar vinger. In haar samengebalde vuist stak ze de sieraden naar hem uit. Ze tilde haar kin in de lucht en siste tussen haar tanden door: 'Ze zijn dood.' Ze keek door de voorruit naar buiten. 'En de moordenaars zitten daar in jouw Tahoe.'

Murdock keek nors naar Jo. 'Maak dat je grootje wijs. Riva haalt het spul op bij Kanan.'

Jo probeerde rustig te blijven ademhalen, maar haar hart ging als een razende tekeer. Het rode klokje op het dashboard stond op zes minuten voor halfelf.

'Riva zit al meer dan vijf minuten bij Kanan in de auto,' zei ze. 'Nou en?'

'Om de vijf minuten wordt Kanans geheugen schoongeveegd. Geloof me, ze misleidt jullie. Deze situatie klopt niet.'

Murdocks mobieltje ging over. Geërgerd nam hij op.

'Wat?' Hij fronste, maakte een zuigend geluid achter zijn tanden en staarde door de voorruit naar de pick-up. Hij haalde zijn schouders op. 'Mij best.'

Hij verbrak de verbinding en keek naar Vance. 'Hou ze in de gaten.'

Murdock legde zijn telefoon op het dashboard en stapte uit de Tahoe. Hij zette een stap opzij, stak zijn hand op en zwaaide.

Riva liet Misty's ketting en trouwring op Kanans handpalm vallen. Het goud voelde warm aan, aangetast. Het was alsof hij Riva door een dikke muur aan de telefoon hoorde praten. Hij keek naar haar gezicht.

Ze was afgetuigd. Haar lip was gescheurd, haar gezicht was opgezet en ze had een rode brandplek met blaren aan de zijkant van haar voorhoofd, die wel een afdruk van een strijkijzer leek. Ze stopte de telefoon weg en trilde van woede en verdriet.

'Wat is er met jou gebeurd?' vroeg hij.

'Ik ben aan de ontvoerders ontsnapt. Seth en Misty niet. De politie heeft hun lichamen gevonden,' zei ze. 'Ze waren doodgeslagen. Misty was verkracht.'

De pick-up en zijn gezichtsveld werden wit.

'Toen de politie de schuilplaats ontdekte, waren Misty en Seth al dood,' zei ze. 'Maar de ontvoerders weten niet dat ze ontdekt zijn. Ze denken nog steeds dat ze SLIM van je krijgen.'

'Het is niet waar,' zei hij, maar zonder dat hij het wilde, welde er een luide jammerkreet in hem op die naar buiten kwam. Hij greep zijn hoofd beet en viel tegen het raam.

Hij kon niet ademhalen. Hij kon niets zien.

'Ian,' zei ze.

Hij kon zijn ogen niet open krijgen. Met haar zachte, gloeiende vingers greep ze zijn nek beet.

'Ian, daar heb je hem.'

Ze zette het groot licht aan. Hij dwong zichzelf op te kijken. Verderop stond een man naast de Tahoe. Portier open, vol in het zicht. Hij stak zijn arm op om te zwaaien.

'Twee ontvoerders,' zei Riva. 'Een man en een vrouw. Je dacht al die tijd dat er een vrouw bij betrokken was, en je had gelijk.'

Hij balde zijn vuist rond Misty's ring en ketting.

'Ian.' Riva zag eruit alsof ze op instorten stond – alsof ze meer had moeten verdragen dan ze aankon. 'Ik sta aan jouw kant. Wat je ook doet. Hoe ver je ook moet gaan. Maar we moeten het nú doen.'

Het geweer lag achter de stoelen.

'Kom achter het stuur zitten,' zei hij.

# 37

Vanuit haar ooghoek hield Jo Murdock in de gaten. Hij stond naast de Tahoe naar Calder te zwaaien.

Het licht van de pick-up boorde zich een weg door de straat. Achter de muur van wit licht dacht ze dat ze een gestalte door het schuifdak van de pick-up omhoog zag komen.

'O, shit...'

Murdock sloeg naar achteren alsof hij door een sloopbal tegen zijn borst was geslagen. Het geluid klonk als een scherpe knal. Murdock viel languit op de grond en een donkere, natte vlek verspreidde zich over zijn borst.

Aorta, of recht een van de hartkamers in.

'Jezus.' Jo dook in elkaar.

Het volgende geluid klonk als een knikker die de voorruit met de snelheid van het geluid raakte. In het glas was een klein, keurig gaatje geboord.

'Wat is er verdomme aan de hand?' Vance probeerde het achterportier te openen, maar het kinderslot zat erop. 'Murdock, wat...'

*Krak*, een volgende kogel doorboorde de voorruit en raakte de lege stoel naast de bestuurder. Piepkleine stukjes glas en bekleding vlogen door de auto.

'Ze beschieten ons. Vance, zet de auto in de versnelling,' gilde Jo.

In paniek liet hij zijn mond openzakken. 'Wat?'

'Ze schieten. In de versnelling. *Vlug*.'

Over de brede laan stoof de pick-up op hen af. De afstand tussen hen werd steeds kleiner, en er ketste weer een kogel van de Tahoe af. Vance kromp ineen. Zijn gezicht werd krijtwit in het felle schijnsel van de snel naderende koplampen.

'Vance!'

Jammerend prutste hij aan de versnellingspook. 'Schiet op!' gilde Jo.

Hij ramde de pook in zijn achteruit en dook achter de voorstoelen op de bodem van de auto.

Jo gaf plankgas.

*Krak*. Een kogelgat verpulverde de voorruit. Vance jammerde. In de achteruitkijkspiegel zag Jo dat Misty haar handen onder haar achterwerk door werkte en de prop uit haar mond trok.

'Schiet Riva op ons?' riep ze.

*Nee, je echtgenoot*. Jo maakte zich zo klein mogelijk. Ze had snelheid nodig, snelheid om de afstand tussen haar en de schutter groter te maken, en dat zou haar in de achteruit nooit lukken.

Ze trapte op de rem. 'Zet hem in de goede versnelling. Ik wil vooruit.'

Met piepende banden kwam de auto tot stilstand. De arm van Vance zocht maaiend naar de versnellingspook. Hij vond hem en de auto werd met een schok in zijn vooruit gezet.

Jo stuurde recht op de koplampen af. Plankgas naar het vuur. Ze dook diep in elkaar en hoorde een smeekbede diep in haar keel, die voornamelijk bestond uit angst en een of ander raar gebed. *Ga aan de kant, klootzak*.

'Wat doe je?' vroeg Misty.

Nog tweehonderd meter. Honderdvijftig. Honderd.

Boven haar hoofd versplinterde het schuifdak van de Tahoe. De glasscherven vlogen door de auto. Ze hield haar stuur recht.

Een airbag zou haar onderlichaam niet beschermen. Ze had een geldig donorcodicil bij zich.

'Wijk uit!' krijste Vance.

Vijftig meter. Ze zou niet wijken. Het grote licht scheen recht in haar gezicht.

De pick-up week uit.

*Bam*, een harde klap dreunde door de Tahoe. De pick-up had de zijspiegel van de Tahoe er afgerukt. In de achteruitkijkspiegel zag Jo de pick-up afbuigen, oversturen en over het trottoir het grasveld van een kantoorgebouw op stuiteren. Achter in de Tahoe zag ze Misty voorovergebogen bij Seth zitten om op een of andere manier de plastic kabelbinders van zijn polsen te krijgen.

De remlichten van de pick-up lichtten op. De auto slingerde, stuwde graspollen omhoog en maakte een cirkel op het gras. Jo zag de donkere gedaante van een man die op de passagiersstoel van de auto stond en zich tegen het schuifdak schrap zette. Hij moest een verdomd zwaar geweer hebben. Ze bleef het gaspedaal helemaal indrukken.

'Wat is er aan de hand?' riep Misty.

'Fuck, o fuck, o fuck, o fuck,' kreunde Vance. 'Wat gebeurt er?'

'Riva probeert ons goddomme te vermoorden. Snij die handboeien door.'

'Seth, blijf liggen,' riep Misty.

Jo reed met hoge snelheid over Coleman. Ze moest een plaats zien te bereiken waar meer mensen waren. Ze moest naar een politiebureau. Ze moest hulp zien te krijgen van een tank en een Stinger-raket.

'Bel Riva,' riep Vance vanaf de vloer. 'Zeg dat ze ophoudt.'

'Ze luistert echt niet naar je. We moeten vluchten. Snij me los.'

In de achteruitkijkspiegel draaiden de koplampen van de pick-up de weg op, en ze richtten zich weer op haar.

Kanan stond op de stoel en zette zich schrap tegen het frame van het schuifdak. Riva draaide weer de weg op en reed in zuidelijke richting achter de vluchtende Tahoe aan. Hij hield het geweer stevig vast.

Eén ontvoerder uitgeschakeld.

Nog eentje te gaan. Er zat een vrouw achter het stuur. Vanaf zijn plaats kon hij haar niet zien, maar hij wist zeker dat hij lang donker haar en een bleek gezicht had gezien. Iemand die vastbesloten was geweest hen te doden. Ze was recht op hen af gereden om te kijken wie het meeste lef had, dat wist hij zeker.

De wind schuurde over zijn gezicht. Hij tuurde met samengeknepen ogen naar de Tahoe. De koplampen van de pick-up werden gereflecteerd door het getinte glas van de achterklep. Hij zag beweging in de auto. Zat daar iemand?

'Riva,' schreeuwde hij, 'weet je zeker dat het er maar twee waren?'

'Ian, schiet nou maar.'

Hij bukte zich en riep in de pick-up: 'Zit er nog iemand achter in de Tahoe?'

'Nee.'

'Weet je zeker...'

'Misty en Seth zijn dood. Schieten.'

Ze krijste de woorden bijna uit. Hij ging rechtop staan. In de wind en de duisternis tilde hij zijn wapen op.

Jo scheurde door een rood verkeerslicht. Bomen en kantoren vlogen onder de straatlantaarns voorbij.

Vance schreeuwde: 'Bel Riva en zeg dat ze ophoudt. Onderhandel met haar.'

Hij zat duidelijk nog in de ontkenningsfase. 'Ik kan niet bij de telefoon. Snij me los.'

'Sinds wanneer kan zij zo goed schieten?'

'Ze heeft een schutter. Snij me los.'

'Hou je hoofd omlaag, Seth,' zei Misty.

Nu liet Seth zich horen. 'Wie schiet er op ons? Is Murdock... Is hij... Waar is papa?'

Jo zei: 'Vance, als je me niet helpt, gaan we er allemaal aan.'

Het harde knikkergeluid sloeg weer door de Tahoe.

Vance schreeuwde. 'Het is Kanan, hè? Hij heeft een geweer en hij is... Riva waarschuwde ons al voor hem en... Ooo, god.'

'Ian? Man, je lijkt wel getikt,' zei Misty.

*Hoe ernstig getikt, en op welke manier?* 'In eigen persoon, en bid maar dat we dit overleven,' zei Jo.

Boven de bomen kwam een dalend vliegtuig in beeld, dat met felle landingslichten de hekken van de luchthaven naderde. Daarachter vloog nog een hele rij dalende vliegtuigen.

'Waarom schiet papa op ons?' vroeg Seth.

Die vraag kon Jo wel beantwoorden. 'Hij weet niet dat jullie in de auto zitten.'

'Schiet hij echt op ons?' vroeg Seth.

'Hij weet dat jullie zijn ontvoerd. Hij probeert jullie te redden.'

Misty staarde naar Jo, en haar mond viel langzaam open.

'Ik wist wel dat papa ons zou komen halen,' zei Seth.

Kanan zou zijn gezin nooit met opzet kwaad doen, dat wist Jo zeker. Voor zijn vrouw en zoon zou hij zijn leven geven, en hij zou anderen doden om hen te beschermen.

En hij zou de ontvoerders niet met kogels doorzeven voordat ze hadden gezegd waar zijn gezin was. Maar misschien zou hij hen wel doden als hij dacht dat zijn gezin gered was.

Ze zou Kanan nooit voor kunnen blijven. Ze was misschien sneller dan de pick-up, maar niet sneller dan een krachtig geweer. Tussen de bomen en bedrijfsgebouwen zag ze start- en landingsbanen en de felle lichten van de commerciële terminals op de luchthaven. Daar waren bewapende politiemensen uit San Jose, en misschien stonden er bij de poort wel een paar alerte jongens van de National Guard. Ze moest op het vliegveld zien te komen.

'Misty, wat deed Ian in het leger?'

Jo keek in de achteruitkijkspiegel. Misty hield het hoofd laag en probeerde Seth onder de ruit van de achterklep te houden.

Haar blik was spijkerhard. 'Verkenner-scherpschutter.'

Er was een heel goede kans dat hij de ontvoerders wilde doden als hij dacht dat zijn gezin gered was.

Misty schreeuwde: 'Seth, blijf liggen.'

Met een splinterende, vloeibare *krak* raakte een kogel het achterraam.

# 38

Het knikkergeluid ketste door de Tahoe. Het plastic rond de radio versplinterde, vloog in stukken uiteen en raakte Jo's rechterarm. Haar gezicht vertrok, maar ze kon haar handen niet van het stuur halen.

Ze was een doelwit in een schiettent. Laten we cowboytje en psychiatertje spelen.

Vanaf de vloer achter haar klonk een stroom verwensingen, de snotterende smeekbeden van Vance aan een onvolgroeide, obscene god. Toen het gruis door de auto vloog, begon hij te gillen.

Hij stak zijn arm omhoog en zwaaide met zijn pistool. 'Rij harder, kreng.'

'Maak me dan los,' schreeuwde Jo weer.

Ze racete over Coleman en haalde met grote snelheid een andere auto in. Misschien belde die het alarmnummer wel. Maar zelfs als dat het geval was en de politie binnen een minuut reageerde, had een kogel maar een seconde nodig om zijn werk te doen.

Als een rat in het nauw krabbelde Vance naar de stoel naast het stuur. Terwijl zijn spijkerbroek van zijn magere kont zakte, graaide hij naar de deur. Hij klauwde naar de hendel en kreeg het portier open. De wind joeg naar binnen. Gillend als een mager speenvarken lanceerde hij zichzelf uit het voertuig, waarbij hij wel een zwemmer leek die de bestuurderstoel als startblok gebruikte. Jo kreeg een trap in haar gezicht.

Haar hoofd klapte naar links en ze zag sterretjes. De achterwielen van de Tahoe reden ergens overheen. Het was alsof ze een boomstam raakte, of Snoop Domm.

Misty klom op de passagiersstoel. In haar rechterhand had ze een schaar. De bladen waren lang, scherp en bebloed.

'Heb je hem gestoken?' vroeg Jo.

'In zijn reet.'

In haar borstkas voelde Jo allemaal warme gevoelens opborrelen. 'Wil je alsjeblieft mijn beste vriendin worden?'

Terwijl Misty ineengedoken bleef zitten, stak ze haar hand uit en probeerde ze de kabelbinders door te knippen waarmee Jo aan het stuur vastzat.

'Hou je handen stil,' zei ze.

'Makkelijker gezegd dan gedaan.'

De Tahoe was een krachtige auto, maar hij stuurde als een diepvrieskist. De schaar bewoog naar voren en naar achteren, waarbij de messcherpe punten vlak langs haar pols vlogen.

'Let niet op mij, let op de weg,' zei Misty.

'Mijn moeder had nog zo gezegd dat ik niet met een schaar mocht autorijden.'

'Ik ben verpleegkundige. Als ik je pols doorsnij, krijg je een lolly en een pleister met de kleine zeemeermin erop.'

'Ik ben psychiater. Als je mijn pols doorsnijdt, moet ik mezelf laten opnemen.'

Calders koplampen werden in de achteruitkijkspiegel groter en waren oogverblindend wit.

'We moeten zorgen dat we bij de grootste terminal van de luchthaven komen. Dan zijn we omringd door politie,' zei Jo.

'Snelweg. De 880, we zijn zo bij de oprit.'

Vierhonderd meter verderop zag Jo het viaduct. Van daaraf was het over de snelweg vijf minuten rijden naar de grootste terminals.

'Geen tijd.'

Even verderop zag ze een van de zijstraten die naar de privéterminals van de luchthaven leidden. Ze trapte op de rem en sloeg af. Misty viel tegen het dashboard aan.

'Sorry.'

Jo wist niet dat ze haar voet zo hard op het gaspedaal kon duwen. Ze wist niet of ze het zouden halen. Ze denderde langs een donker bedrijventerrein. Misty ramde de schaar om de kabelbinder rond Jo's rechterhand, kneep de bladen met beide handen naar elkaar toe en knipte het plastic door.

De toegang naar het vliegveld lag recht voor hen uit, aan het einde van de straat.

Ze hield het stuur recht. 'Schaar.'

Misty gaf hem aan haar.

'Murdock had zijn telefoon op het dashboard gelegd. Kijk op de grond,' zei Jo.

Terwijl ze met haar linkerhand stuurde, schoof Jo de schaar om de plastic handboei en knipte hem door. Misty zocht op de grond en kwam overeind met de telefoon. Vanuit haar ooghoek zag Jo haar naar het scherm turen en een nummer intoetsen. Het kostte haar moeite niet te huilen. Misty maakte zich weer klein, hield de telefoon aan haar oor en tuurde om de stoel heen naar de achterruit.

'Ian neemt niet op.'

In de achteruitkijkspiegel zag Jo dat de pick-up moeite had om de bocht te nemen. Hij overstuurde, reed op het trottoir af en liet water uit de goot opstuiven. Kanan had een geweer in zijn armen.

'Seth, gaat het?' riep Misty.

Er kwam geen reactie.

Misty hief haar hoofd op. 'Seth?'

'Mam… ik heb pijn.'

'Jezus.' Misty klom tussen de stoelen door en dook achterin.

Jo keek naar de snelheidsmeter. Ze reed 145 kilometer per uur. Haar ogen flitsten naar de spiegel, in de hoop dat ze de jongen kon zien. Het enige wat ze door een met kogelgaten doorzeefde achterruit zag, waren Calders koplampen.

Ze keek weer naar de weg. De toegang naar het vliegveld kwam snel dichterbij. Daarachter zag ze de kersrode lichten.

Oké, *nu*. 'Hou je vast.'

Ze zette zich schrap. De toegang bestond uit een eenvoudige, rood met wit geschilderde slagboom. Aan de kant van de bestuurder stond een apparaat waar een toegangspasje doorheen gehaald moest worden. Ze wist niet of de slagboom van hout of van staal was. Ze wist ook niet of hij zou versplinteren of dwars door de ruit zou vliegen als ze er met 110 kilometer per uur tegenaan reed.

Op het moment dat ze hem raakte, reed ze 150. Metaal knarste. De slagboom vloog met een metalige klank aan de kant en trok vonken, als een slijpsteen. Jo reed het platform op.

'Is Seth geraakt?' wilde ze weten.

Misty gaf gespannen antwoord. 'Zijn schouder, er helemaal doorheen.'

Jo scheurde langs de luxueuze, helder verlichte terminal van een bedrijf. De grote ruiten keken uit over de start- en landingsbanen, maar ze zag binnen niemand lopen. Ze reed langs geparkeerde auto's en stilstaande eenmotorige vliegtuigjes.

Hier zou Calder haar vast niet volgen. Dat ging te ver. Zelfs zij kon niet gek genoeg zijn om een landingsbaan van een grote luchthaven op te rijden en iemand te beschieten. Jo keek in haar achteruitkijkspiegel.

Kanan zag dat de Tahoe de slagboom versplinterde alsof hij een pollepel was. Hij hield het geweer vast en zette zich schrap tegen het schuifdak. Hij voelde dat de pick-up zachter ging rijden.

Hij bukte zich en keek naar Riva. 'Achter hen aan.'

Geschokt keek ze omhoog. 'Nee.'

'Rijden, verdomme.'

'Het vliegveld op? Dat is waanzin.'

Waarom keek ze hem nu zo aan? Waarom leek ze te denken dat alles verpest was? Ze ging nog zachter rijden, naderde de kapotte slagboom en keek om zich heen.

In de verte zag hij het vliegtuig van Chira-Sayf op het tarmac bij een privéhangar staan. De trap was naar beneden geklapt, het licht was aan. Het vliegtuig was klaar voor vertrek.

Hij stak zijn hand uit naar zijn rug en pakte het HK-pistool uit de band van zijn spijkerbroek. Met zijn linkerhand richtte hij het op Riva's hoofd.

'De moordenaars van mijn gezin mogen niet ontsnappen. Rijden.'

Jo staarde in haar achteruitkijkspiegel en hoopte dat ze de koplampen van de pick-up met wilskracht kon dwingen om af te buigen en te verdwijnen. De afstand tussen haar en de pick-up werd groter. De auto was haar niet gevolgd.

Opeens gaf de pick-up gas.

'Mijn god, ze komen achter ons aan,' zei ze. 'Niet te geloven.'

Kanan zou nooit zomaar roekeloos achter de ontvoerders van zijn gezin aan rijden, zelfs niet als hij dacht dat ze zouden kunnen ontsnappen. Of wel?

Nee. Hij zou hen wél achtervolgen als hij dacht dat ze zijn gezin hadden gedood.

Hij wilde hen doden. Hij zou zichzelf opofferen om Seth en Misty te wreken. Hij zou door het lint gaan.

Ze racete over het platform en passeerde hangars en privévliegtuigen. Het was haar inmiddels al pijnlijk duidelijk dat deze kant van de luchthaven niet werd bewaakt. Ze reed langs het vliegtuig van Chira-Sayf. In de verte, achter de taxibaan en de donkere start- en landingsbanen, lagen de commerciële terminals.

Ze keek weer in de achteruitkijkspiegel. Calder reed achter haar aan over het platform en kwam steeds dichterbij.

*Zaterdag zijn ze dood.* Maar Ian Kanan kon niet meer onthouden welke dag het was.

'Misty, hij denkt dat je dood bent.'

'O, god,' zei Misty. 'We moeten iets doen.'

Het vliegveld was een grote, lege ruimte tussen de Tahoe en een veilig onderkomen. De start- en landingsbanen waren vier kilometer lang. De terminals lagen bijna een kilometer van hen af. Het zou waanzin zijn om nu af te buigen en te proberen de gebouwen te bereiken.

De witte landingslichten van een dalend vliegtuig verlichtten de hemel. Het toestel kwam gierend boven de landingsbaan hangen en raakte de grond. Met zo'n tweehonderd kilometer per uur en brullende straalomkeerders raasde het voorbij.

Achter haar werden de koplampen van de pick-up feller. Ze zoog haar longen vol lucht, gooide het stuur om en reed over een oprit naar de westelijke baan.

De pick-up kwam achter haar aan.

Jo reed dwars over de baan heen. Ze voelde haar haren prikken. De auto passeerde het midden van de baan, die psychedelisch werd verlicht door een spoor van heldere rode en groene lampjes. Ze hield haar ogen strak op de terminals gericht.

*Ik wil inchecken. Geen ticket, geen legitimatie. Ik heb niet zelf mijn koffer ingepakt, ik heb een volle tank benzine en kogels bij me en ik heb mijn haargel en al die andere troep niet in een doorzichtig plastic zakje gedaan. Of jullie er nu klaar voor zijn of niet, we komen er verdomme aan.*

De auto liet het tarmac achter zich en reed door het zand. Het stuur trilde in haar handen. De pick-up kwam achter haar aan.

Ze kon nog maar één optie bedenken. 'Hij houdt op met schieten als hij weet dat je nog leeft.'

In de spiegel verstrakte Misty's gezicht van de spanning. 'Wat is er met hem aan de hand?'

'Hij houdt van je. Hij is een vechter.'

Misty schudde haar hoofd. 'Waarom zei je tegen Murdock dat Ians geheugen na vijf minuten wordt schoongeveegd?'

'Hij heeft hoofdletsel. Zijn geheugen is aangetast.'

Misty zei niets, maar liet de woorden op zich inwerken. 'Seth, blijf liggen.'

Ze ging op haar knieën zitten, spreidde haar armen en drukte haar handen tegen de achterruit, recht in zijn gezichtsveld.

Het glas van de achterklep was doorzeefd met kogelgaten. Jo had geen idee of Kanan zijn vrouw kon zien, laat staan dat hij haar kon herkennen door de witte sterren in de zwaar beschadigde ruit.

Misty drukte haar handen tegen het glas, haar armen wijd, en werd een silhouet in het felle witte schijnsel van Riva's koplampen.

Jezus, wat een vertrouwen. Jo kreeg tranen in haar ogen. Misty bleef zitten. De pick-up bleef hen achtervolgen.

'Mam, gaat het?' vroeg Seth.

Vóór hen doemden de helder verlichte terminals op. Jo stuiterde over het zand. De lichten van de oostelijke baan werden feller, als een verlichte omheining.

Ze keek naar rechts. En zag een vliegtuig met hoge snelheid over de startbaan op zich afkomen, bezig op te stijgen.

Kanan leunde naar voren en legde de loop van zijn geweer tegen zijn schouder. De pick-up stuiterde over het kale zand tussen de banen. Achter zich hoorde hij het aanzwellende gejank van turbomotoren.

De koplampen van de pick-up beschenen de achterruit van de Tahoe en bogen weer af.

Er zat iemand achterin.

'Riva,' schreeuwde hij tegen de wind in.

De achterruit zat onder de witte sterren van de kogelgaten, maar er zat een vrouw geknield met haar handen tegen de ruit.

'Schiet haar dood,' schreeuwde Riva.

Het lawaai, de wind en de chaos vervaagden. Met een helderheid die de nacht als rook liet vervliegen, zag hij de levenslijn van een hand die hij vijftien jaar lang had vastgehouden. Hij zag de ogen waar hij 's avonds in keek voordat hij in slaap viel.

Hij zwaaide de loop van het geweer opzij. 'Het is Misty.'

'Dat verbeeld je je maar.'

Hij knipperde de wind uit zijn ogen, keek nog eens naar de Tahoe en besefte dat Riva gelijk had. Vanaf deze afstand, onder deze omstandigheden kon hij Misty's handpalmen en oogopslag nooit herkennen, zelfs niet nu hij nieuwe verbindingen in zijn hersenen had en hyperopmerkzaam was geworden.

Maar hij wist dat Misty de enige was die zich voor zijn vizier zou durven plaatsen.

'Ze is het wel. Ze leeft nog. Rem af.'

De pick-up bleef zo hard mogelijk doorrijden. Wat was er in godsnaam aan de hand?

'Riva?'

Met het geweer in zijn hand liet hij zich door het schuifdak naar binnen zakken.

Riva keek hem verwilderd aan.

'Rem af,' zei hij.

Wit licht bescheen de cabine. Hij keek opzij. Greep de gordel beet. Hij zag het vliegtuig over de startbaan naar zich toe komen.

O god, het was een 757.

*Jezus, ik heb een hekel aan vliegen.* Twee jaar lang had Jo vliegtuigen als de pest gemeden. Ze had haar *frequent flyer*-punten laten verlopen. Ze had haar dvd van *Catch me if you can* weggegooid. En toch kwam er zo'n ellendig ding recht op haar af. Ze gaf plankgas en scheurde over de baan. Ze kon de turbomotoren van het vliegtuig horen loeien.

Ze reed zo hard ze kon over de startbaan. De witte lampen van het vliegtuig draaiden naar boven. De neus ging omhoog. Het landingsgestel hing als een paar klauwen onder de romp. Ze reed het zand in en nam geen seconde gas terug. Achter haar kwam de gierende jet van de grond los.

'Sodeju,' zei Seth.

De 757 steeg grommend op. In haar achteruitkijkspiegel zag ze dat de koplampen van de pick-up de startbaan hadden bereikt. Jo stuiterde de taxibaan op, maakte een scherpe bocht en reed naar een rij stilstaande vliegtuigen bij de terminal.

'O god,' zei Misty.

De pick-up stak met hoge snelheid achter de 757 de startbaan over. Toen het vliegtuig op vol vermogen opsteeg, werd de auto door de straalstroom geraakt.

'Nee!' riep Misty.

Calder slingerde. De koplampen schenen niet meer recht vooruit, maar draaiden als de lamp van een vuurtoren rond. De pick-up kantelde en ging over de kop. Door de kracht van de straalstroom kwam de auto los van de grond en werd hij opgetild. Twee meter, drie, alsof hij vloog.

De auto had zoveel snelheid dat hij tussen de startbaan en de taxibaan op het zand belandde. In de achteruitkijkspiegel draaiden de koplampen rond als gloeilampen in een droogtrommel.

'Ian!' riep Misty.

'Papa!' schreeuwde Seth, en hij keek naar Jo. 'Stop, stop.'

De pick-up landde op zijn zij, stuiterde en rolde verder. De wielen draaiden in de lucht rond en er wervelde stof omheen. Het voertuig had nog steeds zo'n hoge snelheid dat het weer op zijn wielen kwam te staan en nog een keer over de kop ging, waardoor het over het zand en over de taxibaan rolde.

Jo kwam bij de terminal, maakte een scherpe bocht en stond stil achter een MD-80. Ze hoorde Seth en Misty tegen de zijkant van de Tahoe bonken.

De pick-up sloeg nog een keer over de kop en kwam uiteindelijk tot stilstand. Het tarmac erachter was bezaaid met brokstukken.

'Papa,' schreeuwde Seth.

'Laat ons eruit,' zei Misty.

Jo sprong uit de auto, rende naar de achterkant en maakte de klep open. In de verte lag het tarmac bezaaid met metaal en glas. Er kwam stoom uit de verbrijzelde radiator van de pick-up. Het wrak van de auto lag op zijn zijkant tegen de motor van een 737.

Door de raampjes van het vliegtuig staarden honderd ontzette gezichten ernaar.

# 39

Kanan knipperde met zijn ogen en probeerde zijn blik scherp te stellen. Zijn hoofd tolde. Zijn borstkas voelde aan alsof hij een klap met een moker had gehad. Zijn rechterbeen deed pijn en hij kon zijn rechterarm maar moeilijk bewegen. Vóór zich zag hij de verbrijzelde voorruit van een pick-up.

Hij hoorde banden, claxons, zijn eigen hartslag en brullende turbines van een vliegtuig dat wilde opstijgen. Over zijn schouder lag de loop van een geweer. Het voelde gloeiend heet aan.

Hij hoorde een vrouw kreunen.

*Hinderlaag. Zimbabwe. slim.*

'Ian...'

Hij pakte het geweer, maakte zijn gordel los en hees zich omhoog. De stem van de vrouw kwam hem bekend voor. Hij bloedde. Door het schuifdak zag hij een donkere hemel. Ze bevonden zich op een luchthaven, gekanteld, stedelijk gebied. Zwaar in de nesten. *Kaboel. Bermbom.* Hij zette de kolf van het geweer tegen zijn schouder en richtte op het schuifdak.

'Ian, haal me eruit,' zei de vrouw.

Hij draaide zijn hoofd. Riva Calder zat achter het stuur en hing opzij in haar gordel. Ze keek hem secondelang strak aan.

'De ontvoerders zijn daarbuiten. Je moet schieten,' zei ze.

*Zorg dat je iedereen die je vandaag ziet zou kunnen doden.* Hij draaide zijn hoofd en hield zijn oog voor het nachtvizier van het geweer. Zijn blik was wazig. Vanuit zijn haar liep er bloed over zijn gezicht.

Verderop op het tarmac, bij de staart van een MD-80, stonden drie mensen naast een Chevy Tahoe. Hij zag een westers geklede vrouw. Ze had lange donkere krullen. Nog een vrouw. Een tienerjongen.

'Doe het, Ian,' zei Riva. 'Je gezichtsvermogen is aangetast. Dat zijn de ontvoerders.'

De donkerharige vrouw draaide zich opzij en greep de hand van de vrouw die naast haar stond. Ze schreeuwden iets, maar hun woorden gingen verloren in het kabaal van de vliegtuigmotoren. Hij knipperde nog eens met zijn ogen. Hij kon ongehinderd schieten. Hij richtte zijn blik op haar en haalde adem.

'Schieten, Ian. Schiéten,' zei Calder. 'Kijk dan naar hem – je hebt hem al eens geraakt. Hij bloedt. Ian, we zitten hier gevangen. Zorg dat ze ons niet te pakken krijgen.'

Kanan tuurde aandachtig door zijn nachtvizier. Hij knipperde en keek naar de mensen op het tarmac.

'Wil je echt dat ik de trekker overhaal?' Hij tilde het HK-pistool in zijn linkerhand op en richtte het op Riva's gezicht. 'Als je me nog eens vraagt op mijn gezin te vuren, zal ik geen seconde aarzelen.'

Op een afstandje van het autowrak hielden Jo, Misty en Seth elkaars handen vast. Ze staken hun armen omhoog en bleven met ingehouden adem staan.

Verderop gooide Ian Kanan zijn geweer door het schuifdak, en hij kroop uit de auto.

Misty slaakte een kreet van opluchting.

Seth liet zijn schouders zakken. 'Hij mankeert niets.'

Nu was zijn energie echt op, en hij zakte door zijn benen. Jo en Misty lieten hem voorzichtig op het tarmac zakken en zetten hem met zijn rug tegen het achterwiel van de Tahoe. Hij was bleek en bijna in shock, maar er stond een bewonderende blik in zijn ogen.

Vanaf de andere kant van de startbaan reden brandweerauto's

naar hen toe, die met hun zwaailichten en sirenes de avond in een kermis veranderden. Misty had een reep stof van haar trui gescheurd en gebruikte die als drukverband op de schouder van Seth. Ze pakte Jo's hand en drukte die op de wond.

'Blijf duwen. Ik kom terug.'

'Nee.' Jo greep haar arm. 'Wacht.'

Misty trok zich los. 'Ian is gewond.'

'En besmet. Als je hem aanraakt, kunnen Seth en jij ook besmet raken. Wacht op de brandweer.'

De brandweerauto's kwamen met veel kabaal dichterbij, enorme gele voertuigen die dieselwolken uitbraakten. Brandweerlieden sprongen eruit. Jo rende naar hen toe en zwaaide met haar armen.

'Ik ben arts en werk voor de politie van San Francisco. We hebben een ontsmettingspeloton nodig. Er is sprake van een door bloed overdraagbare pathogene stof. Er moeten voorzorgsmaatregelen worden genomen om massabesmetting te voorkomen.'

Kanan hees zich overeind. Hij gooide twee pistolen naast het geweer op het tarmac en hinkte naar zijn gezin toe. Hij was er beroerd aan toe, maar de emotie waarvan zijn gezicht overliep, die al zijn pijn wegnam, was vreugde.

Jo rende in zijn richting en hief haar handen op. 'Ian, stop. Je bent besmet met SLIM. Je mag niemand aanraken tot je bent ontsmet.'

Hij stond wankelend stil en strekte zijn hand uit naar zijn vrouw. 'Misty.'

Misty kwam naast Jo staan. Ze zag eruit of ze elk moment in tranen kon uitbarsten. 'Ian.'

'Heeft Riva een wapen?' vroeg Jo.

Hij schudde zijn hoofd. 'Nee.'

Ze voelde de spanning uit zich glijden en in de lucht vervliegen. In de terminal stonden mensen voor de ramen te staren en te wijzen. Op het tarmac kwamen grondpersoneel en kruiers dichterbij. De chauffeur van een brandstofauto opende zijn portier en ging op de treeplank staan. In de volle 737 verdrongen de passagiers zich voor de raampjes om te zien wat er gebeurde. De piloot kwam op een drafje de trap af. Camera's flitsten.

Het was een chaos, Kanan en Seth waren gewond en achter de

hoge vliegtuigmotoren hoorde ze politiesirenes. Het zou haar niet verbazen als ze gearresteerd werd.

Wat een verrukkelijke avond.

Het was voorbij. Jo wist wat ze voelde: een oervreugde. Ze had het overleefd.

De brandweerlieden trokken handschoenen aan en zetten veiligheidsbrillen op. Jo volgde hun voorbeeld, trok een paar latex handschoenen aan en zette een plastic bril op. 'Willen jullie iets voor me doen?' vroeg ze. Ze slaagde erin een jas en een stethoscoop van hen los te peuteren. Als ze er gezaghebbend uitzag, kon ze de politie misschien nog even op afstand houden.

Kanan strekte zijn hand uit naar Seth. 'Jezus, je bent gewond.' Wanhopig riep hij naar de brandweerlieden. 'Mijn zoon is geraakt. Help hem. Die klootzakken hebben mijn zoon neergeschoten.'

Twee brandweerlieden grepen een eerstehulpkoffer en renden naar Seth om hem te behandelen. Een andere brandweerauto reed naar het autowrak en begon het met blusschuim te bespuiten.

Kanan wankelde op zijn benen, verloor zijn evenwicht en viel op zijn knieën. Jo volgde een brandweerman die met een eerstehulpkoffer naar hem toe liep.

'Blijf even stilzitten.' De brandweerman begon Kanan te onderzoeken. 'Wat is dit?'

In het schijnsel van zijn zaklampje zag Jo de boodschap op Kanans arm. Er stond: *zaterdag zijn ze doodgegaan.*

Kanan staarde ernaar en keek toen naar Seth, die languit op het tarmac lag, en naar Misty, die met haar hand voor haar mond op een afstandje stond. Geschokt las hij de boodschap nog een keer.

'Wat is er in jezusnaam allemaal aan de hand?' vroeg hij.

Jo pakte een gaasje uit de koffer van de brandweerman en goot er Betadine op. Ze knielde bij Kanan neer.

'Je hebt je gezin gered,' zei ze.

Ze wreef de woorden van zijn huid, maar al was het zinnetje verdwenen, hij bleef naar zijn arm staren.

Hij keek haar aan. 'Dit gaat nooit meer over, hè?'

Ze vond het vreselijk dat ze meteen begreep wat hij bedoelde. 'Nee.'

Hij zou nooit langer dan vijf minuten achter elkaar weten dat zijn gezin in veiligheid was. Als hij hen zag, zou hij door het dolle heen zijn van vreugde, maar als ze uit zijn gezichtsveld verdwenen, zou hij alles vergeten en weer wanhopig worden.

'Om de vijf minuten word je gereset naar de laatste herinnering van vóór je verwonding,' zei ze.

'Ik zal altijd denken dat ze verdwenen zijn en dat ik hen nooit meer op tijd kan bereiken.'

Elke ochtend zou hij bang en verdrietig wakker worden. Dat zou nooit slijten.

'Heb ik die godvergeten ontvoerders opgespoord?' vroeg hij.

'Ja.'

Hij knikte, maar zijn tevredenheid duurde niet lang. 'Over een paar minuten wil ik hen weer opsporen, hè?'

De brandweerman tikte Jo op haar schouder. 'Neem me niet kwalijk, dokter.'

Jo stond op en liet hem zijn werk doen. Al Kanans herinneringen – de waarheid, de werkelijkheid – zouden worden weggevaagd, en hij zou met de onopgeloste crisis achterblijven.

De zwaailichten wierpen dansend hun schijnsel over het tafereel en voegden de primaire kleuren rood en blauw toe aan de witte landingslichten van het vliegtuig. Onafhankelijkheidsdag in maart. Kanan en Misty keken elkaar aan. Ians lichte ogen stonden vol tranen.

'Meid, jij bent het mooiste wat ik ooit heb gezien.'

'Het komt goed, lieverd. Het komt allemaal goed.'

Haar stem klonk zwak. Jo legde een arm om haar schouder. Misty glimlachte onzeker naar haar.

'Ian,' zei Jo, 'weet je nog waar je in contact bent gekomen met SLIM?'

'In Zambia.'

'En vanavond?'

'Nee. Waarom vraag je dat?' En toen vertelden zijn ogen dat hij haar begreep. 'Een tweede blootstelling zou fataal zijn, hè?'

Jo knikte. 'De brandweer zorgt dat je ontsmet wordt en brengt je naar het ziekenhuis.'

'Goed.'

Ze wendde zich tot Misty. 'Zorg dat je oogcontact met hem houdt. Voortdurend. Begrepen?'

Er gleed een verdrietige, angstige blik over Misty's gezicht. 'Begrepen.'

Kanan hief zijn hand op. 'Maak je maar geen zorgen. Ik verlies hen nooit meer uit het oog. Dat beloof ik.'

Jo stapte opzij, pakte Murdocks telefoon en toetste een nummer in.

Er werd bruusk opgenomen. 'Quintana.'

Zodra ze Gabes stem hoorde, kreeg ze een brok in haar keel. Haar jubelstemming kreeg vleugels en vloog recht een wolk van tranen in.

'Met mij. Ik ben ongedeerd. Het is achter de rug,' zei ze.

'Waar ben je? Waar is Kanan?'

'De luchthaven van San Jose. Quintana, je weet niet half hoe fijn het is om je te horen. Waar ben jij?'

'De politie heeft me net vrijgelaten. Ik zit op de 101, halverwege Moffett. Jo, waar is...'

Zijn vraag ging verloren in een loeiende politiesirene.

'Wat zei je, Gabe?' Ze glimlachte. Ze kon er niets aan doen.

'Waar is Kanans rugzak?'

'Dat weet ik niet.' Ze keek om zich heen. Ze zag hem niet bij de pick-up liggen, en ook niet in het spoor van brokstukken die tijdens het ongeluk van de auto waren gevlogen.

'De adapter van zijn computer zit in de rugzak,' zei Gabe. 'Dat ding zit tjokvol SLIM en is instabiel. Jo, waar is de rugzak?'

Ze liep naar de auto en keek rond. In de cabine hoorde ze Riva kreunend bewegen en pogingen ondernemen om door het schuifdak naar buiten te glijden.

'Ik zie geen rugzak,' zei ze.

'Jo, maar, dat je wegkomt. Het is een bom.'


Dokter Jo Beckett was niet dom. Tenminste, ze dacht van niet. Ze kende alle psychologische afweerreacties. Ontkenning. Onderhandelen. Rationaliseren, projectie, afzondering, schizoïde inzinkingen, eetaanvallen. En ze hield zichzelf voor dat ze haar eigen afweerreacties onder controle had, waardoor een crisis haar niet kon overrompelen. Het leven, haar opleiding en een ramp hadden ervoor gezorgd dat ze nooit meer verrast kon worden. In noodgevallen was ze een sprinter die uit de startblokken wegstoof. Haar reflexen waren eersteklas. Als er een startpistool afging, schoot ze als een pijl uit een boog weg.

Maar nu stond ze op het tarmac en had ze het idee dat Gabes mededeling haar als een lichtstraal door een glazen ruit probeerde te bereiken en werd afgeketst.

'Hoe bedoel je, een bom?'

'Het SLIM-monster zit in de adapter van Kanans computer. Het kan elk moment ontploffen. Hoor je me, Jo? Maak je daar verdomme zo snel mogelijk uit de voeten.'

Het kabaal van de hele wereld leek door het glas te razen. En het tafereel ontvouwde zich aan haar geestesoog, met al zijn glanzende, complexe verschrikkingen.

Kanan lag uitgeput en gewond achter haar. Seth zat bloedend op het tarmac. Er waren mensen in de terminal. Mensen in volle vliegtuigen. Tien, twaalf grote toestellen, plus alle toestromende brandweerlieden, politiemensen en ambulanceverplegers. En de vrachtwagenchauffeur die van zijn treeplank sprong en op een drafje naar hen toe kwam om zijn hulp aan te bieden. De vrachtwagenchauffeur van de glanzende vrachtwagen vol kerosine. Vleugels. Vol brandstof. Een vloot van vuur, wachtend op een vonk.

'O, mijn god. Gabe – kan... O shit. We hebben de explosievenopruimingsdienst nodig.'

'Geen tijd. Dat spul is vluchtig, het vreet door de adapter heen, en als er genoeg zuurstof bij komt, gaat het de lucht in. Ontruim het gebied.'

Ze keek om zich heen. 'Dat gaat niet.'

'Kanans legermaat was bij hem toen Kanan dat ding op scherp zette. Hij dacht dat het binnen zeventig minuten zou ontploffen.'

'Hoeveel zijn er nu voorbij?'

'Tweeënnegentig.'

Het leek wel of ze jeuk had, tintelde, aan het tarmac was vastgeplakt. 'Kunnen we de ontploffing binnen de perken houden?'

'Ik heb geen idee hoe krachtig de explosie zal zijn. Het zou het beste zijn als je de adapter kon isoleren in een verstevigde stalen bunker. Jo, geloof me. Dat ding gaat de lucht in!'

'Blijf aan de lijn.'

Ze propte de telefoon in haar achterzak en rende naar de dichtstbijzijnde politieauto. Als SLIM ontplofte en de brandstofauto en jets de lucht in liet vliegen, zou de klap iedereen op het tarmac doden en honderden mensen in brandende vliegtuigen opsluiten – bloedend, vol scherven, allemaal geïmpregneerd met SLIM.

Ze greep een politieman beet. 'Ik werk voor de SFPD. Ik heb de California Air National Guard aan de lijn. Er ligt een bom in die pick-up, die elk moment kan ontploffen.'

Hij keek haar onderzoekend aan. Zijn blik werd harder. 'Weet u dat zeker?'

'Ja.'

Hij draaide zich om en begon mensen met gebaren achteruit te sturen. 'Ontruim dit gebied.' Hij riep naar een leidinggevende van de brandweer. 'Haal de mensen uit de vliegtuigen.'

'Wat is er aan de hand?'

Jo draaide zich om. Kanan riep naar haar.

'Ian, je rugzak ligt in de pick-up. SLIM vreet door de verzegeling van je computeradapter heen, en als het zegel kapot is, ontploft de hele boel.'

'Wanneer?'

'Het kan elk moment gebeuren. De tijd die je had ingeschat, is al verstreken.'

'Die ik had ingeschat? Waarom zou ik die verzegeling zo instellen dat...' Hij draaide zich om en staarde ontzet naar de vliegtuigen en de auto's van de hulpdiensten. 'Dat spul moet hier weg.'

'Hoe?' vroeg Jo.

Hij krabbelde moeizaam overeind. 'Ermee wegrijden. Het in een afgesloten ruimte bewaren.'

'Een SUV?' Ze wees op de Tahoe.

'Ja.' Hij zette een stap en voelde aan zijn zakken. 'Sleutel.'

'Zit in het contact.'

De brandweerlieden tilden Seth op een brancard en brachten hem vlug naar een ambulance. Misty had zich niet verroerd.

Kanan stak zijn hand in zijn zak en haalde een ring tevoorschijn. Met een verbaasde frons keek hij ernaar.

Uit het wrak van de pick-up klonken een bonk en een ondamesachtig gegrom. Calder was erin geslaagd om haar gordel los te krijgen. Ze was helemaal bedekt met blusschuim toen ze zich uit het wrak liet glijden.

Ze had de rugzak in haar handen. Kanan hinkte naar haar toe.

'Nee,' zei Misty. 'Ian, niet doen.'

Kanan keek naar het geweer dat hij op het tarmac had gelegd, naar Seth en daarna naar zijn vrouw. 'Hoe is hij gewond geraakt?'

Jo en Misty zeiden niets. Hij bestudeerde hun gezichten. Het drong tot hem door.

'Ik kom terug,' zei hij.

'Ian, nee.' Misty rende naar hem toe. 'Doe het niet. Je had het me beloofd. Je zei dat je ons niet meer uit het oog zou verliezen. Blijf staan – een tweede blootstelling overleef je niet.'

Een politieman rende naar haar toe en leidde haar weg van de pick-up. 'Kom mee. U moet hier weg, vlug.'

Kanan keek op zijn horloge. Tegen Jo zei hij: 'Ik heb nog tijd. Ik kan het doen.'

Calder liet zich op haar knieën op het tarmac vallen en trok de computeradapter uit de rugzak. Ze keek over de startbaan naar het wachtende vliegtuig van Chira-Sayf, alsof ze overwoog om naar het toestel toe te kruipen. Door het blusschuim heen was te zien dat de adapter borrelde.

Misty probeerde zich uit de greep van de politieman te worstelen. 'Ian, laat ons niet alleen. Niet doen. We hebben je nodig. Doe het in godsnaam niet. Je raakt besmet met een tweede dosis. Je gaat dood. Dit kun je ons niet aandoen.'

Kanan keek haar aan en zijn gezicht vertrok. Zijn vastberadenheid brokkelde af.

Hij draaide zich naar Jo. 'Ik kan het niet.'

Een verstikkende angst maakte zich van haar meester. Ze zag het koortsachtige gedrang van de mensen in de 737. In de terminal was een chaos uitgebroken. Te midden van de sirenes en het geschreeuw schoven brandweerlieden Seth in de ambulance.

Misty bleef zich verzetten tegen de politieman, die haar meenam. 'Hou op. Laat me los.'

Kanan keek haar na. Zijn stem brak toen hij zei: 'Laat het me vergeten.'

'Wat?' vroeg Jo.

'Ik kan het als ik dit allemaal vergeet.' Hinkend kwam hij naar haar toe. 'Als ik vergeet dat ik mijn gezin terug heb. Als ik vergeet wat er gebeurt als ik nog een keer aan het spul word blootgesteld. Dan kan ik het.'

Ontzet staarde Jo hem aan. 'Ian…'

'Dit is allemaal mijn schuld. Ik moet het probleem oplossen.'

Ze kreeg haar stem weer onder controle. 'Als je te lang doorrijdt, vergeet je wat er is gebeurd. Als je te ver weg gaat, blijf je doorrijden. Dan rij je misschien wel rechtstreeks naar een woonwijk.'

Hij wees naar een onverhard terrein dat vierhonderd meter verderop naast de startbaan lag. 'Twintig seconden.'

Haar hart bonkte. 'Weet je het zeker?'

'Help me. Zorg dat ik Misty en Seth niet kan zien.'

Ze bleef hem recht in de ogen kijken. Daarna draaide ze zich om, en ze holde naar de brandweerlieden. 'Zet mevrouw Kanan achter in de ambulance bij Seth en doe het portier dicht. Ik heb geen tijd om het uit te leggen. Nu!'

Misty probeerde zich nog steeds los te wrikken toen de brandweerlieden tegen de politieman riepen: 'Breng mevrouw Kanan naar de ambulance. Vlug.'

De politieman sleepte Misty naar de auto. Ze stribbelde hevig tegen.

'Wat gebeurt er?' Ze keek naar Jo en daarna naar haar man. 'Wat doe je?'

De politieman en de brandweerlieden tilden haar op, stopten haar in de ambulance en deden de deuren dicht.

Jo keek naar Kanan. 'Kom mee.'

Ze bracht hem naar een plaats waar hij de ambulance niet kon zien. 'Doe je ogen dicht.'

Hij gehoorzaamde. Het volgende moment deed hij ze weer open. 'Wacht.'

'We hebben geen tijd om te wachten.'

Hij pakte haar hand en legde Misty's trouwring op haar latex handschoen. 'Geef dit aan haar.'

Jo knikte gespannen. 'Doe je ogen dicht en tel tot tien.'

Hij telde. Met een steen op haar maag telde ze binnensmonds mee.

'Tien.'

'Doe je ogen open.'

Hij keek haar aan zonder haar te herkennen.

'Ian, we staan op de luchthaven van San Jose en je moet je computeradapter van Riva afpakken. Geen vragen stellen, gewoon doen. Het leven van Seth en Misty hangt ervan af. Je hebt tien seconden om de adapter af te pakken en met je Tahoe naar dat onverharde terrein aan het einde van de startbaan te rijden.'

Kanan keek haar weifelend aan.

'Doe het. Riva heeft hen ontvoerd. Pak die adapter van haar af en rij ermee weg. Nu meteen. Anders gaan ze dood.'

Hij staarde haar aan. Misschien duurde het maar een seconde, maar er leek een eeuwigheid voorbij te gaan. Daarna draaide hij zich om. Calder zat met een laag blusschuim op haar lichaam op het tarmac en klemde de adapter tegen zich aan. Kanan strompelde naar haar toe, greep haar arm en wrikte de adapter uit haar hand. De verzegeling borrelde nog steeds.

Ze slaakte een kreet en greep zijn been. 'Ian. Blijf bij me.'

Hij trok zich los en hobbelde naar de Tahoe. Met een kreun van pijn stapte hij in, en daarna startte hij de motor.

Door het achterraam van de ambulance zag Misty hem. Ze dook langs de brandweerlieden, gooide het portier open en sprong uit de auto. 'Ian, nee.'

Het pad naar de startbaan was helemaal vrij. Hij zette de Tahoe in de versnelling. Misty rende zo hard ze kon naar hem toe. Jo zette het ook op een lopen en tackelde haar. Met een harde klap belandden ze op het tarmac.

'Misty, nee.'

'Maar dan gaat hij dood. Ian!'

Jo legde een hand op Misty's mond en hield haar vast. De motor van de Tahoe brulde. Kanan reed om de staart van het vliegtuig heen, passeerde de brandweerwagens en koerste met hoge snelheid naar de startbaan.

Anderhalve kilometer vóór de luchthaven van San Jose belandde Gabe in een file. Alleen maar achterlichten, een felrode rivier die zich eindeloos over de snelweg leek uit te strekken. Iedereen ging langzamer rijden om te kunnen zien wat er op het vliegveld gebeurde.

Zijn mobieltje had nog steeds verbinding met dat van Jo, maar hij hoorde alleen maar gekraak en gedempte stemmen. *Jo, zeg iets tegen me*, dacht hij. *Ik wil je horen.*

Achter het hek van de luchthaven werden de gebouwen en vliegtuigen beschenen door de blauwe en rode zwaailichten van de hulpdiensten.

De explosie was krachtig en helder.

De vuurbal was een witte flits. Het kabaal dreunde door zijn 4Runner heen. De vlammen laaiden op en daalden neer, geel, oranje, en er steeg rook op die ze met een zwarte wolk omhulde.

'*Jo*,' schreeuwde hij.

Hij draaide het stuur, reed de vluchtstrook op en scheurde plankgas naar het hek van de luchthaven.

Aan het andere uiteinde van de startbaan ging het interieur van de Chevy Tahoe in oranje vlammen op. De suv rolde van het beton af, reed het onverharde terrein op en kwam tot stilstand. Er stapte niemand uit.

Met haar gezicht op het tarmac hield Jo Misty Kanan vast. Misty zat gevangen in die griezelige seconden tussen het zien van de waarheid en het moment waarop die doordrong. Jo verbeet de tranen die ze in haar keel voelde opwellen. Het portier van de ambulance ging open en Seth strompelde naar buiten.

'Mam.'

Misty kroop onder Jo's arm vandaan, krabbelde overeind en liep naar hem toe. Hij viel haar in de armen en begon te huilen.

Jo ging staan. De hitte walste over haar heen. In vliegtuigen en in de terminal staarden mensen vol afgrijzen naar het vuur. Hun gezichten werden beschenen door de reflectie van vlammen op glas. Ze deed haar ogen dicht en hoorde sirenes en gesnik. In haar samengebalde vuist voelde ze de ring.

Ze draaide zich om en liep met bonkende hoofdpijn naar Misty toe. Misty had zich op het tarmac laten zakken en hield Seth vast, die zich aan haar bloes vastklemde en tegen haar schouder lag te huilen. Ze keek op. Jo wist dat ze haar blik nooit meer zou vergeten.

'Ga weg,' zei Misty.

'Hij wilde…' Jo's stem sloeg over. 'Hij vroeg of ik dit aan jou…'

Ze vouwde haar hand open. Het licht van de vlammen danste op het goud in Misty's trouwring.

Misty pakte de ring en wendde haar hoofd af.

Jo stapte achteruit. In vergelijking met dit was de hitte van het vuur pijnloos.

Tussen de zwaailichten van de hulpdiensten door zag ze een man onder een vliegtuig door rennen. Hij nam een sprong, rolde over de motorkap van een vliegtuigtrekker en sprintte over de startbaan naar het brandende casco van de Tahoe.

Ze dacht niet dat ze nog geluid kon maken, maar ze hief haar handen op en riep hem. 'Gabe.'

Hij hoorde haar en keek om. Ze was al onderweg naar hem. Ze bleef rennen tot hij haar in zijn armen kon sluiten.

# 40

De ochtendzon hing aan een stralend blauwe hemel boven het park. In de bries ging er een huivering door de montereydennen heen en bogen de salie en paarse hei zich naar de baai. Gabe strekte zijn benen uit en legde zijn armen uitgespreid op de rugleuning van het bankje. Op het basketbalveld dribbelde Sophie naar de ring voor een lay-up. De bal tikte tegen de rand en viel door de ring.

'Twee punten voor Quintana,' zei Gabe.

Sophie glimlachte blij en verlegen naar hem en ging de bal halen. Haar gezicht werd omlijst door een stralenkrans van bruin haar.

Jo liep met haar telefoon aan haar oor langs de zijlijnen heen en weer. Amy Tang klonk kribbig.

'Je hebt me bij deze zaak betrokken, Beckett. Je bent me een biertje verschuldigd. Volgens mij heb ik permanente schade aan mijn bilspieren van de betonnen vloer in die kelder.'

Jo wreef over haar ogen en schoot bijna in de lach. 'Vind je dat ik je een biertje ben verschuldigd omdat ik je erbij heb betrokken? Ik ben je een nieuwe auto verschuldigd omdat je mijn problemen met de politie en de luchthavenbeveiliging hebt opgelost!'

Ze liet haar blik door het park, langs haar huis en over de daken van de stad naar de Golden Gate Bridge dwalen. Achter de brug lagen de door de wind geteisterde groene heuvels van de landtong

Marin County. Daarachter lagen de hemel en de eeuwigheid.

'Eén vraag, Amy – hoe ben je er eigenlijk in geslaagd te ontsnappen?'

'Hij had me met mijn handen aan een stutpaal vastgemaakt. Die stond een meter van de muur af en bovenaan zat een klembeugel. Ik heb mijn benen onder mijn lijf gepropt en ben erin geslaagd om op te staan. Daarna heb ik mijn rug tegen de paal geduwd. Ik heb mijn voeten plat tegen de muur gedrukt en ben naar boven geschoven. Toen ik zo hoog was dat ik bij de beugel kon, heb ik mijn polsen heen en weer bewogen om het tape door te zagen. Het kostte me een uur, maar het is me gelukt.'

'En toen?'

Het bleef even stil. 'En toen trapten agent Liu en een SWAT-team de deur in.'

'En vonden ze jou...'

'Ruim twee meter boven de grond, wijdbeens, met mijn voeten tegen de muur, mijn rug tegen de paal en een rubberen bal in mijn mond.'

Jo grijnsde van oor tot oor. 'Dus je hebt jezelf al paaldansend bevrijd?'

'Als je hier ooit nog eens over begint...'

'Heeft het SWAT-team foto's gemaakt?'

'Beckett...'

Jo lachte.

'Nog iets gehoord over Alec Shepard?' vroeg Tang.

'Hij ligt op de intensive care. Toen de agent hem bevrijdde, was hij onderkoeld en had hij water binnengekregen. Ze noemen het een bijna-verdrinking. Maar ze zijn optimistisch.'

'Wil je erbij zijn als we Riva Calder ondervragen?'

Jo aarzelde. 'Ik denk dat ik Calder lang genoeg heb gezien.'

'Ze gaan haar wetenschappelijk onderzoeken.'

'Ik weet het. Anterograde amnesie door blootstelling aan nanodeeltjes. Maar ik heb er geen behoefte aan om haar naar de deur te zien staren, steeds weer hopend dat Ian Kanan binnenkomt.'

Tang was even stil. 'Heb je al geteld hoeveel levens je sinds gisteravond nog overhebt, kat?'

'Ik ben ook blij dat jij niets mankeert, Tang. Rust maar even lekker uit.'

Ze liep terug naar het bankje, ging naast Gabe zitten en gaf hem zijn telefoon terug. Hij gaf haar een kop koffie.

'Ik hoop dat hij niet te sterk is,' zei hij.

Ze nam een slok. 'Raketbrandstof. Precies wat ik nodig had.'

Hij legde een arm om haar schouder. Ze dook diep weg in haar trui en leunde tegen hem aan.

'Voordat de ambulance Seth gisteravond naar het ziekenhuis bracht, heb ik geprobeerd met Misty te praten. Ze wilde me niet eens aankijken,' zei ze.

'Het kan zijn dat ze het je nooit vergeeft. Dat is zuur, maar er is niets aan te doen,' zei hij. 'Kanan begreep het risico en handelde uit vrije wil. Dat was de redding van zijn gezin en van heel veel andere mensen.'

'Dus het belang van de massa gaat boven het belang van het individu? Ik denk niet dat Misty daar vrede mee heeft.'

'Kanan heeft zich opgeofferd, maar niet puur uit onbaatzuchtigheid. Hij wilde boete doen.'

'Waarom?'

'Omdat hij mensen had gedood. Anderen had besmet. Zijn gezin had verwoest.'

'Hij was dapper. Hij hield van hen,' zei ze.

Hij trok haar dichter tegen zich aan. 'Jij was dapper. Er was lef voor nodig om hem te helpen.' Zijn stem werd zachter. 'Het spijt me dat het zo moest aflopen, Jo.'

Ze veegde een lok haar van haar voorhoofd. 'Ian wist dat hij zou vergeten dat ze in veiligheid waren. Hij wist dat hij gevangenzat in een vicieuze cirkel, een eeuwige crisissituatie zonder oplossing.'

'Lijkt me een hel.'

'Als je zonder geheugen leeft, is het net of je elke minuut sterft. Als je alles vergeet terwijl het gebeurt – als al je ervaringen verdwijnen, alle vreugde, al het verdriet... God, wat een leeg bestaan.' Ze keek naar de bomen, die in de wind heen en weer wiegden. 'Je weet pas dat je leeft als je het verleden een plaats in je bestaan geeft.'

Hij staarde peinzend naar haar. 'Hoor je wat je nu zegt?'

'Jazeker. We moeten zowel het heden als het verleden omarmen. Hoe pijnlijk dat ook is, of hoe diep de littekens ook zijn.'

De wind blies haar haren weer in haar ogen. Met zijn wijsvinger veegde Gabe de lok achter haar oor.

'Bedankt. Voor alles,' zei ze.

Zijn blik bleef peinzend. 'Jo, even over mij...'

Ze schudde haar hoofd. 'Nee. Niet nu. Vertel het me maar als je er klaar voor bent.'

'Ik weet dat je je afvraagt wat me dwarszit. Waarom ik afstandelijk ben. Het ligt niet aan jou.'

*Shit.* 'Ligt het aan jou?'

'Ik weet dat ik met mijn gedachten soms ver weg lijk.' Hij keek naar haar. 'Ik word misschien opgeroepen.'

Ze verstijfde. 'Voor actieve dienst?'

'Het is nog niet zeker, maar er is wel sprake van.'

Jo's hart kneep samen. Gabe keek naar Sophie.

'Weet zij het al?' vroeg ze.

'Nee. Ik wil niet dat ze piekert.'

Het meisje hoefde niet te piekeren. Dat deed Jo al voor haar. *Sophie heeft een vader nodig, geen held.* Jo pakte zijn hand.

'Als ik ga, wordt het een uitzending van twaalf maanden,' zei hij.

'Als je gaat, weet je waar je me kunt vinden. Ik ga nergens naartoe.'

'Jawel. Waar ik ook ben, je bent in mijn gedachten, *chica.*'

Jo boog zich naar hem toe en gaf hem een kus. Hij nam haar gezicht tussen zijn handen en beantwoordde haar kus.

'Weet je hoe ik me voel?' vroeg hij.

'Nee, maar ik denk dat je me dat zo gaat vertellen. En zelfs als je dat niet doet, kan ik wel met de onzekerheid leven.'

'Dan ben je sterker dan ik. Want ik moet het weten – mag ik vanavond langskomen? We hadden afgesproken dat we nog iets te goed hadden.'

Ze glimlachte alleen maar.

Onder de ring liet Sophie de bal stuiteren. 'Jongens, doen jullie mee?'

Ze keken op. 'Ja,' zei Jo.

Ze stond op en trok Gabe overeind. 'Je weet nooit wat je te wachten staat. Je kunt alleen maar wakker worden en het spelletje meespelen, elke dag opnieuw.'

Zijn glimlach had iets droefgeestigs. Ze liepen het veld op.

Gabe klapte in zijn handen. 'Gooi me die bal maar.'

## Woord van dank

De volgende mensen wil ik danken voor hun bemoedigende woorden en hun hulp bij deze roman: Ben Sevier, Deborah Schneider, Sheila Crowley, dokter Sara Gardiner, dr. John Plombon, Kelly Gerrard, Adrienne Dines, Mary Albanese, Luigge Romanillo, Lejon Boudreaux, Leif Eiriksson en Paul Shreve.